Suomen peruskielioppi

Fred Karlsson

Suomen peruskielioppi

Neljäs, laajennettu ja uudistettu painos

SUOMALAISEN KIRJALLISUUDEN SEURA • HELSINKI

Suomalaisen Kirjallisuuden Seuran Toimituksia 378

Korjattu 2013.

Taitto Maija Räisänen
ISBN 978-952-222-097-4
ISSN 0355-1768
Hansaprint Oy, Vantaa 2016
www.finlit.fi/kirjat

Omistettu Olli Nuutisen (1939–1995) muistolle.

SISÄLLYS

ESIPUHE

Suomen peruskielioppi ilmestyy nyt perusteellisesti uudistettuna ja laajennettuna neljäntenä painoksena (SP-4). Alun perin kirja ilmestyi 1983, toinen painos 1987 ja kolmas 2006. Näitä painoksia ei voi opetuksessa käyttää rinnan nyt ilmestyvän SP-4:n kanssa. Tätä korostaa myös kirjan uudistunut ulkoasu ja typografia sekä kasvanut sivumäärä. SP-4 pitää muutamia lisäyksiä sekä typografisia muutoksia lukuun ottamatta yhtä vastaavasti uudistetun englanninkielisen laitoksen kanssa (*Finnish: An Essential Grammar,* 2nd edition, Routledge, London and New York, 2008; alun perin *Finnish Grammar,* 1983, *Finnish: An Essential Grammar,* 1999). Myös alkuperäisen ruotsinkielisen *Finsk grammatik* -kirjan vastaavasti uudistettu ja laajennettu versio (1. painos 1977, 8. painos 2005, 9., laajennettu ja uudistettu painos 2009, korjattu painos 2012) on valmistunut. Varhaisten suomen- (1983, 1987) tai englanninkielisten (1983) versioiden käännöksiä on olemassa myös espanjaksi (1991, 1998), kiinaksi (1994), koreaksi (2008), saksaksi (1984, 3. uudistettu painos 2000, 4. painos 2004) ja vietnamiksi (1995).

Suomen peruskielioppi on edelleen tarkoitettu ensisijaisesti niille toiskielisille, jotka suomen kielen opinnoissaan kokevat tarvitsevansa myös kieliopin systemaattisen yleisesityksen. Mutta sille on löytynyt käyttöä myös mm. kielitieteessä, kieliteknologisten sovellusten laadinnassa, suomen kielen yliopistollisissa tutkintovaatimuksissa sekä eräiden vieraiden kielten yliopistollisissa pääsykokeissa.

Suomen peruskielioppi kattaa kieliopin ytimen eli keskeiset rakenteet; harvinaisia muotoja ja rakenteita ei ole otettu mukaan. Olen yrittänyt muotoilla kielioppisäännöt niin tarkasti kuin mahdollista ja käyttäen ymmärrettävää terminologiaa. Samalla kaiken olennaisen pitäisi olla helposti löydettävissä ja opittavissa lukuisista esimerkeistä.

Kirja nojautuu joihinkin modernin (sekä strukturalistisen että generatiivisen) kielitieteen perusoivalluksiin. Luvut 3 ja 7 sisältävät katsauksen sana- ja lauserakenteeseen, ja niiden lukemista suositellaankin ensimmäiseksi, mikäli perusteet eivät ole ennestään tuttuja.

SP-4 on kokenut mittavia uudistuksia. Lauseiden perusrakennetta käsittelevä luku 7 on kirjoitettu uudelleen ja syntaksille on annettu huomattavasti lisätilaa. Lausetyyppejä (§26), yksinäislauseita (§27) ja yhdyslauseita (§30) käsittelevät pykälät on lisätty. a-, ä-loppuiset nominit on tunnustettu

11

omaksi taivutustyypikseen (§20). Pykälät 20–32 ovat nyt hyvin erilaisia verrattuna aiempiin laitoksiin. Kirjan yleisrakenne on kuitenkin säilynyt samana kuin ennen. Olen päivittänyt esimerkkien nimistöä ja muutakin sanastoa. Arkista puhekieltä käsittelevää lukua 22 on laajennettu huomattavasti, mm. siihen on lisätty diskurssipartikkeleita koskeva §98. Useita *Ison suomen kieliopin* (ISK, Hakulinen & al. 2004) terminologisia uudistuksia on otettu käyttöön, esim. A-, E- ja MA-infinitiivit vanhojen 1., 2. ja 3. infinitiivin tilalle, sekä VA-partisiippi ja NUT-partisiippi vanhojen preesensin ja perfektin partisiippien tilalle. Käytän myös termiä *edussane* enkä vanhaa *pääsanaa*. Akkusatiivin sijan sisällön olen kuitenkin pedagogisista syistä ISK:sta poiketen säilyttänyt entisenlaisena eli syntaktisena käsitteenä.

Arvokasta apua kirjan viimeistelyssä olen saanut fil. maist. Tuula Vilvalta.

Omistan tämän kirjan kollegani ja ystäväni Olli Nuutisen (1939–1995) muistolle. Vuosina 1975 ja 1976 suunnittelimme yhdessä opetuspakettia, jonka tulokset olivat *Finsk grammatik* ja Nuutisen kirjat *Suomea suomeksi* 1+2 (1977). Projektin tulokset elävät edelleen: Nuutisen, syvällisen kielenymmärtäjän ja loistavan pedagogin kirjat ovat jo ehtineet, ensimmäinen osa seitsemänteentoista ja toinen osa kymmenenteen painokseen.

Helsingissä 5.3.2013
Fred Karlsson

LYHENTEET

V	vokaali, joka on sama kuin lähin edeltävä vokaali
+	astevaihtelun seurauksena syntynyt heikko aste, esim. **takki** : **+ta<u>ki</u>/n.**
=	yhdyssanan sisäinen sananraja
~	äännevaihtelu, esim. **tt** ~ **t, -ss<u>a</u>** ~ **-ss<u>ä</u>;** vaihtoehtoiset muodot, esim. **kirja/n** ~ **kirja/t.**
:	suhde sanan eri vartaloiden tai muotojen välillä, esim. **käsi** : **käde/ssä;** osoittaa ääntämisohjeissa pitkää äännettä, esim. **langan** [laŋ:an]
/	raja vartalon ja päätteen tai kahden päätteen välillä, esim. **käde/ssä/ni**
' '	merkitys, esim. **-ni** 'minun'
käte-	sananloppuinen viiva ilmaisee vartaloa, jota seuraa pääte
Ø	ei mitään = ei päätettä
§	kappale
ablat.	ablatiivisija
adess.	adessiivisija
akk.	akkusatiivisija
allat.	allatiivisija
elat.	elatiivisija
ess.	essiivisija
gen.	genetiivisija
illat.	illatiivisija
imperat.	imperatiivi (verbeillä)
imperf.	imperfekti eli preteriti (verbeillä)
iness.	inessiivisija
inf.	infinitiivi (verbeillä)
kond.	konditionaali (verbeillä)
ks.	katso
mon.	monikko
nom.	nominatiivisija
part.	partitiivisija
perf.	perfekti (verbeillä)
pers.	persoonapääte (verbeillä)

13

pot.	potentiaali (verbeillä)
prees.	preesens (verbeillä)
suom.	suomeksi
transl.	translatiivisija
vrt.	vertaa
yks.	yksikkö

ABCD	ISOT KIRJAIMET ilmaisevat esimerkeissä korostusta.
ABCD	KAPITEELIKIRJAIMET korostavat tärkeitä termejä, jotka mainitaan ensi kertaa.

1
JOHDANTO

- *Suomen kielen asema muiden kielten joukossa*
- *Suomen kieli eilen ja tänään*
- *Suomen kielen peruspiirteet*
- *Mikä aiheuttaa toiskieliselle oppimisvaikeuksia?*

§1 SUOMEN KIELEN ASEMA MUIDEN KIELTEN JOUKOSSA

Suomen kieli kuuluu SUOMALAIS-UGRILAISEEN KIELIKUNTAAN; tämä poikkeaa melkoisesti indoeuroopalaisesta kielikunnasta, johon mm. sellaiset kielet kuin ruotsi, englanti, saksa, venäjä, persia ja hindi kuuluvat. Suurimmista suomalais-ugrilaisista kielistä vain neljää puhutaan Venäjän rajojen ulkopuolella, nimittäin suomea, viroa, unkaria ja saamelaiskieliä ("lappalaiskieliä"), joita puhutaan Suomessa, Norjassa, Ruotsissa ja Luoteis-Venäjällä. Termi "lappalainen" on halventava. Suomessa puhutut saamelaiskielet ovat pohjoissaame, inarinsaame ja koltansaame.

Suomen lähimmät sukukielet ovat viro, varsinaiskarjala, inkeroinen, vepsä, aunuksenkarjala, lyydi, vatja ja liivi, joita kaikkia puhutaan Suomenlahden etelä- ja itäpuolella. Näistä ITÄMERENSUOMALAISISTA KIELISTÄ suomi ja viro ovat puhujamääriltään suurimmat. Nämä kaksi kieltä ovat niin samanlaisia kielioppirakenteeltaan ja sanastoltaan, niin läheisiä sukukieliä, että ne ovat keskinäisesti ymmärrettäviä melko vähäisen harjoittelun jälkeen. Kun muut perinteisesti tunnustetut suomalais-ugrilaiset kielet ryhmitellään sen mukaan, mikä suhde niillä on toisaalta toisiinsa, toisaalta suomeen, saadaan seuraava asetelma, missä etäisyys suomeen kasvaa oikealle:

§1

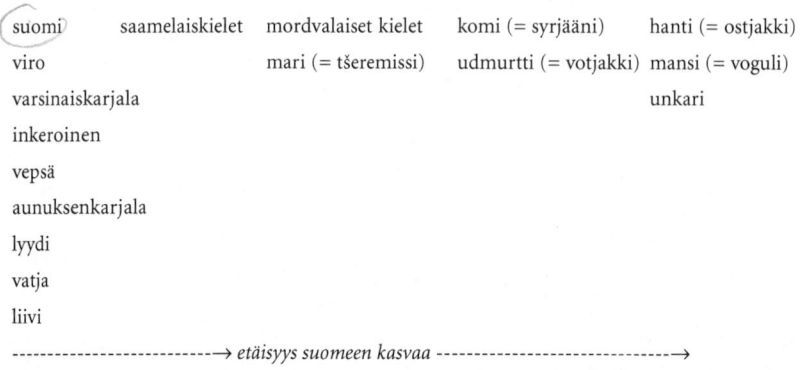

suomi   saamelaiskielet   mordvalaiset kielet   komi (= syrjääni)   hanti (= ostjakki)

viro   mari (= tšeremissi)   udmurtti (= votjakki) mansi (= voguli)

varsinaiskarjala   unkari

inkeroinen

vepsä

aunuksenkarjala

lyydi

vatja

liivi

-------------------------→ *etäisyys suomeen kasvaa* ------------------------------→

Suomi ja unkari ovat siis hyvin etäällä toisistaan, ja näiden kielten sukulai-
suus voidaan oikeastaan todeta vain kielihistoriallisen vertailun avulla. Suo-
mi on karkeasti ottaen yhtä kaukana unkarista kuin englanti ja saksa ovat
persiasta.

SAMOJEDIKIELIÄ puhuu muutama pieni ihmisryhmä Venäjän pohjoisosis-
sa, erityisesti läntisessä Siperiassa. Suomalais-ugrilaiset kielet ja samojedikielet
muodostavat yhdessä URALILAISTEN KIELTEN KIELIKUNNAN. Uralilaisten kiel-
ten puhujamäärissä on huomattavia eroja. Kuudella uralilaisella kielellä on
yli 500 000 puhujaa: unkarilla (14 miljoonaa), suomella (5 miljoonaa), virolla
(miljoona), mordvalaiskielillä (ersä ja mokša, 750 000), marilla (läntinen eli
vuorimari 50 000, itäinen eli niittymari 500 000) ja udmurtilla (500 000).
Monilla uralilaiskielillä on hyvin vähän puhujia, ja niiden tulevaisuus on
vakavasti vaakalaudalla. Tällaisia ovat kaikki neljä jäljellä olevaa samojedi-
kieltä sekä hanti (13 000), mansi (3 000), Pohjoismaissa puhutut kymmenen
saamelaiskieltä (30 000), liivi (alle 10), vatja (alle 50), inkeroinen (300), lyydi
(5000) ja vepsä (6000).

Vuonna 1999 Ruotsin eduskunta myönsi virallisen vähemmistökielen ase-
man MEÄNKIELELLE ('meidän kieli', 150 000), jota aiemmin pidettiin suomen
pohjoisena murteena. Sitä puhutaan Tornionlaaksossa Ruotsin pohjoisosas-
sa. Vuonna 2005 Norjan eduskunta Stortinget myönsi samanlaisen aseman
Pohjois-Norjassa puhutulle KVEENILLE, jota myös on usein pidetty suomen
pohjoisena murteena. Kveenillä on laskentatavasta riippuen arviolta 2000–
8000 puhujaa.

§2 SUOMEN KIELI EILEN JA TÄNÄÄN

Loppuvuodesta 2011 Suomen asukasluku oli 5,401 miljoonaa. Väestöstä lähes 4,9 miljoonaa puhuu suomea äidinkielenään. Suomessa on myös noin 290 000 suomenruotsalaisen (ruotsinkielisen suomalaisen) vähemmistö, joille on Suomen perustuslaissa taattu yhtäläiset perusoikeudet kuin suomenkieliselle enemmistölle, noin 1 800 saamen puhujaa, 10 000 romania (romanin puhujia lienee muutama tuhat, kieli on uhanalainen), noin 5 000 kuuroa, joiden ensikieli on suomalainen tai suomenruotsalainen viittomakieli, ja noin tuhat tataaria (800 puhujaa). Uudempia vähemmistökieliä ovat vuoden 2008 tilanteen mukaan venäjä (45 000), viro (20 000), englanti (10 000), somali (10 000), arabia (8000), kurdi (6000), albania (6000), kiina (5500), saksa (5000), vietnam (4500), turkki (4000), thai (4000), persia (4000), espanja (3500), ranska (2500) ja puola (2000).

Suomi on virallisesti kaksikielinen maa, jonka kansalliskielet ovat suomi ja ruotsi. Voimakkaiden siirtolaisliikkeiden takia on syntynyt suuria suomenkielisiä vähemmistöjä etenkin Pohjois-Amerikkaan (sekä Yhdysvaltoihin että Kanadaan) ja Ruotsiin. Tänä päivänä Ruotsissa on noin 450 000 suomalaista ja heidän jälkeläistään.

Varhaisimmat Suomessa tehdyt arkeologiset löydökset ovat noin vuodelta 7500 eaa (ennen ajanlaskun alkua), mutta ensimmäisten asukkaiden kulttuuri- ja kielitaustaa ei ole kyetty selvittämään. Suomalais-ugrilaista asutusta on Suomessa ollut niinkin varhain kuin 4000 eaa. Tähän väestöön sulautui balttilaisia aineksia noin 2000 eaa ja germaanisia jo 1500 eaa. Tällä tavoin muodostuneeseen kantaväestöön sulautuivat sitten Suomenlahden yli siirtyneet itämerensuomalaiset noin 2000 vuotta sitten. Poliittisesti Suomi kuului Ruotsiin aina vuoteen 1809 asti ja autonomisena suurruhtinaskuntana tsaarinaikaiseen Venäjään ajalla 1809–1917. Suomi on ollut itsenäinen tasavalta vuodesta 1917 ja Euroopan Unionin jäsen vuodesta 1995.

Ruotsin vallan kaudella suomen kielellä oli toisarvoinen asema. Sen pääasiallinen julkinen käyttö oli kirkollismenoissa ja jossain määrin lainvalvonnassa. Hallinto ja älymystö oli kauttaaltaan ruotsinkielistä. Kesti vuoteen 1863 ennen kuin suomen kielestä tuli keisari Aleksanteri II:n antamalla asetuksella tasavertainen ruotsin kanssa "kaikissa sellaisissa asioissa, jotka välittömästi koskivat maan suomenkielistä väestöä". Uudet säädökset oli pantava täytäntöön 20 vuoden siirtymävaiheen aikana.

Ensimmäiset varsinaiset suomenkieliset tekstit ovat 1540-luvun alusta. Suomen kirjakielen luojana pidetään turkulaispiispa Mikael Agricolaa

(1510?–1557), joka uskonpuhdistuksen aikana käynnisti Raamatun osien suomentamisen. Agricolan käyttämistä sanoista noin 5 350 on yhä käytössä nykysuomessa.

Suomen kieli – ja etenkin sen sanasto – oli pitkään ruotsin kielen voimakkaan vaikutuksen alaisena, mikä on luonnollista, kun ajattelee, että hallinnon edustajat yleensä olivat ruotsinkielisiä. Koska Turku (Åbo) oli maan pääkaupunki aina vuoteen 1812, on varsin ymmärrettävää, että suomen yleiskieli perustettiin etenkin lounaismurteiden varaan. 1800-luvulla itäsuomalainen vaikutus kasvoi, suureksi osaksi kansalliseepos *Kalevalan* ansiosta, jonka ensimmäinen osa julkaistiin 1835. *Kalevala* perustuu itäsuomalaiseen ja karjalaiseen kansanrunouteen, jota keräsivät ja koostivat Elias Lönnrot (1802–1884) ynnä muut. *Kalevala* oli tärkeä innoituksen lähde 1800-luvun kansallisuusliikkeelle, jonka keskeinen hahmo oli Johan Vilhelm Snellman (1806–1881).

Kansallisuusliikkeellä oli myös monenlaisia kielellisiä vaikutuksia. Monet kielenhuoltajat halusivat suomalaistaa suomen kielen kitkemällä siitä ruotsalaisia lainasanoja ja eräitä suoraan ruotsista otettuja kielioppirakenteita.

Kieli ei ole yhtenäinen järjestelmä: siinä on monenlaista vaihtelua, joka ilmenee muun muassa paikallismurteina. Suomen tärkeimmät perinteiset murrealueet näkyvät seuraavassa kartassa, joka kuvaa 1900-luvun ensimmäisen puoliskon tilannetta.

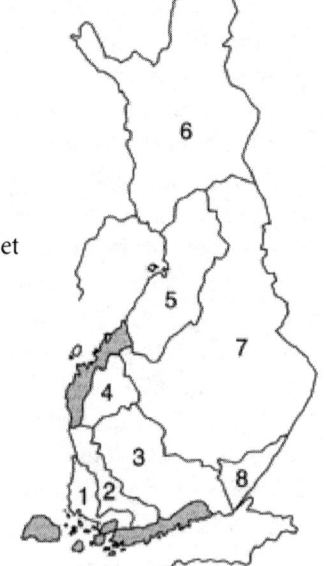

1. Lounaismurteet
2. Lounaiset siirtymämurteet
3. Hämäläismurteet
4. Eteläpohjalainen murre
5. Keski- ja pohjoispohjalaiset murteet
6. Peräpohjolan murteet
7. Savolaismurteet
8. Kaakkoismurteet
▪ Ruotsin kielen käyttöalueita

1900-luvun loppupuolella tämä perinteinen kuva murrealueista on radikaalisti muuttunut teollistumisen, kaupungistumisen, yhtenäisen peruskoulutuksen, parantuneiden viestintä- ja kuljetusyhteyksien ynnä muiden yhteiskunnallisten prosessien vaikutuksesta. Tässä kirjassa ei kuitenkaan käsitellä paikallismurteita eikä niiden keskinäisiä eroja. Tarkasteltavana on sen sijaan suomen virallinen, normitettu muunnos, SUOMEN YLEISKIELI, jonka yksi tärkeä muoto on kirjoitettu normaaliproosa. Yleiskielikään ei kuitenkaan ole täysin yhtenäistä. Sekä sen kielioppirakenne että (puhutussa yleissuomessa) ääntämys vaihtelevat hieman puhetilanteesta ja muista tekijöistä riippuen. Virallisissa tai muodollisissa tilanteissa puhuttu kieli on rakenteeltaan lähellä kirjakieltä, mutta arkinen puhuttu suomi poikkeaa niin ääntämykseltään kuin kieliopiltaan monin tavoin muodollisemmasta kielestä. Arkikielen ja virallisemman suomen kielen eroja käsitellään tarkemmin luvussa 22.

§3 SUOMEN KIELEN PERUSPIIRTEET

Suomessa on 21 FONEEMIA (perusäännetyyppiä): 8 vokaalia ja 13 konsonanttia. Etenkin konsonanttien lukumäärä on huomattavasti pienempi kuin useimmissa Euroopan kielissä. Suomen kielen sanojen pääpaino on aina sanan ensimmäisellä tavulla. Kirjoitusjärjestelmä on sikäli säännönmukainen, että yhtä ja samaa foneemia merkitään aina samalla kirjaimella. Sama pätee myös toisin päin: yhtä ja samaa kirjainta vastaa aina sama foneemi.

Suomen MORFOLOGIAN (sanarakenteen) perusperiaatteena on päätteiden (sidottujen morfeemien, tarkemmin sanottuna SUFFIKSIEN) liittäminen vartaloihin. Yhdistelemällä eri tavoin päätteitä -i 'monikko', -ssa 'inessiivi', -si 'sinun' ja -kin 'myös' vartaloon **auto** voidaan muodostaa esimerkiksi seuraavat sanat. (Kauttaviiva '/' osoittaa rajaa vartalon ja päätteen tai kahden päätteen välillä.)

auto/ssa	auto/si/kin
auto/i/ssa	auto/ssa/kin
auto/ssa/si	auto/i/ssa/kin
auto/si	auto/i/ssa/si/kin
auto/kin	

§3

Samaan tapaan rakentuvat myös suomen verbinmuodot. Verbinvartalosta
sano- ja päätteistä **-n** 'minä', **-i** 'imperfekti eli preteriti' ja **-han** 'korostus'
voidaan muodostaa vaikkapa seuraavat sanat:

> **sano/n**
> **sano/n/han**
> **sano/i/n**
> **sano/i/n/han**

Päätteiden liittämistä vartaloon käytetään morfologisena keinona monissa
Euroopan kielissä, mutta suomi poikkeaa silti useimmista muista kahdessa
suhteessa.

Ensinnäkin suomessa on useampia sijapäätteitä kuin Euroopan kielissä
yleensä. Tavallisesti suomen sijapäätteitä vastaavat muissa kielissä prepositiot
tai postpositiot: vrt. suomen **auto/ssa, auto/sta, auto/on, auto/lla** ja englan-
nin _in_ the car, _out of_ the car, _into_ the car, _by_ car. Suomessa on 15 sijaa; englannin
substantiiveilla on vain yksi morfologisesti merkitty sija, genetiivi kuten _car's_
'auton'.

Toinen ero on se, että suomessa käytetään päätteitä joissain sellaisissakin
tapauksissa, joissa indoeurooppalaisissa kielissä yleensä esiintyy itsenäisiä
sanoja. Näin on esimerkiksi suomen omistusliitteiden kohdalla, jotka vas-
taavat possessiivipronomineja, esim. -**ni** 'minun', -**si** 'sinun', -**mme** 'meidän',
vrt. **kirja/ni, kirja/mme**.

Suomelle erityisiä piirteitä ovat myös liitepartikkelit, jotka esiintyvät aina
sanan lopussa kaikkien muiden päätteiden jälkeen. Ei ole helppoa sanoa tar-
kalleen, mitä nämä partikkelit tarkoittavat; usein niillä on korostava tehtävä,
samaan tapaan kuin intonaatiolla joissakin muissa kielissä. Liitepartikkeleita
ovat mm. -**kin** 'myös', -**han** 'korostus' (usein merkityksessä 'etkö tiedäkin?')
ja -**ko** 'interrogatiivi', vrt. **kirja/ssa/kin** ja **On/ko tuo kirja?**

Suomen morfologialle tunnusomainen piirre on edelleen johdinten run-
sas käyttö uusien sanojen muodostuksessa. Vertaa perussanaa **kirja** johdet-
tuihin sanoihin **kirj/e, kirja/sto, kirja/llinen, kirja/llis/uus, kirjo/itta/a** ja
kirjo/itta/ja, joissa alleviivatut osat ovat erillisiä johtimia. Johtimien perään
voi liittyä myös muita päätteitä – substantiivien tapauksessa esimerkiksi sija-
päätteitä, omistusliitteitä ja liitepartikkeleita. Tällöin saadaan seuraavanlai-
sia sanoja:

kirja/sto/ssa
kirjo/ita/n/ko?
kirjo/itta/ja/n/kin
kirja/sto/sta/mme

Päätteiden oppiminen ei ole niin vaikeaa kuin usein luullaan. Koska päätteet usein ladotaan toistensa perään melko mekaanisesti, suomen sananmuodot ovat yleensä helppoja analysoida, kunhan tuntee päätteet.

Suomen substantiivit poikkeavat monien indoeurooppalaisten kielten substantiiveista siinä, ettei niillä ole eri kieliopillisia sukuja. Esimerkiksi saksassa on jaottelu *der – die – das*, ranskassa *le – la*, ruotsissa *en – ett*, ja niin edelleen, mutta suomessa ei tällaisia eroja ole.

Mitä tulee SYNTAKSIIN (lause- ja virkerakenteeseen), suomessa ei ole myöskään artikkeleita (vrt. <u>a</u> car – <u>the</u> car). Artikkeleiden merkitystehtäviä, eli eroa määräisen ja epämääräisen merkityksen välillä, hoitaa suomessa usein sanajärjestys:

> **Kadulla on *auto*.**
> ***Auto* on kadulla.**

Usein tätä eroa ilmaisevat myös sijat – toisaalta nominatiivi ja akkusatiivi, toisaalta partitiivi – joilla on suomen syntaksissa tärkeä tehtävä kieliopillisten subjektien (***tämä* on kahvi/a**), objektien (**hän joi *kahvi/a***) ja predikatiivien (**tämä on *kahvi/a***) merkitsiminä:

Kupissa on *kahvi/a*.	(partitiivi)
***Kahvi* on kupissa.**	(nominatiivi)
KUPISSA kahvi on!	(korostus)
Nea joi *kahvi/a*.	(partitiivi)
Nea joi *kahvi/n*.	(akkusatiivi)
***Kahvi/n* joi Nea.**	(akkusatiivi)

Kuten näistä esimerkeistä näkyy, sanajärjestysvariantit ja sijataivutus liittyvät yhteen, ja niillä on tärkeä tehtävä tiedonkulun ja lauseen osien painoarvon jäsentämisessä. Niillä on myös joitain samoja tehtäviä kuin englannin passiivirakenteella.

Kun adjektiivi esiintyy substantiivin etumääritteenä, se KONGRUOI edussanansa (pääsanansa) kanssa – toisin sanoen se saa samat luvun ja sijamuodon päätteet kuin edussanalla on.

iso auto
iso/ssa auto/ssa
iso/n auto/n
iso/t auto/t
iso/i/ssa auto/i/ssa

§4 MIKÄ AIHEUTTAA TOISKIELISELLE OPPIMISVAIKEUKSIA?

On syytä myös mainita lyhyesti ne suomen ääntämyksen, kieliopin ja sanaston osa-alueet, jotka aiheuttavat eniten oppimisvaikeuksia.

Suomen kielen ÄÄNTÄMYKSEN vaikein piirre on äänteiden pituus (kesto), jota käytetään tehokkaasti sanojen merkitysten erottamiseen. Vertaa sellaisia pareja kuin:

kansa	–	**kanssa**
tuli	–	**tulli**
muta	–	**mutta**
muta	–	**muu/ta**
muta	–	**muta/a**
tuule/e	–	**tuul/le/e**

Koska suomi ei ole indoeurooppalainen kieli, sen PERUSSANASTO poikkeaa indoeurooppalaisesta. Suomen kielen yleisimmät sanat on lueteltu alla:

ol/la	**ei**
ja	**joka**
se	**hän**
että	**niin**
tämä	**kuin**
mutta	**tul/la**
saa/da	**minä**
kun	**vuosi**
voi/da	**kaikki**
suomi	**myös**
teh/dä	**uusi**

On ilmeistä, että suomen kielen sanojen oppiminen vaatii työtä. Tehtävää helpottaa kuitenkin se, että suomessa on satoja suoria lainasanoja (jotka on otettu etupäässä ruotsista, mutta kasvavassa määrin myös englannista) ja runsaasti käännöslainoja – alun perin vieraskielisiä ilmauksia, jotka on käännetty suomenkielisiksi vastineikseen.

Esimerkkejä vanhemmista lainoista ovat mm. seuraavat sanat (myös ruotsin ja englannin vastaavat sanat on annettu):

ankka	anka, duck	**kahvi**	kaffe, coffee	**kakku**	kaka, cake
kallo	skalle, skull	**keppi**	käpp, cane	**kirahvi**	giraff, giraffe
kirkko	kyrka, church	**kruunu**	krona, crown	**pankki**	bank, bank
penkki	bänk, bench	**posti**	post, mail	**sokki**	chock, shock
sohva	soffa, sofa	**tulli**	tull, customs	**viini**	vin, wine

Englannin vaikutus on selvästi nähtävissä uusissa lainasanoissa: **bändi** 'band' (popmusiikissa), **buutat/a** '(to) boot (a computer)', **digitoi/da** '(to) digitize', **fani** 'fan', **google/tta/a, googlat/a** '(to) google', **hitti** 'hit' (musiikissa), **iisi** 'easy' (arkinen), **kursori** 'cursor', **modeemi** 'modeme', **rokki** 'rock and roll', **popmusiikki** 'pop music', **pubi** 'pub', **okei** 'okay', **romppu** 'CD-ROM (disc)', **viski** 'whisky'. Englannin vaikutukset näkyvät samoin monissa merkityksen laajennuksissa: **hiiri** tarkoittaa myös tietokoneen hiirtä, ja **verkko** tarkoittaa verkkoa myös internetin merkityksessä.

Suoria käännöslainoja ovat mm. seuraavat yhdyssanat: **kirja=kauppa** 'bok=handel, book=shop'; **olut=pullo** 'öl=flaska, bottle of beer'; **rauta=tie=asema** 'järn=vägs=station, rail=way station', **tiedosto=muoto** 'fil=format, file format', **koti=sivu** 'hem=sida, home page', **varmuus=kopio** 'säkerhets=kopia, safety copy' (missä '=' ilmaisee sisäisiä sananrajoja).

§:ssä 3 suomen sanojen taivutuksen sanottiin olevan sikäli helppoa, että päätteet usein liitetään suoraan vartaloon, ilman vartalon äännevaihteluita. Tämä ei kuitenkaan aina pidä paikkaansa. Usein perusvartalossa (kannassa, leksikaalisessa muodossa) tapahtuu muutoksia, kun siihen liitetään tietynlaisia päätteitä, eli yhtä leksikaalista sanaa voi edustaa useampi erilainen VARTALO siitä riippuen, minkälainen pääte sitä seuraa. Näitä muutoksia kutsutaan MORFOFONOLOGISIKSI VAIHTELUIKSI. Vertaa esimerkiksi substantiivin **käsi** taivutusta eri sijoissa.

käsi
kä**de**/ssä
kä**te**/en
kä**t**/tä
kä**s**/i/ssä
kä**si**/kin
kä**te**/ni

Perusmuoto **käsi** esiintyy eri muodoissa riippuen siitä, mikä pääte sitä seuraa ja millainen tuon päätteen äännerakenne on. Näitä äännevaihteluita ohjaavat säännöt voivat joskus olla hyvin mutkikkaita. Seuraavassa on pareittain muutamia lisäesimerkkejä taivutuksen äännevaihteluista:

tun**te**/a	~	tun**ne**/n
hy**pp**ää/n	~	hy**p**ät/ä
ma**tt**o	~	ma**t**o/lla
m**aa**	~	m**a**/i/ssa
t**ie**	~	t**e**/i/llä
tie**t**ä/ä	~	tie**s**/i

Sijapäätteet liittyvät tavallisesti substantiiveihin, adjektiiveihin, pronomineihin ja numeraaleihin eli lukusanoihin (joita yhdessä kutsutaan nomineiksi), mutta niitä voidaan joskus liittää verbeihinkin.

Minä lähden Jyväskylä/än.
Minä lähden kävele/mä/än.

Verbinmuoto **kävelemään** tarkoittaa sananmukaisesti 'sisään kävelemiseen', aivan kuten **Jyväskylään** tarkoittaa 'sisään Jyväskylän kaupunkiin'. Kummassakin muodossa esiintyy illatiivin pääte **-än**, jonka merkitys on 'sisään'. Yhdyslauseita muodostettaessa suomi hyödyntää enemmän tällaisia taivutettuja ei-finiittisiä verbinmuotoja kuin englanti.

Suomen objekti merkitään sijapäätteellä. Seuraavissa lauseissa päätteet **-n, -t, -a** ilmoittavat, että 'tämä sana toimii lauseessa objektina', ja kertovat samalla jotain sen määräisyydestä tai epämääräisyydestä. Näiden päätteiden käyttöä koskevat säännöt ovat melko monimutkaiset.

(Minä) ostan kirja/n ~ kirja/t ~ kirjo/j/a.
Tuomas näki auto/n ~ auto/t ~ auto/j/a.

2
ÄÄNTÄMINEN JA ÄÄNNERAKENNE

- *Kirjaimet ja äänteet*
- *Vokaalit ja konsonantit*
- *Lyhyet ja pitkät äänteet*
- *Diftongit*
- *Tavut*
- *Painotus ja intonaatio*
- *Vokaalisointu*

§5 KIRJAIMET JA ÄÄNTEET

Jos vierasperäisiä sanoja ei oteta huomioon, suomessa on 8 vokaali- ja 13 konsonanttikirjainta: **i e ä y ö u o a** ja **p t k d g s h v j l r m n**. Harvoja poikkeuksia lukuun ottamatta kirjainten ja foneemien välillä vallitsee seuraava tärkeä vastaavuus huolitellussa yleiskielessä (foneemeilla tarkoitetaan äänteitä tyyppeinä, ajattelematta pieniä ääntämisvaihteluita saman henkilön puheessa tai eri henkilöiden välillä).

Jokaista kirjainta vastaa yksi ja sama foneemi, ja jokaista foneemia vastaa yksi ja sama kirjain.

Huomaa seuraavat yksityiskohdat:
- Kirjainta **ä** vastaava vokaali on väljä lavea etuvokaali (vrt. lyhyt vokaali brittienglannin sanoissa *shall, rat* ja pitkä vokaali ruotsin sanassa *bär*).
- Kirjainta **y** vastaava vokaali on suppea pyöreä etuvokaali (vrt. saksan *über*).
- Kirjainta **ö** vastaava vokaali on puolisuppea pyöreä etuvokaali (vrt. saksan *Göring*, ruotsin *dö*).
- Kirjainyhdistelmä **ng** lausutaan pitkänä [ŋ:]-äänteenä, esim. **rengas**.
- Kirjain **n** lausutaan ennen **k**:ta pitkähkönä [ŋ]-äänteenä, esim. **Helsinki** [helsiŋki] (vrt. englannin *drink*).

- Silloin kun pituutta käytetään merkitysten erottamiseen, lyhyet foneemit kirjoitetaan yhdellä kirjainmerkillä ja pitkät kahdella, esim. t<u>u</u>li – t<u>uu</u>li – t<u>u</u>lli; kan<u>s</u>a – kan<u>ss</u>a; mut<u>a</u> – mut<u>a</u>/<u>a</u>.
- Ruotsalaisperäisissä nimissä saattaa esiintyä kirjain å (Å), esim. Åbo (suom. Turku), Åke (miehen nimi), Svartå (suom. Mustio). Vierasperäiset sanat voivat sisältää muitakin kirjaimia kuin aiemmin mainitut, esimerkiksi b c f š w x z ž, kuten sanoissa banaani, faarao, Tšekki, maharadža.
- Kirjainten aakkosjärjestys on a b c d e f g h i j k l m n o p q r s š t u v w x y z ž å ä ö.
- Arkisen puhekielen ääntämys poikkeaa monella tapaa puhutun yleiskielen normin mukaisesta ääntämyksestä (luku 22). Ehdoton vastaavuus kirjainten ja foneemien välillä ei päde arkipäiväisessä puhutussa kielessä.

§6 VOKAALIT JA KONSONANTIT

Suomessa on (vierasperäisiä sanoja lukuun ottamatta) 8 vokaali- ja 13 konsonanttifoneemia: i e ä y ö u o a ja p t k d s h v j l r m n N. Kaikki vokaalit ja lähes kaikki konsonantit voivat esiintyä sekä lyhyinä että pitkinä äänteinä. Suomen vokaalit ja konsonantit määritellään foneettisesti seuraavalla tavalla (vertailukohtina lähinnä olevat brittienglannin äänteet):

i	suppea lavea etuvokaali	*sleep*
e	puolisuppea lavea etuvokaali	*bed*
ä	väljä lavea etuvokaali	*bank*
y	suppea pyöreä etuvokaali	
ö	puolisuppea pyöreä etuvokaali	
u	suppea pyöreä takavokaali	*book*
o	puolisuppea pyöreä takavokaali	*dock*
a	väljä lavea takavokaali	*but*
p	soinniton aspiroimaton bilabiaalinen klusiili	*drop*
t	soinniton aspiroimaton alveolaarinen klusiili	*bit*
k	soinniton aspiroimaton velaarinen klusiili	*rock*
d	soinnillinen alveolaarinen klusiili	*down*
s	soinniton alveolaarinen sibilantti	*sound*
h	glottaalinen frikatiivi tai puolivokaali	*honey*
v	soinnillinen labiodentaalinen frikatiivi tai puolivokaali	*voice*
j	soinnillinen palataalinen puolivokaali	*young*

l	soinnillinen alveolaarinen lateraali	*London*
r	soinnillinen alveolaarinen tremulantti	*round*
m	soinnillinen bilabiaalinen nasaali	*metal*
n	soinnillinen alveolaarinen nasaali	*noise*
ŋ	soinnillinen velaarinen nasaali	*ring*

Erityistä huomiota tulisi kiinnittää seuraaviin yksityiskohtiin.

- Pitkien ja lyhyiden vokaalien **ii** – **i**, **ee** – **e**, **ää** – **ä**, **yy** – **y**, **öö** – **ö**, **uu** – **u**, **oo** – **o**, **aa** – **a** välillä ei ole laadullista eroa.
- Kaikki pitkät vokaalit ääntyvät puhtaasti pitkinä, eivät diftonginomaisesti eivätkä **j**- tai **w**-loppuisina.
- Vokaali **y** [y] äännetään voimakkaasti eteenpäin työnnetyin huulin, joiden välissä on pieni aukko.
- Pitkän **öö**:n äännearvo on [øː] ja lyhyen **ö**:n [ø], vrt. **sinä/kö?**, **pöllö**, **mörkö**, **Närpiö/ön**. Huulet ovat eteenpäin työnnetyt ja puoliksi suljetut.
- Vokaalit **ee** ja **e**, kuten myös **ää** ja **ä**, eroavat toisistaan kaikkialla sanassa, myös **r**:n edessä ja painottomissa tavuissa. Vrt. **te** – **tee**, **me/i/lle** – **me/i/llä**, **tee/llä** – **täällä**, **piste** – **pistä!**, **venee/n** – **nenä/än**, **lehti** – **läht/i**, **veri** – **väri**, **perkele**, **merkki**, **Leevi**, **väärä**.
- Konsonantit **p t k** äännetään ilman aspiraatiota, siis ilman "h":n tapaista loppuäännähdystä.
- Konsonantti **s** ääntyy usein melko tummana, paksuna äänteenä joka voi muistuttaa **š**-äännettä, etenkin silloin kun sen ympärillä on **u**-vokaaleja. Vrt. **pussi**, **luu/ssa**, **sumu**, **myös**.
- Konsonantti **h** esiintyy myös vokaalien välissä ja ääntyy silloin heikkona. Se voi myös esiintyä konsonanttien yhteydessä, jolloin se ääntyy voimakkaampana, varsinkin jos seuraava konsonantti on **t** tai **k**. Vrt. **huono**, **miehe/n**, **paha**, **ihminen**, **varhain**, **vanha**, **vihko**, **vihta**, **sähkö**, **tuhka**.
- Konsonantti **l** ääntyy melko paksuna, kun se on **u**- ja **o**-vokaalien välissä. Vrt. **pullo**, **hullu**, **kulta**, **pala**, **villi**.
- Konsonantti **r** ääntyy aina värähtelevänä kielenkärki-**r**:nä, esim. **pyörä**, **Pori**, **Turku**, **virra/ssa**, **kierrä/n**.
- Tiettyjen kieliopillisten muotojen jäljessä seuraavan sanan tai liitepartikkelin alkukonsonantti pitenee. Näitä muotoja ovat etenkin **e**:hen päättyvät nominit kuten **perhe** (§19), indikatiivin preesensin kieltomuodot kuten **en tule** (§28), yksikön 2. persoonan imperatiivit kuten **tule!** (§66) ja A-infinitiivi (1. infinitiivi), esim. **tul/la** (§74).

§6

Esimerkkejä:

Imperatiivin yksikön 2. persoona	mene pois!	[meneppois]
	ole hiljaa!	[olehhiljaa]
	tule tänne!	[tulettänne]
e-loppuinen nominatiivi	vene tul/i	[venettuli]
	vene/kin	[venekkin]
	liike=mies	[liikemmies]
Indikatiivin preesensin	en tule Turku/un	[entuletturkuun]
kieltomuoto	emme tule/kaan	[emmetulekkaan]
	en ole sairas	[enolessairas]
A-infinitiivi	halua/n ol/la täällä	[haluanollattäällä]
	halua/n lähte/ä pois	[haluanlähteäppois]

§7 LYHYET JA PITKÄT ÄÄNTEET

Lyhyiden ja pitkien äänteiden eroa käytetään suomessa tehokkaasti hyväksi sanojen erottamiseksi toisistaan. Pitkät äänteet voivat esiintyä melkein missä tahansa sana-asemassa, eikä ole monia rajoituksia sille, miten pitkät ja lyhyet äänteet ovat yhdisteltävissä. Tämä käy ilmi seuraavista esimerkeistä.

> *Tule* tänne!
> Ulkona ei *tuule.*
> Ulkona ei *tuul/le.*
> Ulkona *tuule/e.*
> Elina *tule/e.*
> Elina *tul/le/e.*
> Ulkona *tuul/le/e.*

Lähes kaikki lyhyen ja pitkän äänteen yhdistelmät esiintyvät: lyhyt-lyhyt-lyhyt, lyhyt-pitkä-lyhyt, pitkä-lyhyt-pitkä, pitkä-pitkä-lyhyt, lyhyt-pitkä-pitkä, pitkä-pitkä-pitkä, jne. Kiinnitä erityistä huomiota seuraaviin kolmeen tapaukseen:

Lyhyen ja pitkän vokaalin välillä on ero ennen lyhyttä ja pitkää konsonanttia.

28

Esimerkkejä:

tili	tiili	tilli
tuli	tuuli	tulli
mutta	muutta/a	muu/ta
muna	muu/na	muunna!

Seuraavat kuusi sanaa ääntyvät kaikki eri tavalla, ja niillä on eri merkitykset:

takka
taakka
takka/a
taakka/a
taka
takaa

Lyhyen ja pitkän p:n, t:n, k:n ja s:n välillä on ero niiden esiintyessä l:n, r:n, m:n, n:n tai ŋ:n jälkeen. Ennen lyhyttä p:tä, t:tä, k:ta tai s:ää konsonantit l, r, m, n ja ŋ ääntyvät melko pitkinä.

Esimerkkejä:

karta!	–	kartta
korpi	–	korppi
arki	–	arkki
kansa	–	kanssa
pelko	–	palkki
lampi	–	lamppu
valta	–	valtti
sanka	–	sankka

Näin ollen **kanssa** ääntyy lyhyellä [n]-äänteellä ja pitkällä [s]-äänteellä, kun taas **kansa** ääntyy lyhyellä tai puolipitkällä [n]-äänteellä ja lyhyellä [s]-äänteellä.

Pääpaino on aina sanan ensimmäisellä tavulla (§10). Pitkät vokaalit muualla kuin ensimmäisessä tavussa äännetään ilman pääpainoa, vrt. **tálo/on,** **hýppää/n, káappi/in, rávintola/an, tálo/ssa/an, Hélsingi/ssä.**

29

§8 DIFTONGIT

Suomessa on 16 yleistä diftongia eli kahden samassa tavussa esiintyvän vokaalin yhdistelmää. Diftongit voidaan jakaa loppuvokaalinsa mukaan neljään ryhmään.

(1)	ei	ei	leipä	Meiju
	äi	äiti	päivä	väittä/ä
	ui	ui/n	pu/i/ssa	kuin
	ai	kaikki	aika	vaikka
	oi	poika	voi/n	toinen
	öi	sö/i/n	tö/i/ssä	öinen
	yi	hyi!	lyijy	pölyinen
(2)	au	taulu	kaula	sauna
	ou	koulu	nouda/n	housu/t
	eu	reuna	Keuruu	seutu
	iu	viulu	kiusaa/n	hius
(3)	äy	täynnä	käy/n	näytä/n
	öy	köyhä	löydä/n	löyly
(4)	ie	tie	vie/n	mies
	yö	yö	työ	syö/n
	uo	tuo	Puola	juo/n

Kiinnitä huomiota erityisesti seuraavien parien eroihin: ei – äi, öi – öy, äy – öy, ei – eu ja äy – eu. Suomessa on muunkinlaisia vokaaliyhtymiä kuin edellä mainitut, mutta nämä eivät muodosta diftongeja. Näiden vokaalien välissä on melkein aina tavuraja, joka on alla merkitty pisteellä. Esimerkkejä:

sano./a	rupe.a/n
aino.a	tapahtu./a
vaike.a	kire.ä
salli./a	etsi./ä

§9 TAVUT

Suomen tavutuksen ratkaisee useimmissa tapauksissa seuraava pääsääntö.

Tavuraja on jokaisen konsonantti + vokaali -yhdistelmän edessä.

Seuraavissa esimerkeissä tavuraja on merkitty pisteellä.

ka.la	jo.kai.nen
kui.ten./kin	sit.ten
päi.vä	al.ka/a
pur.ki/s.sa	purk.ki/in
An.ti/n	An.ti/l.le
Hel.sin.ki/in	Hel.sin.gi/s.sä./kin
pu/i/s.sa	nais./ta./kin

Kuten esimerkeistä näkyy, päätteiden ja tavujen rajat osuvat usein samalle kohdalle, kuten sanassa **nais./ta./kin**. Tämä on kuitenkin sattumaa. Hyvin usein morfologisia rajoja esiintyy tavujen sisällä, ja saman tavun sisällä voi olla kaksikin morfologista rajaa, kuten sanan **pu/i/s.sa** ensimmäisessä tavussa. Tavuraja on myös sellaisten vokaaliparien välissä, jotka eivät ole diftongeja, esim. **sa.no./a, ki.re.ä.**

§10 PAINOTUS JA INTONAATIO

Suomen kielen sanojen painotusta koskee seuraava tärkeä sääntö:

Pääpaino on aina sanan ensimmäisellä tavulla.

Muualla kuin ensimmäisessä tavussa olevat vokaalit eivät siis ole pääpainollisia. Pääpaino on ensimmäisellä tavulla myös sellaisissa lainasanoissa, joilla on alkukielessä toisenlainen painotus. Esimerkkejä:

Hélsinki/in	vápaa	vói/da
jókainen	máalaa/n	áatteellisuus
kóalitio	póliitikko	psýkologi
fýsioterapia	búlevardi	árkeologi

31

Suomen lauseintonaatio on yleensä laskeva, mutta lauseen lopussa olevan sanan ensimmäinen tavu voidaan silti ääntää nousevalla intonaatiolla ilman, että sana saa voimakasta painotusta. Seuraavissa esimerkeissä käyrät osoittavat intonaatiota (sävelkulkua).

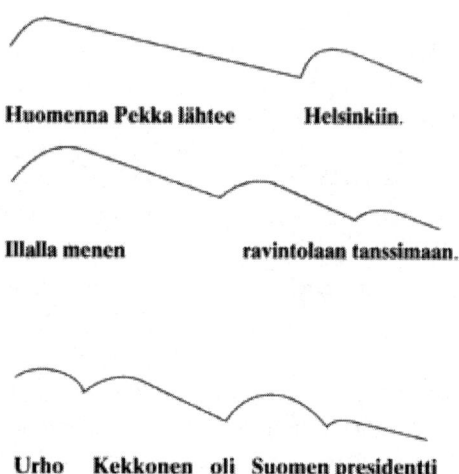

Kun sanalle halutaan antaa erityisen voimakas painotus, tämä tehdään intonaation avulla. Usein tällainen sana siirretään lisäksi lauseen alkuun.

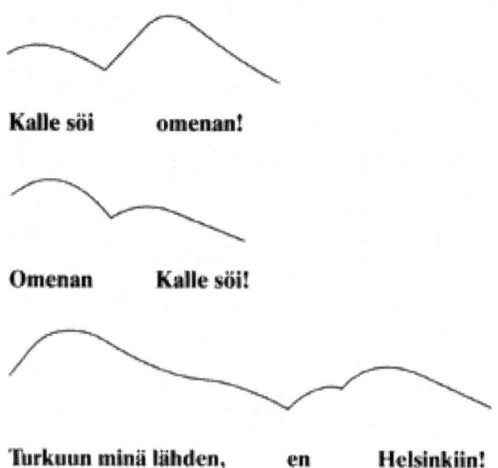

§11 VOKAALISOINTU

Monilla päätteillä on kaksi eri esiintymismuotoa, joissa vokaali vaihtelee, esim. **-ssa ~ -ssä, -ko ~ -kö, -nut ~ -nyt**. Nämä vokaalinvaihtelut muodostavat kolme paria, joissa kussakin on yksi taka- ja yksi etuvokaali.

Takavokaali	*Etuvokaali*	*Esimerkki*
a	ä	**-ssa ~ -ssä**
o	ö	**-ko ~ -kö**
u	y	**-nut ~ -nyt**

Jos tietyssä päätteessä on jokin näistä kuudesta vokaalista, on aina olemassa myös rinnakkaispääte, jossa on parin toinen vokaali. Jos on olemassa pääte **-han**, on myös **-hän**; jos on **-ko/on**, on myös **-kö/ön**, jne. Vartalon vokaalit määräävät, kumpi pääte on kulloinkin valittava.

> Jos vartalossa on jokin vokaaleista **u, o, a**, päätteessäkin on oltava takavokaali (**u, o, a**). Jos vartalossa ei ole yhtään takavokaalia, päätteessä on oltava etuvokaali (**y, ö, ä**).

Päätteessä on takavokaali	*Päätteessä on etuvokaali*
talo/ssa	**kylä/ssä**
Turu/ssa	**käde/ssä**
Pori/ssa	**venee/ssä**
Porvoo/ssa	**Helsingi/ssä**
poja/lla	**äidi/llä**
auto/lla	**tä/llä**
kato/lla	**miehe/llä**
naise/lta	**Ville/ltä**
Halose/lta	**tytö/ltä**
sisare/lta	**velje/ltä**
he tule/vat	**he syö/vät**
he sano/vat	**he mene/vät**
on luke/nut	**on pitä/nyt**
tuo/ko?	**tämä/kö?**
tuo/ssa/ko?	**tä/ssä/kö?**
kirja/han	**kynä/hän**

kirja/ssa/han kynä/llä/hän
Turu/sta/ko? Kemi/stä/kö?
kahvi/la/ssa/han kylpy/lä/ssä/hän

Joillain uusilla lainasanoilla, jotka sisältävät ristiriitaisia sointuvokaalien yhdistelmiä, päätteen valinta vaihtelee, esim. **amatööri** : **amatööri/na** (suositettu vaihtoehto) ~ **amatööri/nä**.

Yllä olevaan vokaalisointusääntöön on kaksi taivutuspoikkeusta – substantiivien **meri** ja **veri** yksikön partitiivin muodot, jotka ovat **mer/ta** ja **ver/ta**. Samantapainen ilmiö esiintyy joissain johdetuissa sanoissa:

Jos vartalossa on ainoastaan neutraalivokaaleja **i, e**, joissain johtimissa esiintyy takavokaali, esim. **men/o** (vrt. **men/nä** = A-infinitiivi).

3
SANOJEN RAKENNE

- *Nominit ja niiden päätteet*
- *Finiittiset verbinmuodot ja niiden päätteet*
- *Ei-finiittiset verbinmuodot ja niiden päätteet*

§12 NOMINIT JA NIIDEN PÄÄTTEET

NOMINEILLA tarkoitetaan substantiiveja, adjektiiveja, pronomineja ja numeraaleja, siis seuraavanlaisia sanoja:

Substantiivit	Adjektiivit	Pronominit	Numeraalit
auto	iso	minä	yksi
katu	kallis	he	kymmenen
nainen	pitkä	tämä	satakolme
hinta	kolmas	se	tuhatkaksisataa

Nominien tärkein tehtävä on toimia omien nominaalisten lausekkeittensa edussanoina (§26). Yhdistyessään yksittäisten finiittiverbinmuotojen kanssa yksinäislauseiksi (§27) nominaaliset lausekkeet toimivat tärkeissä lauseenjäsentehtävissä: yksinäislauseen subjektina, objektina, predikatiivina tai adverbiaalina. Nominaaliset lausekkeet voivat myös toimia muissa lausekkeissa niiden edussanojen määritteinä.

Substantiivit, adjektiivit, pronominit ja numeraalit saavat samat päätteet – niitä siis taivutetaan samalla tavoin. Suomen kielen nomineissa voi (johdinten lisäksi) olla neljänlaisia päätteitä: luvun, sijan ja omistajan päätteitä sekä liitepartikkeleita. Seuraavassa nämä kaikki esitellään yleisluontoisesti; myöhemmissä luvuissa niitä käsitellään yksityiskohtaisemmin. Suomen kielen sanojen rakenteen ymmärtämiseksi on tärkeää saada yleiskuva niiden maksimaalisesta rakenteesta ja nähdä, kuinka päätteet seuraavat toinen toistaan määrätyssä järjestyksessä. Toisinaan yhdessä sanassa saattaa esiintyä jopa neljä tai viisi peräkkäistä päätettä.

Suomen kielessä on kaksi LUKUA: yksikkö ja monikko. Yksikkö on aina päätteetön. Monikolla on kaksi päätettä: nominatiivissa eli perusmuodossa -t, muissa sijoissa -i. Pääte -i esiintyy joskus muodossa -j.

Yksikkö	Monikko
auto	auto/t̲
auto/ssa	auto/i̲/ssa
auto/sta	auto/i̲/sta
auto/on	auto/i̲/hin
auto/lla	auto/i̲/lla
pullo	pullo/t̲
pullo/sta	pullo/i̲/sta
pullo/lla	pullo/i̲/lla
pullo/a	pullo/j̲/a

Suomessa on 15 SIJAA. Seuraavassa taulukossa on lueteltu sijojen kieliopilliset nimet, niiden päätteet ja perusmerkitykset (perustehtävät). Vokaalisointu (§11) määrää sen, esiintyykö sanassa etu- vai takavokaalin sisältävä päätevariantti. Monikon genetiivissä on vielä lisää päätteitä (§34).

Sijajärjestelmä

Nimi	Päätteet	Merkitykset	Esimerkki
Nominatiivi	– (mon. -t)	(perusmuoto)	auto
Genetiivi	-n; -den, -ten	omistus	auto/n
Akkusatiivi	-n, -t, -dät, –	objektin pääte	häne/t
Partitiivi	-a ~ -ä,	epämääräinen määrä	maito/a
	-ta ~ -tä,		vet/tä
	-tta ~ -ttä		perhe/ttä
Inessiivi	-ssa ~ -ssä	sisäpuolella	auto/ssa
Elatiivi	-sta ~ -stä	sisäpuolelta	auto/sta
Illatiivi	-Vn,[1]	sisäpuolelle	auto/on
	-hVn,		maa/han
	-seen, -siin		Porvoo/seen
Adessiivi	-lla ~ -llä	päällä; väline	pöydä/llä

---

[1] Merkki **V** tarkoittaa vokaalia, joka on samanlainen kuin lähin edeltävä vokaali, esim. **Tur-ku/un, Helsinki/in, maa/han, tie/hen**.

§12

Ablatiivi	-lta ~ -ltä	päältä	pöydä/ltä
Allatiivi	-lle	päälle	pöydä/lle
Essiivi	-na ~ -nä	tila	opettaja/na
Translatiivi	-ksi	muutos	opettaja/ksi
Abessiivi	-tta ~ -ttä	ilman	syy/ttä
Komitatiivi	-ine	seuralainen	vaimo/ine/ni
Instruktiivi	-n	(idiomaattinen)	jala/n

Alla olevasta taulukosta käyvät ilmi suomen OMISTUSLIITTEET eli POSSES-SIIVISUFFIKSIT. Kolmatta persoonaa lukuun ottamatta jokaiselle persoonan ja luvun yhdistelmälle on eri pääte.

Yksikkö
1. persoona   (minun) kirja/ni
2. persoona   (sinun) kirja/si
3. persoona   hänen kirja/nsa

Monikko
1. persoona   (meidän) kirja/mme
2. persoona   (teidän) kirja/nne
3. persoona   heidän kirja/nsa

Neljäs päätetyyppi, joka voi esiintyä nomineilla, on LIITEPARTIKKELI; nämä esiintyvät myös finiittisten ja ei-finiittisten verbinmuotojen kanssa. Tavallisimmat liitepartikkelit ovat -kin 'myös', -kaan ~ -kään '(ei...) myöskään', -ko ~ -kö 'interrogatiivi', -han ~ -hän 'korostus' ja -pa ~ -pä 'korostus'. Esimerkkejä liitepartikkeleiden käytöstä:

Sinä/kö tulit?
Presidentti Halonen/ko lähti Brysseliin?
Sinä/hän tulit.
Sinä/kin tulit.
Juha/kin tuli.
Sinä/kään et tullut.
Juha/kaan ei tullut.
Halonen/ko/han lähti Brysseliin?
Vo/isi/tte/ko tulla?
Vo/isi/tte/ko/han tulla?

37

Suomen kielen nomini voi sisältää päätteen kaikista neljästä ryhmästä, mutta päätteiden järjestys on kiinteä:

> luku + sija + omistusliite + liitepartikkeli

Seuraavassa kaaviossa on lisää esimerkkejä. Jokaisen päätetyypin kohdalla on myös mainittu, kuinka monta eri päätettä siihen kuuluu. Kannalla tarkoitetaan sanan perusmuotoa, johon ei ole liitetty päätteitä. Joillain kannoilla on useita eri vartaloita, joiden valinta riippuu siitä, mikä pääte niitä välittömästi seuraa. Esimerkiksi kannalla **käsi** esiintyy vartalo **käde-** tiettyjen sijapäätteiden edellä, kuten sanassa **käde/ssä** (inessiivi). Jos sanassa on johtimia, ne sijaitsevat kannan ja luvun välissä. Mon. nom. **-t** edustaa sekä lukua että sijaa.

Kanta	Luku (2)	Sija (15)	Omistusliite (6)	Partikkeli (6)	Esimerkki
pullo					pullo
pullo	t				pullot
pullo		ssa			pullossa
pullo			ni		pulloni
pullo				kin	pullokin
pullo	i	sta			pulloista
pullo		sta	ni		pullostani
pullo		ssa		han	pullossahan
pullo	t			kin	pullotkin
pullo		ssa	si	ko	pullossasiko
pullo	i	ssa	mme		pulloissamme
pullo	i	sta		kaan	pulloistakaan
pullo	i	ssa	nne	kin	pulloissannekin
hylly		ssä			hyllyssä
hylly		llä			hyllyllä
hylly			si		hyllysi
hylly		lle	si		hyllyllesi
hylly		ltä		kö	hyllyltäkö
hylly	t			kö	hyllytkö
hylly		n		hän	hyllynhän
talo		on			taloon
hylly			nsä		hyllynsä
hylly	i	llä	mme		hyllyillämme

§13 FINIITTISET VERBINMUODOT JA NIIDEN PÄÄTTEET

FINIITTISELLÄ VERBINMUODOLLA tarkoitetaan muotoa, joka kongruoi subjektin kanssa persoonassa ja luvussa (§25.1) ja jossa siksi on persoonapääte, esim. tyypillisinä aktiivimuotoina (minä) tule/n, (sinä) tule/t, Maija tule/e, tai passiivissa tul/la/an. Persoonan ja luvun lisäksi suomen finiittiset verbinmuodot taipuvat tempuksessa ja moduksessa. Passiivimuodoissa on kaksi päätettä: varsinainen passiivipääte sekä persoonapääte -Vn. Kaikkiin finiittisiin verbinmuotoihin voi lisäksi liittää liitepartikkeleita. Finiittiset verbinmuodot muodostavat YKSINÄISLAUSEIDEN (§27) navan, johon liittyy kulloisenkin verbin edellyttämiä nominaalisia lausekkeita (§26), esimerkiksi substantiiveja, adjektiiveja tai adverbeja määritteineen.

PERSOONAPÄÄTTEITÄ on kuusi, yksi jokaista kolmen kieliopillisen persoonan ja kahden luvun yhdistelmää varten. Yksikön ja monikon 1. ja 2. persoonassa taivutettuja verbejä edeltävät persoonapronominit jäävät usein pois.

Yksikkö

1. persoona	(minä) puhu/**n**
2. persoona	(sinä) puhu/**t**
3. persoona	hän puhu/**u**

Monikko

1. persoona	(me) puhu/**mme**
2. persoona	(te) puhu/**tte**
3. persoona	he puhu/**vat**

Monikon 2. persoonan persoonapääte -tte ilmaisee myös 'kohteliasta yksikön 2. persoonaa'.

Suomessa on kaksi yksinkertaista TEMPUSTA eli aikamuotoa: preesens, joka ilmaisee menemätöntä aikaa, sekä imperfekti eli preteriti, joka ilmaisee mennyttä aikaa. Preesensillä ei ole omaa päätettä, imperfektin pääte on -i. Persoonapäätteet esiintyvät imperfektin päätteen jäljessä.

Preesens	Imperfekti
(minä) puhu/n	(minä) puhu/i/n
(me) sano/mme	(me) sano/i/mme
he sano/vat	he sano/i/vat
(te) seiso/tte	(te) seiso/i/tte

Suomessa on neljä MODUSTA eli tapaluokkaa, jotka ilmaisevat mm. puhujan tapaa suhtautua sanoman sisältöön.

Modus	Muoto
Indikatiivi	Ø
Konditionaali	-isi
Potentiaali	-ne (ja muita variantteja)
Imperatiivi	ks. alla

Indikatiivi on moduksista yleisin; se on päätteetön ja esittää tekemisen todellisena tai tapahtuneena. Konditionaalia käytetään tavallisimmin ehtolauseissa; vrt. englannin 'would' ja ruotsin 'skulle'. Potentiaali on harvinainen modus, joka esittää tekemisen mahdollisena tai todennäköisenä.

Persoonapääte liitetään moduspäätteen jälkeen. Missään sanassa ei voi olla samanaikaisesti sekä tempuksen että moduksen päätteitä, minkä takia moduksia (paitsi indikatiivia) ilmaistaan menneessä ajassa ol/la-apuverbin avulla (luku 14).

Neljäs modus, imperatiivi eli käskymuoto, on sikäli erikoinen, että sen päätteet ovat hyvin vaihtelevia.

Yksikkö		Monikko
1. persoona	—	sano/kaa/mme
2. persoona	sano	sano/kaa
3. persoona	sano/ko/on	sano/ko/ot

Yleisin muoto on yksikön 2. persoona, joka on päätteetön. Muissa persoonissa esiintyy vokaalisoinnun takia myös etuvokaalinen päätevariantti: vie/kö/ön, vie/kää/mme, vie/kää, vie/kö/öt. 3. persoonan imperatiivit ilmaisevat toiveita tai lupaa eivätkä niinkään käskyjä, ja nämä muodot ovat harvinaisia.

PASSIIVIMUODOT ilmoittavat toiminnan suorittajaksi epämääräisen, määrittelemättömän henkilön, vrt. englannin one (can say that...). Varsinaiset passiivin päätteet ovat -tta ~ -ttä, -ta ~ -tä tai -da ~ -dä, joiden muoto riippuu edeltävän vartalon rakenteesta. Joskus loppuvokaalit a tai ä katoavat. Nämä päätteet liitetään suoraan verbin kantaan (tai johdettuun vartaloon). Mahdollinen tempus- tai moduspääte tulee passiivin päätteen jälkeen, ja näiden jälkeen liitetään vielä passiivin persoonapääte -Vn, missä V tarkoittaa vokaalia, joka on sama kuin lähin edeltävä vokaali.

Aktiivi   *Passiivi*
sano/<u>n</u>   sano/<u>ta</u>/<u>an</u>
sano/isi/<u>n</u>   sano/<u>tta</u>/isi/<u>in</u>
sano/i/<u>n</u>   sano/<u>tt</u>/i/<u>in</u>

Alla on lopuksi finiittisten verbinmuotojen kaavio, josta päätteiden järjestys käy ilmi. Tempus- ja moduspäätteet ovat samassa sarakkeessa, koska ne ovat toisensa poissulkevia (samassa sananmuodossa ei voi olla sekä tempus- että moduspäätteitä).

Finiittisten verbinmuotojen rakenne

Kanta	Passiivi	Tempus/Modus	Persoona	Partikkeli	Esimerkki
puhu			n		puhun
puhu			mme		puhumme
puhu		i	tte		puhuitte
puhu		isi	vat		puhuisivat
puhu			t	han	puhuthan
sano		i	n	ko	sanoinko?
sano		isi	mme	ko	sanoisimmeko?
sano	ta		an		sanotaan
sano	tta	isi	in		sanottaisiin
sano	tt	i	in	han	sanottiinhan
sano	tta	ne	en		sanottaneen
sano	kaa				sanokaa
sano	kaa			pa	sanokaapa
sano	kaa		mme		sanokaamme
sano	ko		ot		sanokoot
sano	tta	ko	on		sanottakoon
saa			n	ko	saanko
sa		isi	n	ko	saisinko

sa	i	t	han	saithan
syö	t	i	in		syötiin
syö	tä	isi	in		syötäisiin
syö	tä	isi	in	kö	syötäisiinkö
syö	t	i	in	kin	syötiinkin

§14 EI-FINIITTISET VERBINMUODOT JA NIIDEN PÄÄTTEET

EI-FINIITTISILLÄ VERBINMUODOILLA tarkoitetaan muotoja, jotka (toisin kuin finiittiverbit) eivät kongruoi subjektin kanssa eivätkä siksi sisällä persoona-päätettä (§13, 25.1). Ei-finiittisiä muotoja on kahdenlaisia, infinitiivejä ja partisiippeja, jotka määritteineen muodostavat INFINITIIVI- tai PARTISIIP-PILAUSEKKEEN (§26.4). Infinitiivejä voi käytön suhteen verrata substantii-veihin, partisiippeja taas adjektiiveihin etumääritteinä esiintyessään (**eilen saapu/nut kirje**) ja verbeihin siltä osin kuin partisiipit esiintyvät imperfektin, perfektin ja pluskvamperfektin tempuksissa (esim. perf. **on saapu/nut**). Ei-finiittiset verbinmuodot liittyvät yleensä muihin sanoihin ja ovat siksi epäitsenäisiä, toisin kuin finiittiverbit, jotka muodostavat yksinäislauseiden navan (§27). Useimmat infinitiivi- tai partisiippilausekkeen sisältävät lau-seet ovat YHDYSLAUSEITA (§30).

Ei-finiittisille verbeille tunnusomainen on FUNKTIOPÄÄTE, jolla yleensä ei ole varsinaista merkitystä, vaan joka pelkästään osoittaa, että kyseessä on ei-finiittinen muoto. Joitakin ei-finiittisiä muotoja (partisiippeja ja E-infini-tiivin inessiiviä) voi finiittiverbien tapaan taivuttaa passiivissa. Toisin kuin finiittiverbit, mutta samaan tapaan kuin substantiivit, ei-finiittiset muodot saavat usein sijapäätteen ja omistusliitteen. Partisiipit voivat myös taipua luvussa. Kaikkiin ei-finiittisiin muotoihin voi liittää liitepartikkeleita.

Suomessa on kolme tärkeää INFINITIIVIÄ. Keskeisin on A-infinitiivi, näin kutsuttuna sen yhden tyypillisen funktiopäätteen mukaan; se on verbien sana-kirjamuoto. Jokaisella infinitiivillä on oma funktiopäätteensä, joka osoittaa, mistä infinitiivistä on kyse.

Infinitiivien sijataivutus on hyvin vajavaista. A-infinitiivi esiintyy vain kah-dessa sijassa (nominatiivi ja translatiivi), E-infinitiivi (2. infinitiivi) niin ikään vain kahdessa (inessiivi ja instruktiivi), ja MA-infinitiivi (3. infinitiivi) kuudessa (inessiivi, elatiivi, illatiivi, adessiivi, abessiivi ja instruktiivi). Infinitiivit eivät esiinny monikossa. Joidenkin sijojen yhteydessä infinitiivissä voi olla myös omistusliitteitä.

Infinitiivit

	Funktiopäätteet	Esimerkki
A-infinitiivi	-a ~ -ä	sano/<u>a</u>
	-da ~ -dä	syö/<u>dä</u>
	-ta ~ -tä	juos/<u>ta</u>
E-infinitiivi	-e	sano/<u>e</u>/ssa/ni
	-de	syö/<u>de</u>/ssä/mme
	-te	juos/<u>te</u>/n
MA-infinitiivi	-ma ~ -mä	syö/<u>mä</u>/llä
		sano/<u>ma</u>/tta
		sano/<u>ma</u>/an

Suomessa on useita PARTISIIPPEJA. Tärkeimmät ovat VA-partisiippi eli preesensin partisiippi ja NUT-partisiippi eli perfektin partisiippi, joilla on kaksi funktiota, verbien tempuksissa ja adjektiivien etumääritteinä. Partisiipit esiintyvät aktiivissa ja passiivissa. Adjektiivimaisuutensa takia partisiipit tai-puvat kaikissa sijoissa ja molemmissa luvuissa. Niihin liittyy joskus myös omistusliitteitä. Aktiivin partisiipit on annettu alla.

Aktiivin partisiipit

	Funktiopäätteet	Esimerkki
Preesens eli VA	-va ~ -vä	juo/<u>va</u>
		syö/<u>vä</u>
Perfekti eli NUT	-nut ~ -nyt	juo/nut
		syö/<u>nyt</u>

Seuraavassa taulukossa esitetään ei-finiittisten verbinmuotojen rakenne ja päätteiden järjestys (useimmissa taivutetuissa muodoissa NUT-partisiipin pääte -nut ~ -nyt esiintyy muodossa -nee).

Kanta	Passiivi	Funktio	Luku	Sija	Omistus-liite	Partikkeli	Esimerkki
puhu		a					puhua
puhu		a		kse	si		puhuaksesi
puhu		ma		lla			puhumalla
syö		dä					syödä
syö		dä		kse	mme		syödäksemme
puhu		va				kin	puhuvakin
puhu		va		ssa		kin	puhuvassakin
puhu		v	i	ssa		kin	puhuvissakin
puhu		va	t				puhuvat
puhu		nut					puhunut
puhu		nee	t				puhuneet
syö		mä		än			syömään
juo		ma		an			juomaan
juo		ma		an		ko	juomaanko
syö		mä		ttä			syömättä
juo		ma		tta			juomatta
juo	ta	va					juotava
sano	tt	u					sanottu
sano	t	u		sta			sanotusta
sano	tta	va					sanottava
sano	tta	va		lla			sanottavalla
sano	tta	v	i	lla			sanottavilla
sano	tta	v	i	ssa		ko	sanottavissako
syö	tä	e		ssä			syötäessä
vetä		mä		llä		hän	vetämällähän
vetä		e		ssä	si		vetäessäsi
vetä		e		ssä	ni		vetäessäni
syö	t	y		ä	mme		syötyämme
syö		vä		n			syövän
syö		de		ssä	än		syödessään

4
KAKSI TÄRKEÄÄ ÄÄNNEVAIHTELUA

- *Astevaihtelu* (p, t, k)
- *Vokaalinmuutokset ennen* i-*alkuisia päätteitä*

§15 ASTEVAIHTELU (p, t, k)

Suomenkielisiä sanoja olisi helppo muodostaa, jos kaikki päätteet liitettäisiin mekaanisesti toistensa perään niiden mallien mukaan, jotka on annettu edellä nomineille sekä finiittisille ja ei-finiittisille verbinmuodoille. Mutta päätteiden liittäminen on itse asiassa mutkikkaampi asia, koska päätteet usein aiheuttavat ÄÄNNEVAIHTELUITA (muutoksia) vartalossa (päätteen vasemmalla puolella).

Tärkein näistä vaihteluista on astevaihtelu, joka koskee lyhyitä ja pitkiä klusiileja p, t ja k. §:ssä 15.1 (alla) esitellään ensin vaihtelun eri tyypit. §:ssä 15.2 käsitellään ehtoja, joiden mukaan vaihtelut tapahtuvat, ja samalla esitellään joitakin tärkeitä sääntöjä. §:t 15.3–5 sisältävät runsaasti esimerkkejä sääntöjen soveltamisesta, ja §:ssä 15.6 mainitaan joitain erikoistapauksia.

Muotoa, johon astevaihtelusääntöjä sovelletaan, kutsutaan VAHVAKSI ASTEEKSI, ja vaihtelun tuloksena syntyvää muotoa kutsutaan HEIKOKSI ASTEEKSI (joka on jatkossa usein merkitty sanan eteen lisätyllä '+'-merkillä, esim. **takki** : +ta**k**i/n.

§15.1 ASTEVAIHTELUTYYPIT

Pitkät konsonantit **pp, tt, kk** vaihtelevat vastaavien lyhyiden konsonanttien **p, t, k** kanssa. Tätä kutsutaan KVANTITATIIVISEKSI ASTEVAIHTELUKSI.

(1)	**pp** ~ **p**	kaa**pp**i	+kaa**p**i/ssa
(2)	**tt** ~ **t**	ma**tt**o	+ma**t**o/lla
(3)	**kk** ~ **k**	ku**kk**a	+ku**k**a/n

45

Lyhyet konsonantit vaihtelevat yleensä muiden konsonanttien kanssa; joskus **k** kuitenkin katoaa kokonaan. Tällaista vaihtelua kutsutaan KVALITATIIVISEKSI ASTEVAIHTELUKSI (tyypit (4)–(16)).

(4)	p ~ v	tupa	+tuva/ssa
(5)	Vt ~ Vd	katu	+kadu/lla
(6)	ht ~ hd	lähte-	+lähde/n
(7)	k ~ Ø	tauko	+tauo/n

Lyhyt **p** vaihtelee **v**:n kanssa vokaalin, **l**:n tai **r**:n jälkeen (4). Lyhyt **t** vaihtelee **d**:n kanssa vokaalin (**V**) ja **h**:n jälkeen (5, 6). Lyhyt **k** katoaa vokaalin, **l**:n tai **r**:n jälkeen, paitsi erikoistapauksissa (13–16). Kun lyhyet **p, t, k** esiintyvät nasaalikonsonantin jälkeen, jolla on niiden kanssa sama artikulaatiopaikka (**m, n, ŋ**), tai kun **t** esiintyy **l**:n tai **r**:n jälkeen (joilla niin ikään on sama artikulaatiopaikka), **p, t, k** assimiloituvat eli mukautuvat edeltävän konsonantin kaltaisiksi (8)–(12).

(8)	mp ~ mm	ampu-	+ammu/mme
(9)	nt ~ nn	ranta	+ranna/lla
(10)	nk ~ ng (pitkä ŋ)	kenkä	+kengä/n
(11)	lt ~ ll	kulta	+kulla/n
(12)	rt ~ rr	parta	+parra/ssa

Lisäksi on olemassa neljä melko harvinaista vaihtelua, jotka koskevat lyhyttä **k**:ta.

(13)	lke ~ lje	polke-	+polje/n
(14)	rke ~ rje	särke-	+särje/n
(15)	hke ~ hje	rohkene/t	+rohjet/a
(16)	k ~ v	puku	+puvu/n

Vaihtelut (13)–(15) ovat hyvin samantapaisia: kaikissa **k** vaihtelee **j**:n kanssa ennen **e**:tä. Tyyppi (16) on harvinainen ja esiintyy ainoastaan muutamissa nomineissa, joissa **k**:n kummallakin puolella on **u/y** (esim. **suku, luku, kyky**).

§15.2 ASTEVAIHTELUSÄÄNNÖT

Kaikki vaihtelut (1)–(16) määräytyvät samojen ehtojen mukaan. Klusiilit vaihtelevat kaksi- tai useampitavuisten sanojen vartalossa, kun siihen liitetään tietynlaisia päätteitä. Vaihtelua aiheuttavat toisaalta vokaalit, jotka ovat klusiilin ja päätteen välillä (vaihtelu tapahtuu vain, jos vokaalit ovat lyhyitä; vaihtelua ei ole jos välissä on pitkä vokaali tai konsonantti), toisaalta vartaloa seuraavat päätteet (vaihtelua aiheuttavat vain tietynlaiset sija- ja persoonapäätteet). Seuraava sääntö A koskee kaikkia sanoja, niin nomineja kuin verbejäkin.

Sääntö A

Monitavuisissa vartaloissa lyhyet ja pitkät **p, t, k** ovat astevaihtelussa, jos niitä seuraa pääte, joka:
A(a) koostuu vain yhdestä konsonantista tai
A(b) alkaa kahdella konsonantilla,
edellyttäen lisäksi, että
A(c) **p:n, t:n, k:n** ja päätteen välillä on vain lyhyt vokaali tai diftongi (ei konsonantteja eikä tavurajaa)
A(d) astevaihtelun aiheuttava pääte on yleensä nominien tapauksessa sijapääte ja verbien tapauksessa persoonapääte; omistusliitteet eivät aiheuta astevaihtelua
A(e) tämän päätteen ja konsonanttien **p, t, k** välissä voi olla -i:stä koostuva pääte (monikko tai imperfekti)
A(f) pitkän vokaalin edessä ei koskaan ole vaihtelua
A(g) yksitavuisissa vartaloissa ei ole vaihtelua

Pääsäännön A lisäksi on toinen sääntö B, joka koskee pelkästään verbien astevaihtelua.

Sääntö B

Verbien **p, t, k** ovat aina astevaihtelussa lyhyen vokaalin edellä, mikäli ne esiintyvät
B(a) ennen passiivin päätettä (esim. **-tta** ~ **-ttä, -ta** ~ **-tä**)
B(b) imperatiivin yksikön 2. persoonassa
B(c) kielteisessä indikatiivin preesensissä

---

§15.2

Tapaukset B(b) ja B(c) tarkoittavat itse asiassa samaa asiaa, koska nämä verbinmuodot ovat aina samanlaisia, esim. +kerro! : en +kerro; +anna! : en +anna.

Alla olevat esimerkit havainnollistavat pääsäännön A soveltamista substantiiviin **katto**, jossa **tt** vaihtelee **t**:n kanssa. Vartaloa seuraavan päätteen rakenne ratkaisee pääsääntöisesti, tapahtuuko vaihtelu vai ei; oikealla on lyhyt perustelu.

ka**tt**o	EI	ei päätettä
+ka**t**o/**n**	KYLLÄ	pääte koostuu yhdestä konsonantista
+ka**t**o/**lla**	KYLLÄ	pääte alkaa kahdella konsonantilla
ka**tt**o/na	EI	pääte ei koostu yhdestä konsonantista tai ala kahdella
+ka**t**o/**lta**	KYLLÄ	pääte alkaa kahdella konsonantilla
ka**tt**o/on	EI	ei vaihtelua pitkän vokaalin edessä
+ka**t**o/**lle**	KYLLÄ	pääte alkaa kahdella konsonantilla
+ka**t**o/**t**	KYLLÄ	pääte koostuu yhdestä konsonantista
+ka**t**o/i/**lla**	KYLLÄ	pääte alkaa kahdella konsonantilla; välissä voi olla -i:stä koostuva pääte
ka**tt**o/i/na	EI	pääte ei koostu yhdestä konsonantista tai ala kahdella
+ka**t**o/**ksi**	KYLLÄ	pääte alkaa kahdella konsonantilla
ka**tt**o/mme	EI	ei vaihtelua omistusliitteen edessä
ka**tt**o/kin	EI	pääte ei koostu yhdestä konsonantista tai ala kahdella
+ka**t**o/i/**lle**	KYLLÄ	pääte alkaa kahdella konsonantilla; välissä voi olla -i:stä koostuva pääte
ka**tt**o/i/hin	EI	pääte ei koostu yhdestä konsonantista tai ala kahdella
+ka**t**o/i/**lta**	KYLLÄ	pääte alkaa kahdella konsonantilla; välissä voi olla -i:stä koostuva pääte
ka**tt**o/nne	EI	ei vaihtelua omistusliitteen edessä
ka**tt**o/a	EI	pääte ei koostu yhdestä konsonantista tai ala kahdella
ka**tt**o/j/en	EI	sama kuin edellinen; -j = monikon -i

Kahdessa seuraavassa pykälässä on lisää esimerkkejä sääntöjen A ja B soveltamisesta nomineihin ja verbeihin.

§15.3 PÄÄSÄÄNNÖN SOVELTAMINEN NOMINEIHIN

Taulukossa sivuilla 50–51 näkyy, kuinka astevaihtelu vaikuttaa sanaan **katu**, jossa vaihtelu on tyyppiä (5); **t** vaihtelee **d**:n kanssa. Esimerkit on esitetty tutussa muodossa; varsinainen sananmuoto on oikealla, ja tämän jälkeen mainitaan vaihtelun tai vaihtelemattomuuden syy. Myös monikon nominatiivin pääte -**t** laukaisee astevaihtelun. Tämä muoto ilmaisee sekä lukua että sijaa. Pääsäännön mukaisesti vaihtelu esiintyy vain lyhyiden vokaalien edellä. Diftongin vokaalit ovat lyhyitä, ja siksi diftongin edessä yleensä esiintyykin vaihtelua: +ka̲to̲/**lla** : +ka̲to̲/**i/lla**. Jälkimmäinen muoto sisältää diftongin **oi**, jonka edessä tapahtuu astevaihtelu. (Poikkeus diftongisäännöstä on kuitenkin tyyppi **renka/i/ssa**: ks. alla.)

Pitkien vokaalien edessä ei sovelleta astevaihtelusääntöjä, ei edes silloin kun sijapääte koostuu yhdestä konsonantista tai alkaa kahdella. Nominit, joiden taivutusvartalo päättyy pitkään vokaaliin (§19, 21.3) jäävät astevaihtelun ulkopuolelle lähes kaikissa yksikön ja monikon sijamuodoissa, silloinkin kun muuten pitkä vartalovokaali lyhenee monikon -i:n edessä (§16). Seuraavat esimerkit havainnollistavat +**rengas** : **renkaa**- -sanan taivutusta astevaihtelun kannalta.

Yksikkö	*Monikko*
renkaa/n	**renkaa/t**
renkaa/ssa	**renka/i/ssa**
renkaa/sta	**renka/i/sta**
renkaa/lla	**renka/i/lla**
renkaa/na	**renka/i/na**
renkaa/seen	**renka/i/siin**
renkaa/lta	**renka/i/lta**

Näissä sanoissa monikon -i:tä edeltävä vokaali lasketaan pitkäksi, koska se on pitkä lähes kaikissa vastaavissa yksiköllisissä muodoissa.

+**Rengas** : **renkaa**- -tyypin sanoissa astevaihtelu kuitenkin esiintyy kahdessa sijamuodossa: yksikön nominatiivissa, joka päättyy joko lyhyeen vokaaliin + s:ään (§21.3) tai e:hen (§19), sekä yksikön partitiivissa; toisinaan myös monikon genetiivissä. Vrt. +**rengas** (yks. nom.), +**rengas/ta** (yks. part.), +**rengas/ten** (mon. gen., yleisemmin **renka/i/den** tai **renka/i/tten**). Lisäesimerkkejä tästä tyypistä (perusmuoto on yksikön nominatiivi):

	Vaihtelu	Vartalo	Perusmuoto
(1)	pp ~ p	saappaa-	+saapas
(2)	tt ~ t	rattaa-	+ratas
(3)	kk ~ k	rakkaa-	+rakas
(4)	p ~ v	varpaa-	+varvas
(5)	t ~ d	hitaa-	+hidas
(6)	ht ~ hd	tehtaa-	+tehdas
(7)	k ~ Ø	kokee-	+koe
(8)	mp ~ mm	hampaa-	+hammas
(9)	nt ~ nn	rantee-	+ranne
(10)	nk ~ ng	kuninkaa-	+kuningas
(11)	lt ~ ll	altaa-	+allas
(12)	rt ~ rr	portaa-	+porras
(13)	lke ~ lje	hylkee-	+hylje
(15)	hke ~ hje	pohkee-	+pohje

Näin ollen sanotaan +**saapas** (yks. nom.) ja +**saapas/ta** (yks. part.) mutta **saappaa/n** (yks.gen.), **saappaa/na** (yks. ess.), **saappaa/t** (mon. nom.), **saappa/i/ssa** (mon. iness.), jne.

Sellaisissa kolmitavuisissa nomineissa kuin **keittiö, lapio, herttua**, joissa perusmuodon kahden loppuvokaalin välissä on tavuraja (§9), ei ole astevaihtelua A(c). Ne taipuvat siis **keittiö/n** (yks. gen.), **keittiö/ssä** (yks. iness.), **keittiö/tä** (yks. part.), **keittiö/i/ssä** (mon. iness.), jne.

Miten astevaihtelu ilmenee tietyntyyppisillä nomineilla

Kanta	Luku	Sija	Omistus-liite	Partikkeli	Esimerkki	Vaihtelu?	Syy
katu	n				+kadun	KYLLÄ	sija on 1 kons.
katu		nne			katunne	EI	ei sijaa
katu				kin	katukin	EI	ei sijaa
katu	lla				+kadulla	KYLLÄ	sija alkaa 2 konsonantilla
katu	na				katuna	EI	sija on kons. + vok.
katu	lle				+kadulle	KYLLÄ	sija alkaa 2 konsonantilla
katu	a				katua	EI	sija on vokaali

katu	i	lla		+kaduilla	KYLLÄ	sija alkaa 2 konsonantilla
katu		mme	ko	katummeko	EI	ei sijaa
katu		t		+kadut	KYLLÄ	sija on 1 kons.
katu			han	katuhan	EI	ei sijaa
katu	j	a		katuja	EI	sija on vokaali
katu	i	ssa		+kaduissa	KYLLÄ	sija alkaa 2 konsonantilla
katu		lta	nne	+kadultanne	KYLLÄ	sija alkaa 2 konsonantilla
katu	i	na		katuina	EI	sija on kons. + vok.
katu		t	han	+kaduthan	KYLLÄ	sija on 1 kons.
katu		un		katuun	EI	pitkä vokaali

§15.4 SÄÄNTÖJEN SOVELTAMINEN VERBEIHIN

Verbeissä persoonapääte yleensä ratkaisee astevaihtelun (A(d)). Pääsäännön lisäksi verbeihin pätee sääntö B: astevaihtelusääntöjä sovelletaan aina imperatiivin yksikön 2. persoonassa ja kielteisessä indikatiivin preesensissä sekä ennen passiivin päätettä.

Esimerkkinä käytetään verbiä **kerto-**: **rt** vaihtelee **rr**:n kanssa (vaihtelutyyppi (12)). Taulukon (sivut 52–53) oikealla laidalla on kerrottu, onko astevaihtelu tapahtunut vai ei, sekä lyhyt perustelu.

Huomaa ehto A(e): imperfektin pääte -**i** voi olla vaihtelevan **p**:n, **t**:n tai **k**:n ja persoonapäätteen välissä. Astevaihtelusääntöjä ei kuitenkaan voi soveltaa, mikäli välissä on konditionaalin -**isi**- tai potentiaalin -**ne**-pääte. Sanotaan siis +**kerro/i/n** mutta **kerto/isi/n** ja **kerto/ne/n** (tämä potentiaalimuoto on hyvin harvinainen).

Nominien tapaan verbeihinkään ei sovelleta astevaihtelusääntöjä ennen pitkiä vokaaleja (A(c)). Seuraavassa tärkeässä verbityypissä, supistumaverbeissä (§23.2), ei siis ole astevaihtelua preesensissä eikä imperfektissäkään, vaikka vokaali on lyhentynyt (§60).

Preesens	Imperfekti
hyp̲p̲ää/n	hyp̲p̲äs/i/n
hyp̲p̲ää/t	hyp̲p̲äs/i/t
(hän) hyp̲p̲ää	(hän) hyp̲p̲äs/i
hyp̲p̲ää/mme	hyp̲p̲äs/i/mme
hyp̲p̲ää/tte	hyp̲p̲äs/i/tte
(he) hyp̲p̲ää/vät	(he) hyp̲p̲äs/i/vät

Supistumaverbeissä ei ole astevaihtelua myöskään imperatiivin yksikön 2. persoonassa eikä kielteisessä indikatiivin preesensissä: **hyp̲p̲ää!** : **en hyp̲p̲ää**. On kuitenkin muutamia supistumaverbien taivutusmuotoja, joissa muutoin pitkä vartalovokaali on lyhentynyt jälkimmäisen vokaalin vaihduttua sidekonsonantiksi **t**, joka on verrattavissa astevaihtelun aiheuttaviin sija- ja persoonapäätteisiin (A(a)), esim. **hyp̲p̲ää/n** : **+hypä̲t/ä**. Seuraavat muodot perustuvat vartaloon, joka on muodostettu sidekonsonantilla ja johon siksi pätee astevaihtelu.

A-infinitiivi	**+hypä̲t/ä**
E-infinitiivi	**+hypä̲t/e/n**
Passiivi	**+hypä̲t/t/i/in**
Imperatiivi	**+hypä̲t/kää**
NUT-partisiippi	**+hypä̲n/nyt**

Kanta	Pass.	Tempus, modus	Per- soona	Partik- keli	Esimerkki	Aste- vaihtelu?	Syy
kerto			n̲		+ker̲ron	KYLLÄ	persoonapääte koostuu yhdestä konsonantista
kerto			mme		+ker̲romme	KYLLÄ	persoonapääte alkaa kahdella konsonantilla
kerto		isi	mme		kertoisimme	EI	kond. -isi
kerto	ta̲		an		+ker̲rotaan	KYLLÄ	passiivi
kerto		i	tte		+ker̲roitte	KYLLÄ	persoonapääte alkaa kahdella konsonantilla
kerto			vat		kertovat	EI	persoonapääte alkaa kons. + vokaalilla

kerto	i	vat		kertoivat	EI	persoonapääte alkaa kons. + vokaalilla
kerto	—			+ker_ro	KYLLÄ	imperatiivin yks. 2. pers.
kerto _tt_	i	in		+ker_rottiin	KYLLÄ	passiivi
kerto		o		kertoo	EI	persoonapääte koostuu vokaalista
(en) kerto	—			(en) +ker_ro	KYLLÄ	kieltomuoto
kerto	kaa			kertokaa	EI	pääte alkaa kons. + vokaalilla
kerto	_t_			+ker_rot	KYLLÄ	persoonapääte koostuu yhdestä konsonantista
kerto	i	_t_		+ker_roit	KYLLÄ	persoonapääte koostuu yhdestä konsonantista
kerto	ne	tte		kertonette	EI	potentiaali -ne
kerto	—		pa	+ker_ropa	KYLLÄ	imperatiivin yks. 2. pers.
kerto		_tte_	han	+ker_rottehan	KYLLÄ	persoonapääte alkaa kahdella konsonantilla
kerto		_t_	ko	+ker_rotko	KYLLÄ	persoonapääte koostuu yhdestä konsonantista
kerto	isi	vat	ko	kertoisivatko	EI	kond. -isi

Lähes kaikki astevaihtelun tyypit ovat mahdollisia myös supistumaverbeissä:

Vaihtelu			Vartalo, jossa pitkä vokaali	Perusmuoto
(1)	_pp_	~	_p_	sieppaa-	+siepat/a
(2)	_tt_	~	_t_	konttaa-	+kontat/a
(3)	_kk_	~	_k_	hakkaa-	+hakat/a
(4)	_p_	~	_v_	kelpaa-	+kelvat/a
(5)	V_t_	~	V_d_	hautaa-	+haudat/a
(6)	h_t_	~	h_d_	rahtaa-	+rahdat/a

53

(7)	k	~	Ø	makaa-	+maat/a
(8)	mp	~	mm	kampaa-	+kammat/a
(9)	nt	~	nn	ryntää-	+rynnät/ä
(10)	nk	~	ng	hankaa-	+hangat/a
(11)	lt	~	ll	valtaa-	+vallat/a
(12)	rt	~	rr	virtaa-	+virrat/a

§15.5 LISÄESIMERKKEJÄ ASTEVAIHTELUTYYPEISTÄ

Kvantitatiivinen vaihtelu

(1)	pp	~	p	kauppa	+kaupassa
				lamppu	+lamput
				tappa-	+tapan
(2)	tt	~	t	katto	+katolla
				käyttä-	+käytämme
				otta-	+otan
(3)	kk	~	k	takki	+takissani
				kaikke-	+kaikessa
				nukku-	+nukuimme

Kvalitatiivinen vaihtelu

(4)	p	~	v	kylpe-	+kylven
				kipu	+kivussa
				tarpee-	+tarve
(5)	t	~	d	tietä-	+tiedätkö?
				vetä-	+vedä!
				äiti	+äidille
(6)	ht	~	hd	vihta	+vihdalla
				vaihta-	+vaihdatteko?
				lehte-	+lehdessä
(7)	k	~	Ø	joke-	+joesta
				jaka-	+jaamme
				poika	+pojalle
				aika	+ajassa
(8)	mp	~	mm	ampu-	+ammutaan
				kampa	+kammalla
(9)	nt	~	nn	tunte-	ei +tunne
				anta-	+annamme

(10)	nk	~	ng	ranta kenkä tunke- tinki-	+rannalla +kengästä älä +tunge! +tingitkö?
(11)	lt	~	ll	ilta kulta viheltä-	+illalla +kullaksi +vihellän
(12)	rt	~	rr	kiertä- kerta kerto-	+kierrä! +kerran +kerronko?
(13)	lke	~	lje	sulke- jälke- kulke-	+suljemme +jäljet +kuljet
(14)	rke	~	rje	särke- arke-	+särjetkö? +arjen
(15)	hke	~	hje	rohkene-	+rohjeta
(16)	k	~	v	suku puku luku	+suvussa +puvut +luvun

Huomaa poikkeukselliset sanat **poika** ja **aika** (tyyppi (7)), joissa k:n katoaminen saa i:n muuttumaan j:ksi heikossa asteessa. Tyyppi (13) sekä erityisesti tyypit (14)–(16) ovat harvinaisia.

§15.6 MUUTAMIA LISÄYKSIÄ

Edellä käsiteltyjen sija- ja persoonapäätteiden lisäksi on eräitä muitakin (johdin)päätteitä, jotka aiheuttavat astevaihtelua, erityisesti adjektiivien pääte -**sti** (jolla muodostetaan adverbeja, §87), komparatiivin pääte -**mpi** (§85) ja superlatiivin pääte -**in** (§86). Huomaa myös merkitykseltään kielteinen johdin -**ton** ~ -**tön**: koti : +kodi/ton; palkka : +palkka/ton.

Perusmuoto	Adverbit	Komparatiivi	Superlatiivi
kiltti	+kilti/sti	+kilti/mpi	+kilte/in
tarkka	+tarka/sti	+tarke/mpi	+tark/in
helppo	+helpo/sti	+helpo/mpi	+helpo/in

Johtimet ovat itsekin astevaihtelun alaisia, kun niitä taivutetaan, esimerkiksi komparatiivi -**mpi**: +**helpo/mma/ssa**.
Klusiilit **p, t, k** eivät ole astevaihtelussa esiintyessään **s**:n tai **t**:n vieressä. Konsonantti **k** yhtymässä **hk** vaihtelee joskus.

sk	tasku	taskusta
sp	piispa	piispat
st	piste	pisteet
tk	matka	matkalla
hk	keuhko	keuhkot
Huom.:	vihko	vihot
Huom.:	nahka	nahasta

Monet lainasanat ja erisnimet jäävät astevaihtelun ulkopuolelle. Tämä koskee erityisesti vaihteluita (4)–(16).

auto	autolla
Malta	Maltan
Heta	Hetalle
Kauko	Kaukolta

On muutamia uusia lainaverbejä, joissa esiintyy aitoa astevaihtelua muistuttava ilmiö: **digat/a : diggaa/n, lobat/a : lobbaa/n, blogat/a : bloggaa/n**.

§16 VOKAALINMUUTOKSET ENNEN i-ALKUISIA PÄÄTTEITÄ

Toisen tärkeän äännevaihteluiden joukon muodostavat vokaalinmuutokset, jotka esiintyvät ennen tiettyjä **i**:llä alkavia päätteitä. Kyseiset **i**-päätteet ovat:

Nomineilla
monikon -**i** (vokaalien välissä -**j**: §22)
superlatiivin -**in** (koskee adjektiiveja)

Verbeillä
imperfektin eli preteritin -**i**
konditionaalin -**isi**

Usein vokaalinmuutokset ovat kaikkien neljän päätteen kohdalla samoja, mutta niiden välillä on myös muutamia eroja. Alla esitetään kahdeksan sääntöä. (Astevaihtelun heikko aste on merkitty '+'-merkillä.)

(1) Lyhyet loppuvokaalit **o, ö, u, y** (eli pyöreät vokaalit) eivät muutu ennen **i**-päätteitä.

Perusmuoto	Monikko	Perusmuoto	Superlatiivi
tal<u>o</u>	tal<u>o</u>/i/ssa	helpp<u>o</u>	+help<u>o</u>/in
pöll<u>ö</u>	pöll<u>ö</u>/i/lle	pöhk<u>ö</u>	pöhk<u>ö</u>/in
kat<u>u</u>	+kad<u>u</u>/i/lla	hull<u>u</u>	hull<u>u</u>/in
hyll<u>y</u>	hyll<u>y</u>/i/ssä	pidett<u>y</u>	+pidet<u>y</u>/in

Perusmuoto	Imperfekti	Konditionaali
san<u>o</u>-	san<u>o</u>/i	san<u>o</u>/isi
puh<u>u</u>-	puh<u>u</u>/i	puh<u>u</u>/isi
pysäht<u>y</u>-	pysäht<u>y</u>/i	pysäht<u>y</u>/isi

(2) Pitkä vokaali lyhenee.

Perusmuoto	Monikko	Perusmuoto	Superlatiivi
p<u>uu</u>	p<u>u</u>/i/ta	vap<u>aa</u>	vap<u>a</u>/in
m<u>aa</u>	m<u>a</u>/i/ssa	vak<u>aa</u>	vak<u>a</u>/in
s<u>yy</u>	s<u>y</u>/i/den	terv<u>ee</u>-	terv<u>e</u>/in
ven<u>ee</u>-	ven<u>e</u>/i/stä		
perh<u>ee</u>-	perh<u>e</u>/i/ssä		

Perusmuoto	Imperfekti	Konditionaali
s<u>aa</u>-	s<u>a</u>/i	s<u>a</u>/isi
j<u>ää</u>-	j<u>ä</u>/i	j<u>ä</u>/isi
av<u>aa</u>-	(av<u>as</u>/i)	av<u>a</u>/isi
mak<u>aa</u>-	(mak<u>as</u>/i)	mak<u>a</u>/isi

(3) Ensimmäinen vokaali katoaa diftongeista **ie, uo, yö**.

Perusmuoto	Monikko	
t**ie**	t**e**/i/llä	(ei adjektiiveja)
t**uo**	n**o**/i/ssa	
y**ö**	**ö**/i/tä	
s**uo**	s**o**/i/sta	
t**yö**	t**ö**/i/den	

Perusmuoto	Imperfekti	Konditionaali
v**ie**-	v**e**/i	v**e**/isi
j**uo**-	j**o**/i	j**o**/isi
s**yö**-	s**ö**/i	s**ö**/isi
t**uo**-	t**o**/i	t**o**/isi
l**yö**-	l**ö**/i	l**ö**/isi

(4) **i** katoaa **i**-loppuisesta diftongista.

Perusmuoto	Monikko	
h**ai**	h**a**/i/ssa	(ei adjektiiveja)
k**oi**	k**o**/i/ta	
t**äi**	t**ä**/i/den	

Perusmuoto	Imperfekti	Konditionaali
v**oi**-	v**o**/i	v**o**/isi
ui-	**u**/i	**u**/isi
n**ai**-	n**a**/i	n**a**/isi

> (5) Lyhyt **e** katoaa aina.

Perusmuoto	Monikko	Perusmuoto	Superlatiivi
tuule-	tuul/i/a	nuore-	nuor/in
tule-	tul/i/a	suure-	suur/in
lapse-	laps/i/lla	uute-	uus/in
kiele-	kiel/i/nä		
naise-	nais/i/lle		

Perusmuoto	Imperfekti	Konditionaali
tule-	tul/i	tul/isi
mene-	men/i	men/isi
ole-	ol/i	ol/isi
hymyile-	hymyil/i	hymyil/isi
teke-	tek/i	tek/isi
näke-	näk/i	näk/isi

> (6) Lyhyt **i** muuttuu **e**:ksi monikon ja superlatiivin edessä, mutta katoaa imperfektin ja konditionaalin edessä.

Perusmuoto	Monikko	Perusmuoto	Superlatiivi
lasi	lase/i/ssa	kiltti	+kilte/in
tuoli	tuole/i/lla	nätti	+näte/in
väri	väre/i/nä		
tunti	+tunne/i/lla		

Perusmuoto	Imperfekti	Konditionaali
salli-	sall/i	sall/isi
etsi-	ets/i	ets/isi
oppi-	opp/i	opp/isi
vaati-	vaat/i	vaat/isi

(7) ä katoaa, paitsi konditionaalissa.

Perusmuoto	Monikko	Perusmuoto	Superlatiivi
päiv<u>ä</u>	päiv/i/ä	syv<u>ä</u>	syv/in
ystäv<u>ä</u>	ystäv/i/llä	ikäv<u>ä</u>	ikäv/in
sein<u>ä</u>	sein/i/en	kylm<u>ä</u>	kylm/in
kyl<u>ä</u>	kyl/i/in	märk<u>ä</u>	+mär/in
hedelm<u>ä</u>	hedelm/i/ä	hämär<u>ä</u>	hämär/in

Perusmuoto	Imperfekti	Konditionaali
vet<u>ä</u>-	vet/i	vet<u>ä</u>/isi
kest<u>ä</u>-	kest/i	kest<u>ä</u>/isi
kiitt<u>ä</u>-	kiitt/i	kiitt<u>ä</u>/isi
viett<u>ä</u>-	viett/i	viett<u>ä</u>/isi
tiet<u>ä</u>-	ties/i	tiet<u>ä</u>/isi

Tästä säännöstä poiketen eräiden kolmitavuisten substantiivien -ä muuttuu monikossa -ö:ksi, mm. silloin kun edeltävän tavun ainoa vokaali on **i** tai **y**: kynttil<u>ä</u> : kynttil<u>ö</u>/i/tä; tekij<u>ä</u> : tekij<u>ö</u>/i/tä; pääryn<u>ä</u> : pääryn<u>ö</u>/i/tä; kännykk<u>ä</u> : +kännyk<u>ö</u>/i/tä.

(8) a säilyy muuttumattomana konditionaalissa ja katoaa super-latiivissa. Kaksitavuisten sanojen monikossa ja imperfektissä a muuttuu o:ksi, jos sanan ensimmäinen vokaali on a, e tai i, mutta katoaa, jos ensimmäinen vokaali on u tai o.

Perusmuoto	Konditionaali
ant<u>a</u>-	ant<u>a</u>/isi
ott<u>a</u>-	ott<u>a</u>/isi
sat<u>a</u>-	sat<u>a</u>/isi
muist<u>a</u>-	muist<u>a</u>/isi
alk<u>a</u>-	alk<u>a</u>/isi

Perusmuoto	Superlatiivi
kova	kov/in
vahva	vahv/in
tarkka	+tark/in
vanha	vanh/in
matala	matal/in

Perusmuoto	Monikko	Perusmuoto	Imperfekti
matka	matko/i/lla	alka-	alko/i
kirja	kirjo/i/ssa	anta-	anto/i
sana	sano/i/lla	sata-	sato/i
piha	piho/i/lla	kaata-	kaato/i
velka	velko/j/en	raata-	raato/i
koira	koir/i/en	otta-	ott/i
poika	poik/i/en	muista-	muist/i
muna	mun/i/a	osta-	ost/i
kuuma	kuum/i/ssa	huuta-	huus/i

Kolmi- ja useampitavuisissa substantiiveissa -a joko muuttuu o:ksi tai katoaa; joskus molemmat vaihtoehdot ovat mahdollisia. Muutos o:ksi tapahtuu erityisesti, jos (a) edeltävän tavun ainoa vokaali on i; (b) -a on lyhyen l:n, n:n tai r:n jäljessä; tai (c) -a on kahden konsonantin jäljessä.

(a)	lukija	lukijo/i/den
	apina	apino/i/lla
	hakija	hakijo/i/lta
	vankila	vankilo/i/ssa
(b)	omena	omeno/i/ta
	ikkuna	ikkuno/i/ssa
	tavara	tavaro/i/ta
	kampela	kampelo/i/ta
(c)	kirsikka	+kirsiko/i/hin
	sanonta	sanonto/j/en
	jalusta	jalusto/i/lla

Muiden kolmi- ja useampitavuisten substantiivien sekä melkein kaikkien adjektiivien monikossa, kuten myös vastaavien verbien imperfektissä, -a katoaa.

kanava	kanav/i/ssa
korkea	korke/i/den
sanoma	sanom/i/a
ainoa	aino/i/ssa
vaikea	vaike/i/ta
ihana	ihan/i/a
kamala	kamal/i/a
matkusta-	matkust/i
rakasta-	rakast/i
pohjusta-	pohjust/i
kulutta-	kulutt/i

5
NOMINIEN TAIVUTUSTYYPIT SEKÄ MONIKKOTAIVUTUS

- *Yleistä*
- *i-loppuiset nominit*
- *e-loppuiset nominit*
- *a-, ä-loppuiset nominit*
- *Konsonanttiloppuiset nominit*
- *Yksikkö ja monikko*

§17 YLEISTÄ

Sekä nomini- että verbisanat muodostetaan liittämällä päätteitä vartaloihin. Yleensä nominien PERUSMUOTO (yksikön nominatiivi) itse toimii vartalona, ja monissa taivutustyypeissä perusmuoto ei muutu päätteitä liitettäessä, erityisesti mikäli perusmuoto päättyy johonkin lyhyistä pyöreistä vokaaleista **u, o, y, ö**: esim. **talo, talo/n, talo/ssa, talo/on, talo/ni, talo/kin.** (Liitteessä 1 on lueteltu tämän ja muiden taivutustyyppien kaikki taivutusmuodot.) Äännevaihteluita saattaa kuitenkin joskus esiintyä tietynlaisia päätteitä liitettäessä; vartalon **p, t** ja **k** ovat astevaihtelussa (§15), ja loppuvokaali saattaa vaihtua toiseksi tai kadota, kun siihen lisätään vokaalilla **i** alkava pääte (i-pääte, §16).

Joskus sanalla voi olla erilaisia VARTALOITA sen mukaan, millainen pääte sitä seuraa. Eri vartalot muodostuvat äännevaihteluiden kautta. Usein perusmuodolla tai perusmuodolla ja yksikön partitiivilla on omat vartalonsa, kun taas kaikki muut sija-, luku- ja omistuspäätteet liitetään toiseen tai kolmanteen vartaloon. Tätä vartaloa kutsutaan TAIVUTUSVARTALOKSI.

Ne nominit, joilla on eri perusmuoto ja taivutusvartalo, voidaan jakaa kolmeen ryhmään. Ensimmäiseen ryhmään kuuluvat nominit, joiden perusmuoto päättyy i:hin, jota taivutusvartalossa vastaa e, esim. **kieli : kiele/n.** Toinen ryhmä käsittää nominit, joiden perusmuoto päättyy e:hen ja taivutus-

vartalo **ee**:hen, esim. **perhe** : **perhee/n**. Kolmannen ryhmän sanojen perus-
muoto päättyy konsonanttiin, joka taivutusvartalossa vaihtelee muiden ään-
teiden kanssa, esim. **kysymys** : **kysymykse/n**.
Seuraavissa pykälissä nämä nominiryhmät esitellään vuoron perään (§18,
19, 21). Täyden kattavuuden saavuttamiseksi mukaan on otettu myös **a-**, **ä**-
loppuiset nominit (§20). Niillä ei varsinaisesti ole erillistä taivutusvartaloa,
mutta niiden kohdalla tapahtuu niin monia erityisiä äännevaihteluita, että
nekin ovat alkaneet muistuttaa erillistä taivutustyyppiä.
Taivutusvartalon edustajana käytetään genetiivimuotoa, esim. **kiele/n**,
perhee/n, **kysymykse/n**. Lähes kaikki muut muodot voidaan muodostaa
vaihtamalla genetiivin pääte **-n** muihin päätteisiin, esim. **kiele/n, kiele/ssä,
kiele/stä, kiele/llä, kiele/ni, kiele/mme**, jne. Seuraava sääntö on siis tärkeä:

Taivutusvartalon pohjalta muodostetaan kaikki sija-, luku- ja omistus-
muodot (joskin partitiivilla on joskus oma vartalonsa).

Astevaihtelu- ja vokaalinmuutossäännöt koskevat paitsi perusmuotovar-
taloita myös taivutusvartaloita.

Astevaihtelu (§15) ja vokaalinmuutokset ennen **i**-alkuisia päätteitä
(§16) koskevat myös taivutusvartaloita.

Seuraavassa esitetään esimerkkejä siitä, miten taivutusvartalo **kiele-** yhdis-
tyy eri sija-, luku- ja omistuspäätteisiin.

Perusmuoto   *Taivutusvartalo + sija*
kieli   **kiele/n**
                      kiele/t
                      kiele/ssä
                      kiele/stä
                      kiele/en
                      kiele/llä
                      kiele/lle
                      kiele/nä
                      kiel/tä

Taivutusvartalo + monikko	Taivutusvartalo + omistusliite
kiel/i/ssä	kiele/ni
kiel/i/stä	kiele/si
kiel/i/in	kiele/nsä
kiel/i/llä	kiele/mme
kiel/i/nä	kiele/nne
kiel/i/lle	

Liitepartikkelit liitetään suoraan taivutetun tai taivuttamattoman muodon perään.

kieli/kin
kiele/n/hän
kiele/ssä/hän
kiel/tä/kö?
kiel/i/ssä/hän
kiele/ni/pä

§18 i-LOPPUISET NOMINIT

§18.1 TUNTI-NOMINIT

Useimmilla i-loppuisilla nomineilla ei ole erillistä taivutusvartaloa, vaan päätteet liitetään suoraan perusmuotoon (jolloin astevaihtelu- ja vokaalinmuutossäännöt pätevät, §15, 16). Tällaisia tyypin **tunti** nomineja ovat mm. seuraavat. '+'-merkki osoittaa, että muoto on läpikäynyt astevaihtelun.

Kun suomeen lainautuu substantiiveja muista kielistä (nykyään erityisesti englannista), näitä sanoja usein mukautetaan lisäämällä loppuun i, mikäli alkuperäinen substantiivi päättyy konsonanttiin, ja tämän jälkeen taivuttamalla lainattua sanaa **tunti**-nominien tapaan, esim. **pubi** 'pub', **hitti** 'hit', **prosessori** 'processor'.

Taivutusvartaloa seuraa:

Perusmuoto	Sija	Monikko	Omistusliite
tunti	+tunni/n	+tunne/i/ssa	tunti/mme
merkki	+merki/n	+merke/i/ssä	merkki/mme
väri	väri/n	väre/i/ssä	väri/mme
laki	+lai/n	+lae/i/ssa	laki/mme
risti	risti/n	riste/i/ssä	risti/mme
sali	sali/n	sale/i/ssa	sali/mme
pubi	pubi/n	pube/i/ssa	pubi/mme
hitti	+hiti/n	+hite/i/ssä	hitti/mme

§18.2 KIVI-NOMINIT

On olemassa kolmenlaisia i-loppuisia nomineja, joilla on taivutusvartalossa i:n kohdalla **e**. Ensimmäinen ryhmä, **kivi**-sanat, muodostaa myös yksikön partitiivimuodon tästä taivutusvartalosta.

Taivutusvartaloa seuraa:

Perusmuoto	Sija	Monikko	Omistusliite
kivi	kive/n	kiv/i/ssä	kive/mme
Suomi	Suome/n	–	Suome/mme
kaikki	+kaike/n	+kaik/i/ssa	kaikke/mme
lehti	+lehde/n	+lehd/i/ssä	lehte/mme
hetki	hetke/n	hetk/i/ssä	hetke/mme
talvi	talve/n	talv/i/ssa	talve/mme
järvi	järve/n	järv/i/ssä	järve/mme
lahti	+lahde/n	+lahd/i/ssa	lahte/mme
jälki	+jälje/n	+jälj/i/ssä	jälke/mme
joki	+joe/n	+jo/i/ssa	joke/mme
nimi	nime/n	nim/i/ssä	nime/mme
ovi	ove/n	ov/i/ssa	ove/mme

> **Kivi**-sanat siis muodostavat yksikön partitiivin **e**-taivutusvartalosta ja
> poikkeavat juuri tässä suhteessa **kieli**-sanoista (§18.3) ja **vesi**-sanoista
> (§18.4).

Perusmuoto	*Taivutusvartaloa seuraa yksikön partitiivi*
kaikki	kaikke/a
Suomi	Suome/a
kivi	kive/ä
lehti	lehte/ä
hetki	hetke/ä
ovi	ove/a

Tunti- ja **kivi**-sanoja verrattaessa käy ilmi, ettei perusmuodon perusteella
ole mahdollista esittää sääntöä, joka kertoisi, minkä nominien taivutusvarta-
lossa on **e** ja minkä ei. On kuitenkin mahdollista esittää sääntö, joka pätee
vastakkaiseen suuntaan.

Nominit, joiden taivutusvartalo päättyy lyhyeen **e**:hen, päättyvät perus-
muodossa lyhyeen **i**:hin.

Tämän säännön avulla on lähes aina mahdollista päästä taivutusvartalosta
perusmuotoon. Sääntö ei koske nomineja, joiden taivutusvartalossa on pit-
kä **ee**, kuten **perhe : perhee/n** (§19). On myös muutamia poikkeuksia ja
uudehkoja lainasanoja, joissa **e** säilyy: **kolme : kolme/n, itse : itse/n, nalle :
nalle/n, nukke : +nuke/n, psyyke : psyyke/n.**

§18.3 KIELI-NOMINIT

Kieli-tyypin nominit poikkeavat **kivi**-tyypistä vain yksikön partitiivin osal-
ta, josta taivutusvartalon **e** katoaa. Vrt. §18.2 ja kiinnitä huomiota yksikön
partitiiviin.

Taivutusvartaloa seuraa:

Perusmuoto	*Sija*	*Monikko*	*Omistusliite*
kieli	kiele/n	kiel/i/ssä	kiele/ni
veri	vere/n	ver/i/ssä	vere/ni
meri	mere/n	mer/i/ssä	mere/ni
tuli	tule/n	tul/i/ssa	tule/ni

tuul**i**	tuul**e**/n	tuul/i/ssa	tuul**e**/ni
ään**i**	ään**e**/n	ään/i/ssä	ään**e**/ni
lum**i**	lum**e**/n	lum/i/ssa	lum**e**/ni
un**i**	un**e**/n	un/i/ssa	un**e**/ni
nuor**i**	nuor**e**/n	nuor/i/ssa	–
suur**i**	suur**e**/n	suur/i/ssa	–
pien**i**	pien**e**/n	pien/i/ssä	–
laps**i**	laps**e**/n	laps/i/ssa	laps**e**/ni

Taivutusvartaloa seuraa:

Perusmuoto	Sija (paitsi partitiivi)	Partitiivin yksikkö	
kiel**i**	kiel**e**/n	kiel/tä	
ver**i**	ver**e**/n	ver/ta	(*Huom.:* -**ta**)
mer**i**	mer**e**/n	mer/ta	(*Huom.:* -**ta**)
tul**i**	tul**e**/n	tul/ta	
tuul**i**	tuul**e**/n	tuul/ta	
ään**i**	ään**e**/n	ään/tä	
pien**i**	pien**e**/n	pien/tä	
lum**i**	lum**e**/n	lun/ta	(*Huom.:* m→n)

Taivutusvartalon **e** katoaa ennen yksikön partitiivin päätettä vain silloin, kun se on tiettyjen konsonanttien jäljessä. Tähän pätee seuraava sääntö:

> **e** katoaa yksikön partitiivissa, jos edeltävä konsonantti on **l, r,** tai **n**; tai jos se on **t**, jota edeltää vokaali tai jokin edellä mainituista konsonanteista.

§18.4 VESI-NOMINIT

Edellinen sääntö koskee myös **vesi**-nomineja. Tähän ryhmään kuuluu joukko sanoja, joiden perusmuodon -**si**:tä vastaa taivutusvartalossa -**te.**

> **Vesi**-nomineissa **si** vaihtelee **te**:n kanssa; ennen monikon -**i**:tä **te** vaihtuu **s**:ksi; **te** on astevaihtelussa (§15).

Esimerkkinä astevaihteluttomasta taivutusvartalosta käytetään seuraavassa yksikön illatiivia, esim. **vete/en**.

Taivutusvartaloa seuraa:

Perusmuoto	Sija (paitsi partitiivi)	Yks. partitiivi	Monikko	Omistusliite
ve<u>si</u>	ve<u>te</u>/en	ve<u>t</u>/tä	ve<u>s</u>/i/ssä	ve<u>te</u>/ni
kä<u>si</u>	kä<u>te</u>/en	kä<u>t</u>/tä	kä<u>s</u>/i/ssä	kä<u>te</u>/ni
uu<u>si</u>	uu<u>te</u>/en	uu<u>t</u>/ta	uu<u>s</u>/i/ssa	–
vii<u>si</u>	vii<u>te</u>/en	vii<u>t</u>/tä	vii<u>s</u>/i/ssä	–
to<u>si</u>	to<u>te</u>/en	to<u>t</u>/ta	to<u>s</u>/i/ssa	–
kan<u>si</u>	kan<u>te</u>/en	kan<u>t</u>/ta	kan<u>s</u>/i/ssa	kan<u>te</u>/ni
var<u>si</u>	var<u>te</u>/en	var<u>t</u>/ta	var<u>s</u>/i/ssa	var<u>te</u>/ni

Vahva aste	*Heikko aste*
ve<u>te</u>/nä	+ve<u>de</u>/n
ve<u>te</u>/en	+ve<u>de</u>/t
ve<u>te</u>/mme	+ve<u>de</u>/ssä
ve<u>te</u>/nne	+ve<u>de</u>/stä
ve<u>te</u>/ni	+ve<u>de</u>/llä

§19 e-LOPPUISET NOMINIT

Toinen nominien ryhmä, jolla on erikoinen taivutusvartalo, koostuu (lähes kaikista) perusmuodoltaan e-loppuisista nomineista. Muut taivutusmuodot perustuvat vartaloon, jossa on pitkä **ee**. Myös seuraavat piirteet on otettava huomioon.

Yksikön partitiivi muodostetaan lisäämällä pääte **-tta ~ -ttä** suoraan perusmuotoon.

Astevaihtelusäännöt pätevät perusmuotoon ja yksikön partitiiviin, eivät taivutusvartaloon, jossa on pitkä vokaali (§15.3).

Taivutusvartalon **ee** lyhenee ennen monikon -i:tä (§16.2).

Taivutusvartaloa seuraa:

Perusmuoto	Yksikön partitiivi	Sija (paitsi yks. partitiivi)	Monikko	Omistusliite
perh<u>e</u>	perh<u>e</u>/ttä	perh<u>ee</u>/n	perh<u>e</u>/i/ssä	perh<u>ee</u>/ni
ven<u>e</u>	ven<u>e</u>/ttä	ven<u>ee</u>/n	ven<u>e</u>/i/ssä	ven<u>ee</u>/ni
joukku<u>e</u>	joukku<u>e</u>/tta	joukku<u>ee</u>/n	joukku<u>e</u>/i/ssa	joukku<u>ee</u>/ni
+liik<u>e</u>	+liik<u>e</u>/ttä	liikk<u>ee</u>/n	liikk<u>e</u>/i/ssä	liikk<u>ee</u>/ni
+suhd<u>e</u>	+suhd<u>e</u>/tta	suht<u>ee</u>/n	suht<u>e</u>/i/ssa	suht<u>ee</u>/ni
kon<u>e</u>	kon<u>e</u>/tta	kon<u>ee</u>/n	kon<u>e</u>/i/ssa	kon<u>ee</u>/ni
+tarv<u>e</u>	+tarv<u>e</u>/tta	tarp<u>ee</u>/n	tarp<u>e</u>/i/ssa	tarp<u>ee</u>/ni
+sad<u>e</u>	+sad<u>e</u>/tta	sat<u>ee</u>/n	sat<u>e</u>/i/ssa	sat<u>ee</u>/ni
+ot<u>e</u>	+ot<u>e</u>/tta	ott<u>ee</u>/n	ott<u>e</u>/i/ssa	ott<u>ee</u>/ni
+liikenn<u>e</u>	+liikenn<u>e</u>/ttä	liikent<u>ee</u>/n	liikent<u>e</u>/i/ssä	liikent<u>ee</u>/ni

Vahva aste	*Heikko aste*	
liikk<u>ee</u>/n	+liik<u>e</u>	(yks. nom.)
liikk<u>ee</u>/t	+liik<u>e</u>/ttä	(yks. part.)
liikk<u>ee</u>/ssä		
liikk<u>e</u>/i/ssä		
liikk<u>ee</u>/stä		
liikk<u>e</u>/i/stä		
liikk<u>ee</u>/mme		
liikk<u>ee</u>/nne		

Melkein kaikki nominit, joiden perusmuoto päättyy e:hen, taipuvat näin (ks. myös §18.2).

§20 a-, ä-LOPPUISET NOMINIT

Nomineilla, joiden perusmuoto päättyy lyhyeen a:han tai ä:hän, ei ole erillistä taivutusvartaloa, vaan päätteet liitetään suoraan perusmuotoon (jolloin astevaihtelu- ja vokaalinmuutossäännöt pätevät, §15 ja §16(7–8)). Vokaalinmuutossäännöistä tärkein on se, että kaksitavuisten sanojen monikossa vartalon loppu-a vaihtuu o:ksi, mikäli ensimmäinen vokaali on a, e tai i, mutta katoaa mikäli ensimmäinen vokaali on u tai o. '+'-merkki osoittaa, että muoto on läpikäynyt astevaihtelun.

Taivutusvartaloa seuraa:

Perusmuoto	Sija	Monikko	Omistusliite
kala	kala/n	kalo/i/ssa	kala/mme
kauppa	+kaupa/n	+kaupo/i/ssa	kauppa/mme
sota	+soda/n	+sod/i/ssa	sota/mme
kuiva	kuiva/n	kuiv/i/ssa	kuiva/mme
sukka	+suka/n	+suk/i/ssa	sukka/mme
piha	piha/n	piho/i/ssa	piha/mme
kerta	+kerra/n	+kerro/i/ssa	kerta/mme
poika	+poja/n	+poj/i/lla	poika/mme
kirsikka	+kirsika/n	+kirsiko/i/ssa	kirsikka/mme
matala	matala/n	matal/i/ssa	–
isä	isä/n	is/i/ä	isä/mme
härkä	+härä/n	+här/i/ssä	härkä/mme
hedelmä	hedelmä/n	hedelm/i/ssä	hedelmä/mme
tekijä	tekijä/n	tekijö/i/tä	tekijä/mme

§21 KONSONANTTILOPPUISET NOMINIT

Nominien neljäs vartalonmuodostustyyppi koostuu nomineista, joiden perusmuoto päättyy konsonanttiin. On tarpeen erottaa useita alaryhmiä (§21.1–8), joilla kuitenkin kaikilla on seuraavat yhteiset ominaisuudet.

Taivutusvartalo päättyy usein vokaaliin e, ja perusmuodon loppu-konsonantti vaihtelee muiden äänteiden kanssa.
Yksikön partitiivi muodostuu yleensä päätteellä -ta ~ -tä, joka liitetään suoraan perusmuotoon.
Astevaihtelu koskee perusmuotoa ja yksikön partitiivia.
Taivutusvartalon loppuvokaali (useimmiten e) muuttuu ennen monikon -i:tä.

§21.1 IHMINEN-NOMINIT

Tärkein näiden nominien alaryhmistä on **nen**-loppuisten sanojen muodostama **ihminen**-tyyppi.

> **Ihminen**-nomineissa **-nen** vaihtuu taivutusvartalossa **se**:ksi; yksikön partitiivi perustuu taivutusvartaloon, josta **e** katoaa.

Taivutusvartaloa seuraa:

Perusmuoto	Sija (paitsi yks. partitiivi)	Yksikön partitiivi	Monikko	Omistusliite
ihmi<u>nen</u>	ihmi<u>se</u>/n	ihmi<u>s</u>/tä	ihmi<u>s</u>/i/ssä	ihmi<u>se</u>/ni
nai<u>nen</u>	nai<u>se</u>/n	nai<u>s</u>/ta	nai<u>s</u>/i/ssa	nai<u>se</u>/ni
ylei<u>nen</u>	ylei<u>se</u>/n	ylei<u>s</u>/tä	ylei<u>s</u>/i/ssä	–
lauta<u>nen</u>	lauta<u>se</u>/n	lauta<u>s</u>/ta	lauta<u>s</u>/i/ssa	lauta<u>se</u>/ni
punai<u>nen</u>	punai<u>se</u>/n	punai<u>s</u>/ta	punai<u>s</u>/i/ssa	–
toi<u>nen</u>	toi<u>se</u>/n	toi<u>s</u>/ta	toi<u>s</u>/i/ssa	–
jokai<u>nen</u>	jokai<u>se</u>/n	jokai<u>s</u>/ta	–	–

§21.2 AJATUS-NOMINIT

On kaksi nominien ryhmää, joiden perusmuoto päättyy lyhyeen vokaaliin + **s**:ään. Yleisempi näistä on **ajatus**-tyyppi (vrt. **taivas**-tyyppi, §21.3).

> **Ajatus**-nomineissa **-s** vaihtuu taivutusvartalossa **kse**:ksi; yksikön partitiivi muodostetaan suoraan perusmuodosta.

Taivutusvartaloa seuraa:

Perusmuoto	Yksikön partitiivi	Sija (paitsi yks. partitiivi)	Monikko	Omistusliite
ajatus	ajatus/ta	ajatukse/n	ajatuks/i/ssa	ajatukse/ni
kysymys	kysymys/tä	kysymykse/n	kysymyks/i/ssä	kysymykse/ni
vastaus	vastaus/ta	vastaukse/n	vastauks/i/ssa	vastaukse/ni
teos	teos/ta	teokse/n	teoks/i/ssa	teokse/ni
rakennus	rakennus/ta	rakennukse/n	rakennuks/i/ssa	rakennukse/ni
hallitus	hallitus/ta	hallitukse/n	hallituks/i/ssa	hallitukse/ni
päätös	päätös/tä	päätökse/n	päätöks/i/ssä	päätökse/ni

§21.3 TAIVAS-NOMINIT

Taivas-nomineissa -s vaihtuu taivutusvartalossa vokaaliksi, joka on samanlainen kuin välittömästi edeltävä vokaali; yksikön partitiivi muodostetaan suoraan perusmuodosta.

Taivutusvartaloa seuraa:

Perusmuoto	Yksikön partitiivi	Sija (paitsi yks. partitiivi)	Monikko	Omistusliite
taivas	taivas/ta	taivaa/n	taiva/i/ssa	taivaa/ni
kaunis	kaunis/ta	kaunii/n	kauni/i/ssa	–
valmis	valmis/ta	valmii/n	valmi/i/ssa	–
+rikas	+rikas/ta	rikkaa/n	rikka/i/ssa	–
oppilas	oppilas/ta	oppilaa/n	oppila/i/ssa	oppilaa/ni
+tehdas	+tehdas/ta	tehtaa/n	tehta/i/ssa	tehtaa/ni
+porras	+porras/ta	portaa/n	porta/i/ssa	portaa/ni
+kirkas	+kirkas/ta	kirkkaa/n	kirkka/i/ssa	

Vahva aste	Heikko aste	
tehtaa/n	+tehdas	(yks. nom.)
tehtaa/t	+tehdas/ta	(yks. part.)
tehtaa/ssa		
tehta/i/ssa		
tehtaa/sta		
tehta/i/sta		
tehtaa/mme		
tehtaa/nne		

§21.4 HYVYYS-NOMINIT

Kolmas perusmuodossa -s:ään päättyvien nominien ryhmä on tyyppi hyvyys. Tähän kuuluvat kaikki nominit, joissa loppu-s:ää edeltää pitkä vokaali, ja monet sellaiset nominit, joissa sitä edeltää kaksi erilaista vokaalia. Kaikki tämän ryhmän sanat ovat johdoksia, vrt. hyvä – hyv/yys, kaunis – kaune/us, osa – os/uus. Näissä sanoissa on useita erikoisia äännevaihteluita.

> Hyvyys-nomineissa -s vaihtuu yksikön taivutusvartalossa te:ksi; ennen monikon -i:tä s vaihtuu ks:ksi; yksikön partitiivi muodostetaan taivutusvartalosta ja e katoaa.

Taivutusvartaloa seuraa:

Perusmuoto	Yksikön partitiivi	Sija (paitsi yks. partitiivi)	Monikko	Omistusliite
hyvyys	hyvyyt/tä	+hyvyyde/n	hyvyyks/i/ssä	hyvyyte/ni
korkeus	korkeut/ta	+korkeude/n	korkeuks/i/ssa	korkeute/ni
rakkaus	rakkaut/ta	+rakkaude/n	rakkauks/i/ssa	rakkaute/ni
totuus	totuut/ta	+totuude/n	totuuks/i/ssa	totuute/ni

Vahva aste	Heikko aste
totuutee/n	+totuude/n
totuute/na	+totuude/ssa
totuute/mme	+totuude/sta
	+totuude/lla

§21.5 AVAIN-NOMINIT

Useimmat **ava/in**-tyypin nominit on johdettu päätteellä **-in** (§93.1), ja ne ilmaisevat merkitykseltään välineitä. Niissä tapahtuu vartalovaihtelu **-in** ~ **-ime**, ja yksikön partitiivi muodostetaan perusmuodosta. Samaan tapaan taipuvat myös muutamat **an-**, **än**-loppuiset nominit. Niissä vartalovaihtelu on muotoa **an** ~ **än** ja **ame** ~ **äme**. Sana **+lämmin** : **lämpimä**- on myös erikoistapaus, koska sen taivutusvartalon loppuvokaali on **ä**.

Taivutusvartaloa seuraa:

Perusmuoto	Yksikön partitiivi	Sija (paitsi yks. partitiivi)	Monikko	Omistusliite
avai**n**	avai**n**/ta	avai**me**/n	avai**m**/i/ssa	avai**me**/ni
puheli**n**	puheli**n**/ta	puheli**me**/n	puheli**m**/i/ssa	puheli**me**/ni
kirjai**n**	kirjai**n**/ta	kirjai**me**/n	kirjai**m**/i/ssa	kirjai**me**/ni
eläi**n**	eläi**n**/tä	eläi**me**/n	eläi**m**/i/ssä	eläi**me**/ni
sydä**n**	sydä**n**/tä	sydä**me**/n	sydä**m**/i/ssä	sydä**me**/ni
+hapa**n**	+hapa**n**/ta	happa**me**/n	happa**m**/i/ssa	–
+lämmi**n**	+lämmi**n**/tä	lämpi**mä**/n	lämpi**m**/i/ssä	–

§21.6 TYÖTÖN-NOMINIT

Johdetut nominit tyyppiä **+työ/tön** ovat hyvin yleisiä. Yksikön partitiivi muodostetaan perusmuodosta. Muissa taivutusmuodoissa käytetään vartaloa, jossa **-ton** ~ **-tön** on vaihtunut muotoon **ttoma** ~ **ttömä**. Monikossa loppu-**a**, -**ä** katoaa (§16(7)– (8)).

Taivutusvartaloa seuraa:

Perusmuoto	Yksikön partitiivi	Sija (paitsi yks. part.)	Monikko
+työ**tön**	+työ**tön**/tä	työ**ttömä**/n	työ**ttöm**/i/ssä
+onne**ton**	+onne**ton**/ta	onne**ttoma**/n	onne**ttom**/i/ssa
+tie**tön**	+tie**tön**/tä	tie**ttömä**/n	tie**ttöm**/i/ssä

§21.7 ASKEL-NOMINIT

On muutamia kymmeniä konsonanttiloppuisia nomineita, jotka muodostavat oman pienen alaryhmänsä. Perusmuodon kaksi viimeistä äännettä ovat yleensä **el** tai **en**, joskus **ar ~ är**. Yksikön partitiivi muodostetaan perusmuodosta. Taivutusvartaloon lisätään **e** (joka katoaa ennen monikon **i**:tä).

Taivutusvartaloa seuraa:

Perusmuoto	Yksikön partitiivi	Sija (paitsi yks. partitiivi)	Monikko	Omistusliite
askel	askel/ta	askele/n	askel/i/ssa	askele/ni
sävel	sävel/tä	sävele/n	sävel/i/ssä	sävele/ni
jäsen	jäsen/tä	jäsene/n	jäsen/i/ssä	jäsene/ni
+tytär	+tytär/tä	tyttäre/n	tyttär/i/ssä	tyttäre/ni
sisar	sisar/ta	sisare/n	sisar/i/ssa	sisare/ni

§21.8 LYHYT-NOMINIT

On muutamia **ut**-, **yt**-loppuisia nomineja, joissa **t**:tä vastaa taivutusvartalossa **e**, joka puolestaan katoaa ennen monikon **i**:tä. Tähän ryhmään kuuluvat **kevyt, lyhyt, ohut, olut**. Myös substantiiveilla **mies** ja **kevät** on erikoinen taivutus.

Taivutusvartaloa seuraa:

Perusmuoto	Yksikön partitiivi	Sija (paitsi yks. partitiivi)	Monikko	Omistusliite
lyhyt	lyhyt/tä	lyhye/n	lyhy/i/ssä	—
olut	olut/ta	olue/n	olu(e)/i/ssa	olue/ni
mies	mies/tä	miehe/n	mieh/i/ssä	miehe/ni
kevät	kevät/tä	kevää/n	kevä/i/ssä	kevää/ni

Uudet konsonanttiloppuiset lainasanat muodostavat taivutusvartalonsa lisävokaalilla **i**, joka vaihtuu **e**:ksi ennen monikon **i**:tä (§16(6), 18). Vrt. **stadion : stadioni/n : stadioni/a : stadione/i/ta, Karamanlis : Karamanlis/in** (yks. gen.). Jotkin **s**-loppuiset lainasanat taipuvat kuitenkin kuten **ajatus-nominit** (§21.2), esim. **anis̱ : aniḵse̱/n : aniḵse̱/ssa : anis̱/ta** (yks. part.).

§22 YKSIKKÖ JA MONIKKO

Nominit taipuvat kahdessa luvussa, yksikössä ja monikossa. Yksikkö on aina päätteetön. Monikolla on kaksi päätettä, **-t** ja **-i**. Pääte **-t** esiintyy vain nominatiivissa ja akkusatiivissa (§37–38) ja **-i** kaikissa muissa sijoissa.

	Yksikkö	*Monikko*
Nominatiivi	**talo**	**talo/t̲**
Genetiivi	**talo/n**	**talo/j/en**
Partitiivi	**talo/a**	**talo/j/a**
Inessiivi	**talo/ssa**	**talo/i̲/ssa**
Elatiivi	**talo/sta**	**talo/i̲/sta**
Illatiivi	**talo/on**	**talo/i̲/hin**
Adessiivi	**talo/lla**	**talo/i̲/lla**
Ablatiivi	**talo/lta**	**talo/i̲/lta**
Allatiivi	**talo/lle**	**talo/i̲/lle**
Essiivi	**talo/na**	**talo/i̲/na**
Translatiivi	**talo/ksi**	**talo/i̲/ksi**

Monikon **-i** muuttuu kahden vokaalin välissä **j**:ksi.

Tämä sääntö koskee monikon genetiiviä ja monikon partitiivia: **hylly/j/en, hylly/j/ä, pullo/j/en, pullo/j/a, tyttö/j/en, tyttö/j/ä.**

Kaikki monikkomuodot muodostetaan taivutusvartalosta (§18–21), ja **i**-monikon edellä pätevät vokaalinmuutossäännöt (§16). Seuraava taulukko havainnollistaa monikon muodostusta.

§22

Yksikön nominatiivi	Taivutus-vartalo	(Ks. §)	Monikon nominatiivi	Monikon inessiivi	Vokaalin-muutos (Ks. §)
pullo	pullo/n	–	pullo/t	pullo/i/ssa	16(1)
katu	+kadu/n	–	+kadu/t	+kadu/i/ssa	16(1)
maa	maa/n	–	maa/t	ma/i/ssa	16(2)
risti	risti/n	18.1	risti/t	riste/i/ssä	16(6)
kivi	kive/n	18.2	kive/t	kiv/i/ssä	16(5)
lehti	+lehde/n	18.2	+lehde/t	+lehd/i/ssä	16(5)
meri	mere/n	18.3	mere/t	mer/i/ssä	16(5)
vesi	+vede/n	18.4	+vede/t	ves/i/ssä	16(5)
kone	konee/n	19	konee/t	kone/i/ssa	16(2)
+liike	liikkee/n	19	liikkee/t	liikke/i/ssä	16(2)
työ	työ/n	–	työ/t	tö/i/ssä	16(3)
hai	hai/n	–	hai/t	ha/i/ssa	16(4)
seinä	seinä/n	–	seinä/t	sein/i/ssä	16(7)
vanha	vanha/n	–	vanha/t	vanho/i/ssa	16(8)
tavara	tavara/n	–	tavara/t	tavaro/i/ssa	16(8)
koira	koira/n	–	koira/t	koir/i/ssa	16(8)
ihminen	ihmise/n	21.1	ihmise/t	ihmis/i/ssä	16(5)
vanhus	vanhukse/n	21.2	vanhukse/t	vanhuks/i/ssa	16(5)
taivas	taivaa/n	21.3	taivaa/t	taiva/i/ssa	16(2)
+rikas	rikkaa/n	21.3	rikkaa/t	rikka/i/ssa	16(2)
totuus	+totuude/n	21.4	+totuude/t	totuuks/i/ssa	16(5)
avain	avaime/n	21.5	avaime/t	avaim/i/ssa	16(5)
+työtön	työttömä/n	21.6	työttömä/t	työttöm/i/ssä	16(7)
jäsen	jäsene/n	21.7	jäsene/t	jäsen/i/ssä	16(5)
mies	miehe/n	21.8	miehe/t	mieh/i/ssä	16(5)

On useita substantiiveja, jotka esiintyvät ainoastaan monikossa, vaikka ne tarkoittavatkin yksiköllistä käsitettä. Tällaisia MONIKKOSANOJA (PLURALE TANTUM -sanoja) ovat esimerkiksi:

Monikon nominatiivi	Monikon inessiivi
kasvo/t	kasvo/i/ssa
housu/t	housu/i/ssa
+farku/t	+farku/i/ssa
sortsi/t	sortse/i/ssa
sakse/t	saks/i/ssa
viikse/t	viiks/i/ssä
hää/t	hä/i/ssä
hautajaise/t	hautajais/i/ssa
juhla/t	juhl/i/ssa
avajaise/t	avajais/i/ssa
synttäri/t	synttäre/i/ssä

6
VERBIEN TAIVUTUSTYYPIT SEKÄ PERSOONATAIVUTUS

- *Infinitiivin päätteet*
- *Taivutusvartalot*
- *Preesensin persoonapäätteet ja persoonakongruenssi*
- *Nollapersoona*

Verbisanat muodostetaan nominisanojen tapaan liittämällä päätteitä vartaloihin. Verbit poikkeavat kuitenkin nomineista siinä, ettei niillä ole päätteetöntä perusmuotoa, johon päätteet voitaisiin lisätä: vrt. perusmuoto **auto** ja taivutetut muodot **auto/n, auto/ssa, auto/i/hin**.

Suomen verbien sanakirjamuoto, eli A-infinitiivin lyhyempi (perus)muoto, on nimittäin päätteellinen; esim. **osta/a, vastat/a, juo/da**. Jotta muita verbinmuotoja voisi muodostaa, on ensin erotettava infinitiivin pääte vartalosta, johon muut päätteet sitten liitetään; vrt. **osta/a : osta/isi/n : osta/nut**.

Joillain verbeillä on useampia vartaloita, jolloin yksi vartalo on muodostettava toisesta, esim. **vastat/a : vastaa/n** ja **tul/la : tule/n**. Astevaihtelusäännöt koskevat verbejä yhtä hyvin kuin nominejakin (§15), samoin vokaalinmuutossäännöt ennen i-alkuisia päätteitä (§16), esim. **anta/a : +anna/n** (astevaihtelu) : +**anno/i/n** (vokaalinmuutos ja astevaihtelu).

Verbintaivutuksessa tarvittavat vartalot ovat INFINITIIVIVARTALO, joka saadaan kun infinitiivin päätteet erotetaan §:ssä 23 annettujen sääntöjen mukaisesti, sekä TAIVUTUSVARTALO, joka muodostetaan infinitiivivartalosta (§24) ja johon mm. persoonapäätteet liitetään (§25.1).

Seuraavat esimerkit havainnollistavat A-infinitiivin käyttöä (§74).

Haluan *juo/da* olutta.
Tahtoisitko *syö/dä*?
Yritän *sano/a* asiat selvästi.
Minun täytyy *lähte/ä*.

Saako täällä *poltta/a*?
Nyt sinun pitää *lopetta/a*.
Tässä on mukava *istu/a*.
Olisi kiva *men/nä* ulos.

§23 INFINITIIVIN VARTALO JA PÄÄTTEET

A-infinitiivillä (jota vanhastaan kutsutaan myös 1. infinitiiviksi) esiintyy neljän tyyppisiä päätteitä: (1) -a ~ -ä, (2) -da ~ -dä, (3) -ta ~ -tä ja (4) -la ~ -lä, -na ~ -nä, -ra ~ -rä. Näistä yleisin on -a ~ -ä. Kaikkia infinitiivin päätteitä edeltää infinitiivivartalo.

> Pääte -a ~ -ä esiintyy, kun infinitiivivartalo päättyy lyhyeen vokaaliin.

ant<u>a</u>/<u>a</u>	kys<u>y</u>/<u>ä</u>
alk<u>a</u>/<u>a</u>	läht<u>e</u>/<u>ä</u>
kats<u>o</u>/<u>a</u>	pit<u>ä</u>/<u>ä</u>
puh<u>u</u>/<u>a</u>	tiet<u>ä</u>/<u>ä</u>

> Pääte -a ~ -ä esiintyy myös, kun infinitiivivartalo päättyy lyhyeen vokaaliin, jota seuraa t (yleensä -at/a, -ät/ä).

huom<u>at</u>/<u>a</u>	her<u>ät</u>/<u>ä</u>
hal<u>ut</u>/<u>a</u>	+hyp<u>ät</u>/<u>ä</u>
tekst<u>at</u>/<u>a</u>	määr<u>ät</u>/<u>ä</u>
vast<u>at</u>/<u>a</u>	ker<u>ät</u>/<u>ä</u>

> Pääte -da ~ -dä esiintyy, kun infinitiivivartalo päättyy pitkään vokaaliin tai diftongiin.

s<u>aa</u>/<u>da</u>	j<u>ää</u>/<u>dä</u>
t<u>uo</u>/<u>da</u>	v<u>ie</u>/<u>dä</u>
kopi<u>oi</u>/<u>da</u>	s<u>yö</u>/<u>dä</u>
luenn<u>oi</u>/<u>da</u>	pysäk<u>öi</u>/<u>dä</u>

Pääte -ta ~ -tä esiintyy, kun infinitiivivartalo päättyy s:ään.

nou**s**/t**a**   pää**s**/t**ä**
juo**s**/t**a**   tönäi**s**/t**ä**
mumi**s**/t**a**   pe**s**/t**ä**
valai**s**/t**a**   vili**s**/t**ä**

Päätteet -la ~ -lä, -na ~ -nä, -ra ~ -rä esiintyvät, kun infinitiivivartalo
päättyy samanlaiseen konsonanttiin (**l, n, r**).

tu**l**/l**a**   +viete**l**/l**ä**
o**l**/l**a**   nie**l**/l**ä**
+ajate**l**/l**a**   hymyi**l**/l**ä**
pa**n**/n**a**   me**n**/n**ä**
pu**r**/r**a**

Tärkeimmät tyypit ovat **anta/a**- ja **huomat/a**-verbit. Tärkeitä ovat myös **saa/
da**-verbit. -**na** ~ -**nä** ja -**ra** ~ -**rä** -infinitiivin saavia verbejä ei ole paljon.

Anta/a- ja **saa/da**-verbeillä infinitiivivartalo toimii kaikkien muiden tai-
vutusmuotojen lähtökohtana, muillakin verbiryhmillä ainakin osa muodoista
perustuu infinitiivivartaloon. Seuraava sääntö ilmaisee, mitkä taivutusmuo-
dot muodostetaan kaikilla verbeillä infinitiivivartalosta.

Kaikilla verbeillä infinitiivivartalosta muodostetaan:

(1) NUT-partisiippi (§61)
(2) useimmat imperatiivimuodot (§66)
(3) potentiaalimuodot (§67)
(4) passiivimuodot (§69–72)
(5) E-infinitiivi (§75)

§24 TAIVUTUSVARTALOT

Tässä näytetään, miten edellä esitellyt viisi verbiryhmää muodostavat taivutusvartalonsa (§24.1–4); lopuksi käsitellään muutamia erikoistapauksia (§24.5–6). Kaikki muodot lukuun ottamatta niitä, jotka mainittiin edellisessä säännössä, muodostetaan taivutusvartalosta. Jokaisen verbin kohdalla taivutusvartalosta on annettu kaksi esimerkkiä, jotta astevaihtelun vaikutus näkyisi (esim. anta/a : +anna/n : (hän) anta/a).

§24.1 ANTA/A-VERBIT

Anta/a-verbeillä, joissa infinitiivin pääte esiintyy lyhyen vokaalin jäljessä, ei ole erillistä taivutusvartaloa; muut päätteet liitetään suoraan infinitiivivartaloon. '+'-merkki osoittaa astevaihtelua.

Anta/a-verbeillä on ainoastaan infinitiivivartalo.

A-infinitiivi	Yksikön 1. persoona	Yksikön 3. persoona
anta/a	+anna/n	anta/a
osta/a	osta/n	osta/a
alka/a	+ala/n	alka/a
ymmärtä/ä	+ymmärrä/n	ymmärtä/ä
etsi/ä	etsi/n	etsi/i
luke/a	+lue/n	luke/e
neuvo/a	neuvo/n	neuvo/o
unohta/a	+unohda/n	unohta/a
herättä/ä	+herätä/n	herättä/ä
kysy/ä	kysy/n	kysy/y

§24.2 HUOMAT/A-VERBIT

Huomat/a-verbit, jotka yleensä ovat at/a-, ät/ä-loppuisia, muodostavat hyvin tärkeän verbiryhmän (supistumaverbit). Näissä infinitiivi- ja taivutusvartalon suhde on mutkikas. Infinitiivin -t vaihtelee a/ä:n kanssa, ja astevaihtelu ilmenee infinitiivissä, kun taas taivutusvartalossa ei ole vaihtelua (§15.4).

Kun verbejä lainataan muista kielistä, ne taipuvat yleisimmin tämän tyypin mukaan: **faksat/a, skannat/a, tekstat/a, +printat/a.**

Huomat/a-verbeissä infinitiivivartalon -**t** vaihtuu a:ksi tai ä:ksi vokaalisoinnun mukaan; astevaihtelu koskee infinitiivivartaloa.

A-infinitiivi	Yksikön 1. persoona	Yksikön 3. persoona
huomat/a	huomaa/n	huomaa
osat/a	osaa/n	osaa
+hypät/ä	hyppää/n	hyppää
seurat/a	seuraa/n	seuraa
tekstat/a	tekstaa/n	tekstaa
tarjot/a	tarjoa/n	tarjoa/a
halut/a	halua/n	halua/a
+pelät/ä	pelkää/n	pelkää
määrät/ä	määrää/n	määrää
+veikat/a	veikkaa/n	veikkaa
+hakat/a	hakkaa/n	hakkaa
+maat/a	makaa/n	makaa
+tavat/a	tapaa/n	tapaa
+kadot/a	katoa/n	katoa/a
+kiivet/ä	kiipeä/n	kiipeä/ä
varat/a	varaa/n	varaa

§24.3 SAA/DA-VERBIT

Kolmas ryhmä, **saa/da**-verbit, joissa infinitiivin pääte esiintyy pitkän vokaalin tai diftongin jäljessä, on **anta/a**-ryhmän kaltainen sikäli, että näilläkin verbeillä on pelkkä infinitiivivartalo. Tämä ryhmä on suosittu malli lainatuille verbeille kuten **animoi/da, investoi/da, ratifioi/da, editoi/da.**

Saa/da-verbeillä on ainoastaan infinitiivivartalo.

A-infinitiivi	Yksikön 1. persoona	Yksikön 3. persoona
saa/da	saa/n	saa
myy/dä	myy/n	myy
juo/da	juo/n	juo
voi/da	voi/n	voi
luennoi/da	luennoi/n	luennoi
kanavoi/da	kanavoi/n	kanavoi
animoi/da	animoi/n	animoi
pysäköi/dä	pysäköi/n	pysäköi
teh/dä	+tee/n	teke/e
näh/dä	+näe/n	näke/e

Tavalliset verbit teh/dä ja näh/dä ovat poikkeuksellisia, koska niillä on ke-loppuinen taivutusvartalo, jonka k vaihtelee infinitiivivartalon h:n kanssa ja katoaa sellaisissa muodoissa, joita koskee astevaihtelu.

§24.4 TUL/LA- JA NOUS/TA-VERBIT

Nämä kaksi ryhmää muodostavat taivutusvartalonsa siten, että infinitiivi-vartaloon liitetään e.

Tul/la- ja nous/ta-verbien taivutusvartalo muodostetaan liittämällä e infinitiivivartaloon.

A-infinitiivi	Yksikön 1. persoona	Yksikön 3. persoona
tul/la	tule/n	tule/e
tekstail/la	tekstaile/n	tekstaile/e
men/nä	mene/n	mene/e
hymyil/lä	hymyile/n	hymyile/e
+ajatel/la	ajattele/n	ajattele/e
kiistel/lä	kiistele/n	kiistele/e
+työskennel/lä	työskentele/n	työskentele/e
julkais/ta	julkaise/n	julkaise/e
nous/ta	nouse/n	nouse/e
pes/tä	pese/n	pese/e
juos/ta	juokse/n	juokse/e

§24.4

Näissäkin verbeissä astevaihtelu ilmenee infinitiivivartalossa (§15.4), esim. +aja̱tel/la : aja̱ttele/n. Verbien **juos/ta**, **pies/tä** ja **syös/tä** taivutusvartalo muodostuu poikkeuksellisella tavalla: **juokse-**, **piekse-**, **syökse-**.

Suomen ehdottomasti tärkein ja yleisin verbi on **ol/la**, joka kuuluu tyyppiin **tul/la**. **Ol/la**-verbin taivutusvartalo muodostetaan tavalliseen tapaan lisäämällä **e**, mutta 3. persoonan yksikkö- ja monikkomuodot ovat poikkeukselliset.

(minä) ole/n	(me) ole/mme
(sinä) ole/t	(te) ole/tte
hän on	he o/vat

Vartalon loppu-**e** katoaa ennen imperfektin -**i**:tä ja ennen konditionaalin -**isi**:ä (§16.5).

(minä) ol/i/n	(me) ol/i/mme
(sinä) ol/i/t	(te) ol/i/tte
hän ol/i	he ol/i/vat
(minä) ol/isi/n	(me) ol/isi/mme
(sinä) ol/isi/t	(te) ol/isi/tte
hän ol/isi	he ol/isi/vat

§24.5 TARVIT/A-VERBIT

Useimmat **it/a-**, **it/ä**-loppuiset infinitiivit kuten **tarvit/a** muodostavat taivutusvartalonsa erikoisella tavalla (eivät kuitenkaan esim. verbit **hävit/ä**, **levit/ä**, **selvit/ä**):

Tarvit/a-verbien taivutusvartalo muodostetaan liittämällä **se** infinitiivivartaloon.

A-infinitiivi	Yksikön 1. persoona	Yksikön 3. persoona
tarvit/a	tarvitse/n	tarvitse/e
ansait/a	ansaitse/n	ansaitse/e
hallit/a	hallitse/n	hallitse/e
harkit/a	harkitse/n	harkitse/e
häirit/ä	häiritse/n	häiritse/e

§24.6 LÄMMET/Ä-VERBIT

Useimmat **et/a, et/ä**-loppuiset infinitiivit kuten **lämmet/ä** muodostavat taivutusvartalonsa erikoisella tavalla (eivät kuitenkaan esim. verbit **hävet/ä, kiivet/ä, ruvet/a**):

Lämmet/ä-verbien infinitiivivartalon **-t** vaihtuu taivutusvartalossa **ne**:ksi.

A-infinitiivi	Yksikön 1. persoona	Yksikön 3. persoona
+lämmet/ä	lämpene/n	lämpene/e
vanhet/a	vanhene/n	vanhene/e
+paet/a	pakene/n	pakene/e
+kalvet/a	kalpene/n	kalpene/e
laajet/a	laajene/n	laajene/e

§25 PERSOONA

§25.1 PREESENSIN PESOONAPÄÄTTEET JA PERSOONAKONGRUENSSI

Suomessa on kolme KIELIOPILLISTA PERSOONAA, joilla kullakin on yksikkö- ja monikkomuodot. Niitä vastaavat seuraavat persoonapronominit.

minä	me
sinä	te
hän, se	he, ne

Yksikön 3. persoonaan kuuluvat kaikki yksikkömuotoiset nominit lukuun ottamatta pronomineja **minä** ja **sinä**, ja monikon 3. persoonaan puolestaan kaikki monikkomuotoiset nominit lukuun ottamatta pronomineja **me** ja **te**. Finiittiset verbinmuodot (§13) KONGRUOIVAT preesensissä kieliopillisen subjektin persoonan kanssa. Kongruenssi pätee kuitenkin vain, kun subjekti on nominatiivissa; mikäli subjekti on partitiivissa tai genetiivissä, verbi taipuu aina yksikön 3. persoonassa (§33.1, 35). Persoonilla on omat päätteensä, jotka liitetään verbivartaloon (yksikön 3. persoona on usein päätteetön).

	Yksikkö	Monikko
1. persona	-n	-mme
2. persona	-t	-tte
3. persona	(ks. alla)	-vat ~ -vät

Nämä päätteet liitetään taivutusvartaloon (§24) mahdollisten tempus- ja moduspäätteiden jälkeen (§13). Yksikön 3. persoonan indikatiivin preesensissä taivutusvartalon viimeisen konsonantin tai tavurajan jälkeinen lyhyt vokaali pitenee.

	Yksikkö	Monikko
1. persoona	(minä) osta/<u>n</u>	(me) osta/<u>mme</u>
	(minä) sano/<u>n</u>	(me) sano/<u>mme</u>
	(minä) saa/<u>n</u>	(me) saa/<u>mme</u>
	(minä) syö/<u>n</u>	(me) syö/<u>mme</u>
	(minä) tule/<u>n</u>	(me) tule/<u>mme</u>
2. persoona	(sinä) osta/<u>t</u>	(te) osta/<u>tte</u>
	(sinä) sano/<u>t</u>	(te) sano/<u>tte</u>
	(sinä) saa/<u>t</u>	(te) saa/<u>tte</u>
	(sinä) syö/<u>t</u>	(te) syö/<u>tte</u>
	(sinä) tule/<u>t</u>	(te) tule/<u>tte</u>
3. persoona	hän osta/<u>a</u>	he osta/<u>vat</u>
	Pekka sano/<u>o</u>	he sano/<u>vat</u>
	tyttö saa	tytöt saa/<u>vat</u>
	mies syö	miehet syö/<u>vät</u>
	auto tule/<u>e</u>	autot tule/<u>vat</u>

Pitkä vokaali tai diftongin vokaali eivät pitene yksikön 3. persoonassa, vrt. **Milla saa; Milla syö.** Huomaa sellaiset sanat kuin **halua/a, kohoa/a,** joissa vokaali pidentyy tavurajan jälkeen (§9).

1. ja 2. persoonan subjektipronominit jätetään usein pois, jolloin verbin persoonapääte yksin ilmaisee persoonaa (tämä on edellä osoitettu sulkeilla).

> 1. ja 2. persoonan subjektipronominit (**minä, sinä, me, te**) voidaan jättää pois.

Sen sijaan 3. persoonan itsenäisiä subjektisanoja (pronomineja tai substantiiveja) ei yleensä voi jättää pois, paitsi ellipsitapauksissa: **Caesar tuli, (Caesar) näki ja (Caesar) voitti.**

Erityisesti virallisissa puhetilanteissa ja vanhempien henkilöiden puheessa monikon 2. persoonan pääte -**tte** toimii myös kohteliaisuuden ilmauksena, kun puhutellaan yhtä henkilöä. Muoto **osta/tte** voi siis merkitä sekä 'te (mon.) ostatte' tai 'Te (yks., kohtelias) ostatte'. Kohteliaisuuskäytössä pronomini **Te** on joskus tapana kirjoittaa isolla alkukirjaimella.

Astevaihtelu koskee monien verbien 1. ja 2. persoonan muotoja edellyttäen, että päätteen edellä ei ole pitkää vokaalia (§15.2, 15.4). Seuraavassa on esimerkkejä verbeistä **anta/a, otta/a** ja **vetä/ä.**

	Yksikkö	*Monikko*
1. persoona	+an<u>n</u>a/n	+an<u>n</u>a/mme
	+o<u>t</u>a/n	+o<u>t</u>a/mme
	+ve<u>d</u>ä/n	+ve<u>d</u>ä/mme
2. persoona	+an<u>n</u>a/t	+an<u>n</u>a/tte
	+o<u>t</u>a/t	+o<u>t</u>a/tte
	+ve<u>d</u>ä/t	+ve<u>d</u>ä/tte
3. persoona	an<u>t</u>a/a	an<u>t</u>a/vat
	o<u>tt</u>a/a	o<u>tt</u>a/vat
	ve<u>t</u>ä/ä	ve<u>t</u>ä/vät

Huomat/a-verbeillä ei näissä muodoissa esiinny astevaihtelua pitkän vokaalin takia, vrt. **hyppää/n, hyppää/t, hän hyppää.** Seuraavat esimerkit havainnollistavat verbien tärkeimpien taivutustyyppien persoonataivutusta (§24).

etsi/ä		*luke/a*		*lentä/ä*	
etsi/n	etsi/mme	+lue/n	+lue/mme	+lennä/n	+lennä/mme
etsi/t	etsi/tte	+lue/t	+lue/tte	+lennä/t	+lennä/tte
etsi/i	etsi/vät	luke/e	luke/vat	lentä/ä	lentä/vät

osat/a		*+maat/a*		*halut/a*	
osaa/n	osaa/mme	makaa/n	makaa/mme	halua/n	halua/mme
osaa/t	osaa/tte	makaa/t	makaa/tte	halua/t	halua/tte
osaa	osaa/vat	makaa	makaa/vat	halua/a	halua/vat

saa/da		*juo/da*		*myy/dä*	
saa/n	saa/mme	juo/n	juo/mme	myy/n	myy/mme
saa/t	saa/tte	juo/t	juo/tte	myy/t	myy/tte
saa	saa/vat	juo	juo/vat	myy	myy/vät

nous/ta		*tul/la*		*men/nä*	
nouse/n	nouse/mme	tule/n	tule/mme	mene/n	mene/mme
nouse/t	nouse/tte	tule/t	tule/tte	mene/t	mene/tte
nouse/e	nouse/vat	tule/e	tule/vat	mene/e	mene/vät

tarvit/a		*ansait/a*		*häirit/ä*	
tarvitse/n	tarvitse/mme	ansaitse/n	ansaitse/mme	häiritse/n	häiritse/mme
tarvitse/t	tarvitse/tte	ansaitse/t	ansaitse/tte	häiritse/t	häiritse/tte
tarvitse/e	tarvitse/vat	ansaitse/e	ansaitse/vat	häiritse/e	häiritse/vät

§25.2 NOLLAPERSOONA

NOLLAPERSOONALLA tarkoitetaan ihmiseen viittaavan substantiivin tai pronominin puuttumista lauseesta; useimmiten kyseessä on subjekti. Kyse ei ole 1. tai 2. persoonan pronominin pois jättämisestä, esim. (**minä**) **tule/n** (§25.1). Finiittiverbi on yksikön 3. persoonassa, ja lause rakentuu ikään kuin siinä olisi ihmiseen viittaava yksikön 3. persoonan piilosubjekti. Lause on yleistävä, tekijä on jätetty avoimeksi. Toimintaa tarkastellaan yksilön näkökulmasta. Nollapersoona esiintyy myös modaalisten eli pakkoa, täytymistä, suositusta tai lupaa ilmaisevien verbien kanssa, jotka usein saavat genetiivisubjektin (§35, 80).

Nyt *täyty/y* lähteä.
Saa/ko täällä tupakoida?
Ei *saa* kiroilla!
Mökillä *voi* uida ja kalastaa.
Kannatta/a varata liput etukäteen.
Dokumentti *on* saatava valmiiksi tänään.

Nollasubjekti esiintyy myös GENEERISISSÄ LAUSEISSA, jotka ilmaisevat yleispäteviä totuuksia, lainalaisuuksia ja asiaintiloja.

Jos *juokse/e* joka aamu, *tule/e* terveeksi.
Kun *on* nuori, *jaksa/a* paremmin.
Siellä *saa* hyvää kahvia.
Tästä *näke/e* hyvin.
Sieniä *löytä/ä* parhaiten sateen jälkeen.
Talvella *ei tarkene* ilman lämpimiä vaatteita.

7
LAUSEIDEN RAKENNE

- *Lauseketyypit*
- *Yksinäislauseet*
- *Kieltolauseet*
- *Kysymykset ja vastaukset*
- *Yhdyslauseet*

Perustavin ja yleisin lausetyyppi on YKSINÄISLAUSE, joka koostuu lauseen napana toimivasta finiittiverbistä (§13) ja sen edellyttämistä nominaalisista tai muista LAUSEKKEISTA, jotka tyypillisesti ovat substantiiveja, adjektiiveja, adverbeja tai postpositioita määritteineen (§26). Yksinäislauseita on usean tyyppisiä (§27). YHDYSLAUSEET (§30) puolestaan ovat mutkikkaampia yhdistelmiä, jotka sisältävät kaksi tai useampia yksinäislauseita, tai yhden tai useamman yksinäislauseen, johon on liitetty infinitiivi- tai partisiippilauseke.

§26 LAUSEKETYYPIT

Kaikki nominit (eli substantiivit, adjektiivit, pronominit ja numeraalit; §12), prepositiot (§88), postpositiot (§89) ja jotkin adverbit (§87) voivat toimia LAUSEKKEIDEN EDUSSANOINA, joilla voi olla tietyntyyppisiä ETUMÄÄRITTEITÄ ja/tai JÄLKIMÄÄRITTEITÄ. Prepositioiden ja postpositioiden pakollisesta määritteestä käytetään nimitystä TÄYDENNYS.

Keskeinen jäsen jokaisessa tavallisessa lauseessa on verbi, johon nominaaliset lausekkeet sekä adverbi-, prepositio- ja postpositiolausekkeet liitetään verbin merkitykseen sopivissa yhdistelmissä. Suomessa ei ole selkeitä finiittiverbin ympärille rakentuvia verbilausekkeita, pääasiassa koska finiittiverbi ja siihen kuuluvat lausekkeet voivat esiintyä monissa eri järjestyksissä ja usein kaukana toisistaan. Infinitiivit ja jotkin partisiipit voivat muodostaa infinitiivi- ja partisiippilausekkeita.

§26.1 SUBSTANTIIVILAUSEKE JA KONGRUENSSI SIJASSA JA LUVUSSA

Substantiivit toimivat SUBSTANTIIVILAUSEKKEIDEN edussanoina. ETUMÄÄRITTEIKSEEN ne voivat saada pronomineja, adjektiivilausekkeita, substantiivilausekkeita (nominatiivissa tai genetiivissä), yksinkertaisia numeraaleja (paitsi substantiivin ollessa nominatiivissa tai partitiivissa) ja partisiippilausekkeita. Niiden JÄLKIMÄÄRITTEITÄ ovat muut substantiivilausekkeet (elatiivissa tai partitiivissa), relatiivilauseet, **että**-lauseet, epäsuorat kysymykset ja infinitiivilausekkeet. Substantiivilausekkeen edussana voi olla yksikössä tai monikossa ja se voidaan taivuttaa kaikissa sijoissa, riippuen lausekkeen syntaktisesta tehtävästä (subjekti, objekti, adverbiaali jne.).

On myös muutamia pronomineja, jotka voivat saada joitakin edellä mainituista jälkimääritteistä, kuten kaksi viimeistä alla olevista esimerkeistä osoittavat.

Substantiivilausekkeen rakenne

Etumääritteet	Substantiivi edussanana	Jälkimääritteet
	auto	
tämä	auto	
sininen	auto	
tä/ssä sinise/ssä	auto/ssa	
Peka/n	auto	
kenraali Ehrnroothi/n	auto	
tä/llä Peka/n	auto/lla	
tämä sininen	auto	
tämä Peka/n sininen	auto	
se	auto	jo/n/ka Pilvi ost/i
kahde/lla	auto/lla	
vanha/t hyvä/t	aja/t	
kaikki nämä uude/t	ehdotukse/t	
muutam/i/a	auto/j/a	
aamu/lla saapu/nut	kirje	
aamu/lla saapu/nee/t	kirjee/t	
häne/n	ehdotukse/nsa	että läht/isi/mme kotiin
	osa	me/i/stä

	kuppi	kahvi/a
	joukko	mieh/i/ä
	uutinen	lento-onnettomuude/sta
vaikea	kysymys	muodosta/a/ko Katainen hallitukse/n
ihmise/n	kyky	ennusta/a tule/va/a
	joku ~ muutama	he/i/stä
	se	että Katainen muodosta/a hallitukse/n

Substantiivien etumääritteitä koskee tärkeä KONGRUENSSISÄÄNTÖ:

> Pronominit, adjektiivit ja numeraalit, jotka toimivat substantiivin
> etumääritteinä, kongruoivat edussanansa kanssa sijassa ja luvussa.

iso auto
iso/t auto/t
iso/ssa auto/ssa
kahde/ssa auto/ssa
yhte/en auto/on
iso/i/ssa auto/i/ssa
sininen kukka
sinise/t kuka/t
sinise/ssä kuka/ssa
sinis/i/ssä kuk/i/ssa
tuo punainen kukka
tuo/n punaise/n kuka/n
tuo/ssa punaise/ssa kuka/ssa
nuo punaise/t kuka/t
no/i/lla punais/i/lla kuk/i/lla
tämä kylmä kahvi
tä/tä kylmä/ä kahvi/a

Etumäärite on aina monikollinen, jos edussana on pysyvästi monikkomuotoi-
nen eli MONIKKOSANA (PLURALE TANTUM -sana). Tällaiset ilmaukset voivat
viitata joko yksiköllisiin tai monikollisiin tarkoitteisiin.

kaunii/t kasvo/t
nämä kasvo/t
terävä/t sakse/t
harma/i/ssa housu/i/ssa
yhde/t kasvo/t
kaks/i/lla saks/i/lla
kolme/t uude/t housu/t

On olemassa joitakin adjektiiveja tai adjektiivinkaltaisia sanoja, jotka muodostavat poikkeuksen kongruenssisääntöön eivätkä kongruoi edussanansa kanssa. Tavallisimpia näistä ovat: **ensi, eri, joka, koko, pikku, viime,** vrt. **ensi kerra/lla; viime talve/na; koko kaupungi/ssa; joka ihmise/lle; eri sängy/ssä.** Suomen kielelle tyypillinen piirre on se, että monentyyppiset finiittiset lausekkeet voidaan tiivistää substantiivin etumääritteinä toimiviksi partisiippilausekkeiksi muuttamalla verbi partisiipiksi, joka taipuu ja noudattaa kongruenssisääntöjä aivan kuten adjektiivi (§78–81, 84).

On myös olemassa useita idiomaattisia kahden sanan ilmauksia, joissa sanat taipuvat eri sijoissa:

mi/llä tavo/i/n	yks. adessiivi ja mon. instruktiivi
si/llä tapa/a	yks. adessiivi ja yks. partitiivi

Substantiivilausekkeen SYNTAKTISET TEHTÄVÄT eli lauseenjäsentehtävät ovat subjekti, objekti, predikatiivi, adverbiaali, vapaehtoinen etu- ja jälkimäärite (attribuutti), tai preposition tai postposition pakollinen täydennys. Siellä missä substantiivilauseke voi esiintyä, voi melkein aina esiintyä myös pronomini.

Substantiivilausekkeen syntaktiset tehtävät

Vanha auto on kadulla.	subjekti
Kadulla on *vanha auto*.	subjekti
(Minä) ostin *vanha/n auto/n*.	objekti
Tämä on *vanha auto*.	predikatiivi
He tulivat *vanha/lla auto/lla*.	adverbiaali
He istuvat *vanha/ssa auto/ssa*.	adverbiaali
Vanha/an auto/on ei aina voi luottaa.	adverbiaali
vanha/n auto/n hinta	substantiivilausekkeen etumäärite

presidentti Halonen	substantiivilausekkeen etumäärite
kokoelma *vanho/j/a auto/j/a*	substantiivilausekkeen jälkimäärite
kaksi ~ kah/ta *vanha/a auto/a*	numeraalilausekkeen jälkimäärite
	(numeraali yks. nom. tai part.)
vanha/n auto/n arvoinen	adjektiivilausekkeen etumäärite
perso *uude/lle auto/lle*	adjektiivilausekkeen jälkimäärite
vanha/n auto/n takana	postposition täydennys
ilman *vanha/a auto/a*	preposition täydennys

§26.2 ADJEKTIIVILAUSEKE

Adjektiivit toimivat ADJEKTIIVILAUSEKKEIDEN edussanoina. Adjektiivien etumääritteitä ovat intensiteettisanat ja eräät muut adverbit (§87), muut adjektiivilausekkeet (genetiivissä) ja substantiivilausekkeet (genetiivissä tai partitiivissa). Adjektiivien jälkimääritteitä ovat substantiivilausekkeet (usein taivutettuina jossain paikallissijassa), infinitiivilausekkeet sekä komparatiivi- ja superlatiivirakenteet, joihin liittyvät **että-**, **kuin-** tai **mitä-**lauseet.

Adjektiivilausekkeen rakenne

Etumääritteet	Adjektiivi edussanana	Jälkimääritteet
	vanha	
melko ~ erittäin	vanha	
historiallise/sti	merkittävä	
kuiva/n	humoristinen	
miellyttävä/n	lämmin	
kilo/n	painoinen	
kirsika/n	värinen	
	syyllinen	varkaute/en
	varma	väittee/stä/än
tavallis/ta	rikkaa/mpi	
huomattava/sti	piene/mpi	
aina	valmis	autta/ma/an
liian	väsynyt	lähte/ä/kse/en
	helppo	muista/a
niin	kaunis	että sydän/tä särke/e

96

| paljon | viisaa/mpi | kuin minä ole/n |
| | omituis/in/ta | mi/tä ole/n koskaan näh/nyt |

Adjektiivilausekkeiden syntaktiset perustehtävät ovat substantiivin etumäärite, verbin predikatiivi, adverbiaali ja adjektiivin etumäärite.

Adjektiivilausekkeen syntaktiset tehtävät

melko vanha auto	substantiivin etumäärite
Tämä auto on *melko vanha.*	predikatiivi
Nämä auto/t ovat *melko vanho/j/a.*	predikatiivi
Tämä auto näyttää *melko vanha/lta.*	adverbiaali
melko vanha/n tuntuinen	adjektiivin etumäärite

§26.3 NUMERAALILAUSEKE

Numeraalit eli peruslukusanat muodostavat NUMERAALILAUSEKKEITA, erityisesti sellaisia, joissa etumääritteinä on pronomineja ja substantiivilausekkeita ja jälkimääritteinä substantiivilausekkeita tai pronomineita partitiivissa tai elatiivissa.

Numeraalilausekkeen rakenne

Etumääritteet	Numeraali edussanana	Jälkimääritteet
	kaksi	auto/a
nämä	kaksi	auto/a
nuo hallitukse/n	kolme	ehdotus/ta
	viisi	ministere/i/stä
	viisi	te/i/stä

Numeraalilausekkeen syntaktiset tehtävät ovat joko subjekti, objekti tai predikatiivi. Muissa sijoissa kuin nominatiivissa tai partitiivissa taipuva numeraali toimii substantiiviedussanansa etumääritteenä, esim. **kahde/lla auto/lla, kolme/ssa tapaukse/ssa** (§ 26.1).

§26.4 MUITA LAUSEKETYYPPEJÄ

Tietyillä adverbeilla on rajallinen kyky muodostaa ADVERBILAUSEKKEITA, koska ne voivat saada etumääreikseen intensiteettisanoja: **liian pian, sangen äkkiä, erittäin paljon.**

Postpositiot muodostavat POSTPOSITIOLAUSEKKEITA ja prepositiot puolestaan PREPOSITIOLAUSEKKEITA. Molemmat saavat täydennyksikseen joko genetiivissä tai partitiivissa taipuvia substantiivilauseita tai pronomineita: **uude/n auto/n takana** (postpositiolauseke, **takana** vaatii genetiivin); **ilman uut/ta auto/a** (prepositiolauseke, **ilman** vaatii partitiivin); **(minun) takana/ni; ilman me/i/tä.**

Yhdyslauseissa voi esiintyä INFINITIIVILAUSEKKEITA, jotka koostuvat infinitiivistä ja sen täydennyksistä, esim. **lainat/a kirjan, lähti/e/ssä koti/in, tule/ma/an heti tänne** (§30 (2, 3)).

Kaikki nämä lausekkeet tavallisesti määrittävät verbejä. Infinitiivilauseke voi myös toimia substantiivinlausekkeen jälkimääritteenä: **halu osta/a kirjoja** (§ 26.1).

Substantiiveja määrittävät partisiipit ovat PARTISIIPPILAUSEKKEIDEN edussanoja, esim. **pihalla seiso/va (auto), hyvää musiikkia soitta/nut (yhtye)** (§79-81).

§27 YKSINÄISLAUSEET

Merkityksen näkökulmasta katsottuna on olemassa kolmenlaisia peruslausetyyppejä: (i) VÄITELAUSEET, jotka ilmaisevat väittämiä, kuten **Noora nukku/u;** (ii) KYSYMYKSET kuten **Nukku/u/ko Noora?** (§29); ja (iii) KÄSKYT kuten **Nuku!** (§66). Tämä pykälä käsittelee enimmäkseen väitelauseita.

Yksinkertaisin väitelausetyyppi, joka voi esiintyä itsenäisenä, on YKSINÄIS-LAUSE, joka koostuu yhdestä finiittiverbistä (§13) ja sen vaatimista lausekkeista. Nominaaliset lausekkeet toimivat finiittiverbin kieliopillisina subjekteina, objekteina, predikatiiveina tai adverbiaaleina; adverbit toimivat yleensä adverbiaaleina kuten myös prepositio- ja postpositiolausekkeet.

On olemassa viisi yksinäislauseiden tyyppiä, joissa SUBJEKTI (S) EDELTÄÄ VERBIÄ (V) tavallisessa korostamattomassa sanajärjestyksessä (SV-järjestys). Tyypeissä (2–5) subjekti on aina nominatiivissa (§31); tyypissä (1) se voi olla myös partitiivissa (§33), jolloin verbi taipuu aina yksikön 3. persoonassa. INTRANSITIIVILAUSEELLA tarkoitetaan lausetta, jossa ei ole objektia, mutta subjekti siinä yleensä on. TRANSITIIVILAUSEESSA on yleensä sekä subjekti että objekti.

(1) *Intransitiivilauseet, joissa pelkästään subjekti*
Jenni nukahti.
Lapse/t leikkivät.
Suunnitelma hajosi.
Kone/i/ta hajosi.
Use/i/ta ihmis/i/ä loukkaantui.

(2) *Intransitiivilauseet, joissa subjekti ja adverbiaali*
Samu asuu Turu/ssa.
He käyttäytyvät hyvin.
Oona tutustui Aleksi/in.
Sara tuli iloise/ksi.

(3) *Intransitiivilauseet, joissa subjekti ja predikatiivi*
Kannettava on hyödyllinen.
Vesi oli ruskea/a.
Matkapuhelime/t ovat halpo/j/a.

(4) *Transitiivilauseet, joissa subjekti ja objekti*
Venla osti kannettava/n.
Sylvi rakastaa aviomies/tä/än.
Presidentti nimittää hallitukse/n (huomenna).

(5) *Transitiivilauseet, joissa subjekti, objekti ja adverbiaali*
Siiri sai kirja/n Niko/lta.
Hallitus antoi lakiesitykse/n eduskunna/lle.
Esa väitti minu/a valehtelija/ksi.

Lisäksi on olemassa viisi yksinkertaista lausetyyppiä, joissa tyypillisesti VERBI EDELTÄÄ SUBJEKTIA (VS-järjestys). Näiden lauseiden subjekti voi olla joko nominatiivissa tai partitiivissa. Eksistentiaali- ja possessiivilauseet ovat erityisen tärkeitä.

EKSISTENTIAALILAUSEET (tyyppi 6) ilmaisevat tyypillisesti, että jossakin on jotain, tai että jonnekin tulee (tai jostain tulee) jotain. Eksistentiaalilauseet alkavat tavallisesti paikan adverbilla (§87) tai substantiivilausekkeella (§26), joka on taivutettu paikallissijassa (§41–46); tämän jälkeen tulee jonkin intransitiiviverbin yksikön 3. persoonan muoto, usein **ol/la**-verbin muoto **on**, jota seuraa substantiivilauseke joko nominatiivissa (§31) tai partitiivissa (§33). Eksistentiaalilauseita käytetään tyypillisesti esiteltäessä keskusteluun tai tekstiin uusia aiheita.

Possessiivi- eli omistuslauseessa (tyyppi 7) omistaja esiintyy adessiivissa **-lla** ~ **-llä** (§44); tätä seuraa yksikön 3. persoonassa taivutettu verbi, usein **ol/la**-verbin muoto **on** tai **ol/i**, ja tämän jälkeen omistettu asia, joka on joko nominatiivissa tai partitiivissa.

Erottamattoman omistuksen lauseet (tyyppi 8) tyypillisesti ilmaisevat erottamatonta (fyysistä) kuulumista johonkin.

(6) *Eksistentiaalilauseet, joissa adverbiaali ja subjekti*
Kadu/lla on bussi.
Pullo/ssa on öljy/ä.
Purki/ssa on munkke/j/a.
Eduskunta/an tuli 63 uut/ta jäsen/tä.
Talo/sta juoksi ulos ihmis/i/ä.

(7) *Possessiivilauseet, joissa adverbiaali ja subjekti*
Minna/lla on uusi tietokone.
Isä/llä on kaksi työtä.
Suome/lla on hyvät mahdollisuudet.
Äidi/llä on silmälasit.
Me/i/llä on kolme las/ta.

(8) *Erottamattoman omistuksen lauseet*
Tietokonee/ssa on kovalevy.
Maa/ssa on uusi hallitus.
Venee/ssä on pitkä masto.
Puu/ssa on vihreät lehdet.
Auto/ssa on neljä pyörää.

(9) *Tuloslauseet, joissa adverbiaali ja predikatiivi*
Poja/sta kasvoi mies.
Valitukse/sta tuli ongelma.
Valituks/i/sta tuli ongelm/i/a.
Kokemus on tehnyt minu/sta varovaise/n.

(10) *Kvanttorilauseet, joissa partitiivissa oleva nomini ja määränilmaus*
Auto/j/a oli kolme.
Ehdotuks/i/a esitettiin sata.
Me/i/tä saapui paikalle kaksitoista.

TULOSLAUSEELLA (tyyppi 9) ilmaistaan muutosta. Intransitiivisessa tuloslauseessa muutoksen läpikävijä, joka on elatiivissa (§42), sijoittuu yleensä lauseen alkuun; tätä seuraa yksikön 3. persoonassa taivutettu verbi ja muutosta kuvaava predikatiivi. Transitiivisessa tuloslauseessa subjekti (muutoksen aiheuttaja) on nominatiivissa (§31), ja verbi kongruoi sen kanssa tavalliseen tapaan (§25.1); elatiivissa oleva muutoksen kohde tulee verbin jälkeen.

Myös määrää ilmaiseva KVANTTORILAUSE (tyyppi 10) voi olla joko intransitiivinen tai transitiivinen. Sen alussa on partitiivisijainen (§33) nomini, jota seuraava verbi taipuu joko yksikön 3. persoonassa (intransitiivilauseessa) tai passiivissa (transitiivilauseessa). Itse määränilmaus tulee verbin jälkeen.

Kaikkia näitä yksinkertaisia SV- ja VS-lausetyyppejä voidaan laajentaa (milloin se sopii lauseen merkitykseen) lisäämällä niihin valinnaisia adverbiaaleja, kuten **täällä, nyt, tä/ssä kaupungi/ssa, hitaa/sti**. Ne voidaan myös muuttaa kielteisiksi (§28) tai alistaa kysymyksille (§29). Lisäksi SV-lausetyypeistä (mutta ei VS-tyypeistä) voidaan muodostaa imperatiiveja (§66) käskyjen ilmaisemista varten, tai niiden kieliopillinen subjekti voidaan häivyttää taka-alalle muuttamalla verbi passiiviin (§68-72).

Eilen Jenni nukahti illalla sohvalle.
Nukahtiko Jenni?
Jennikö nukahti?
Jenni ei nukahtanut.
Eikö Jenni nukahtanut?
Jennikö ei nukahtanut?
Yritä nukahtaa!
Älä yritä naurattaa minua!
Yritettiin nukahtaa.

Lausetyypeille (1–10) yllä annetut sanajärjestykset ovat yleisimpiä ja vähiten korostuneita, mutta monet muutkin järjestykset ovat mahdollisia – esimerkiksi korostuksen, aiemman maininnan tai muiden tilannesidonnaisten tekijöiden takia, jotka liittyvät tekstin jäsentämiseen tai käynnissä olevaan keskusteluun. Esimerkkejä (isot kirjaimet ilmaisevat korostusta):

Oona tutustu/i Aleksi/in.
ALEKSI/IN Oona tutustu/i.
OONA Aleksi/in tutustu/i.
TUTUSTU/I Oona Aleksi/in!
Aleksi/in tutustu/i Oona.
ALEKSI/IN tutustu/i OONA.
KANNETTAVA/N Venla ost/i.
HAJOS/I/PA kovalevy!
Pullo/ssa on öljy/ä.
Öljy on pullo/ssa.
Öljy/ä on PULLO/SSA!

On olemassa monia rakenteita, joissa yksinkertaisesta väitelauseesta puuttuu kieliopillinen subjekti.

(1) *Ensimmäisen ja toisen persoonan subjektipronominit jätetty pois* (§25.1)

Nyt (me) nukumme.
Otatko (sinä) vielä yhden (oluen)?

(2) *Passiivilauseet* (§68–69) *ja puhekieliset imperatiivit* (§66)
Saksassa juodaan paljon olutta.
Mennään!

(3) *Geneeriset lauseet* (§ 25.2, 68)
Usein kuulee, että ...
Saako täällä uida?

(4) *Meteorologiset ilmaukset*
(Ulkona) sataa.
Eilen myrskysi.
(Sisällä) on lämmin.

(5) *Kausatiiviverbit*
Harmittaa.
Itkettää.

§28 KIELTOLAUSEET

Suomen kieltolauseissa ei ole vakiomuotoista kieltosanaa. Kieltosanana toimii taipuva verbi, joka kongruoi lauseen subjektin kieliopillisen persoonan kanssa kuten mikä tahansa finiittiverbi.

	Yksikkö	*Monikko*
1. persoona	**en**	**emme**
2. persoona	**et**	**ette**
3. persoona	**ei**	**eivät**

Indikatiivin preesensin kieltomuodot rakentuvat kieltoverbistä, jota seuraa pääverbin taivutusvartalo (§24) ilman persoonapäätettä ja heikossa asteessa (§15) (paitsi pitkän vokaalin edellä).

Kieltoverbi + persoonapääte +	Pääverbin taivutusvartalo heikossa asteessa (paitsi pitkän vokaalin edellä)

Astevaihtelusuhteet ovat tärkeitä: vrt. **anta/a** : hän **anta/a**, **+anna/n**, **+anna/tte**. Seuraavassa esitetään lisäesimerkkejä indikatiivin preesensin kieltomuodoista. Pääverbin muoto voidaan aina johtaa myönteisestä preesensistä poistamalla 1. tai 2. persoonan pääte ja soveltamalla astevaihtelusääntöjä.

Myönteinen	*Kielteinen*
tulet	**et tule**
+luemme	**emme +lue**
he lukevat	**he eivät +lue**
hän lukee	**hän ei +lue**
hyppään	**en hyppää**
hyppäätte	**ette hyppää**
se vetää	**se ei +vedä**
+vedän	**en +vedä**
he vetävät	**he eivät +vedä**
+vedämme	**emme +vedä**
hän tarvitsee	**hän ei tarvitse**

Ol/la-verbin kaikki kieltomuodot sisältävät vartalon **ole-**.

en ole	emme ole
et ole	ette ole
ei ole	eivät ole

Muiden tempusten kieltomuodot tulevat esille ao. aikamuotojen yhteydessä (§63). Seuraava kieltolauseita koskeva sääntö on tärkeä.

Kieltolauseissa seuraavat lauseenjäsenet ovat partitiivissa:

(1) objekti
(2) omistusrakenteen "omistettava"
(3) se, mitä ei ole

---

(1) **Emme juo** *alkoholi/a.*
     Ettekö näe *auto/a?*
     En tunne *hän/tä.*
     He eivät omista *kesämökki/ä.*
(2) **Minulla ei ole** *ajokortti/a.*
     Meillä ei ole *punaviini/ä.*
     Eikö teillä ole *lämmin/tä ruoka/a?*
     Maassa ei ole *hallitus/ta.*
(3) **Kadulla ei ole** *bussipysäkki/ä.*
     Kotona ei ole *muistitikku/a.*
     Jääkaapissa ei ole *maito/a.*
     Komerossa ei ole *vaatte/i/ta.*

§29 KYSYMYKSET JA VASTAUKSET

§29.1 -KO ~ -KÖ -KYSYMYKSET

Suorat kysymykset, joihin vastataan 'kyllä' tai 'ei', muodostetaan sijoittamalla kysyttävä sana lauseen alkuun ja varustamalla se liitepartikkelilla **-ko ~ -kö**, joka melkein aina on sanan päätteistä viimeinen. Yleisintä on, että kysymys perustuu verbiin. Lauseesta **Pekka saapui Turkuun aamulla** voidaan muodostaa seuraavat kysymykset:

Saapu/i/ko Pekka Turkuun aamulla?
Pekka/ko saapui Turkuun aamulla?
Turku/un/ko Pekka saapui aamulla?
Aamu/lla/ko Pekka saapui Turkuun?

Seuraavatkin esimerkit havainnollistavat suorien kysymysten muodostamista.

Mene/t/kö ulos?
On/ko kovalevy rikki?
Ole/t/ko sairas?
Sa/isi/n/ko siiderin?
Pitä/ä/kö Jussi Marjasta?
Tietä/vät/kö he, että tulen?
Lelu/ko tämä on?
Ruotsi/ssa/ko Katja on?
Häne/t/kö sinä tapasit?
Presidenti/ksi/kö Niinistö valittiin?

Tällaisiin kysymyksiin voi vastata myöntävästi monella tavalla. Usein sana, johon kysymys kohdistuu, toistetaan (oikeassa persoonassa, jos se on verbi, ja ilman päätettä -ko ~ -kö). Jos kysytty sana on verbi, voidaan vastata **kyllä**; jos se on muu sana, voidaan käyttää myös **niin**-sanaa. Sekä **kyllä** että **niin** voidaan yhdistää kysytyn sanan toistoon. Sanaa **joo** käytetään lähinnä puhekielessä; se vastaa käytöltään **kyllä**-sanaa.

Kysymys	*Erilaisia myöntäviä vastauksia*
Tul/i/ko Pekka Turkuun?	– Tuli.
	– Kyllä tuli.
	– Kyllä.
Ole/t/ko sairas?	– Olen.
	– Kyllä olen.
	– Kyllä.
Mene/tte/kö ostoksille?	– Menemme.
	– Kyllä menemme.
	– Kyllä.
O/vat/ko lapset ulkona?	– Ovat.
	– Kyllä ovat.
	– Kyllä.

Auto/n/ko ostitte?	– Niin. ~ Kyllä. – Niin, auton. ~ Kyllä, auton. – Auton.
Mäntyniemc/ssä/kö presidentti asuu?	– Niin. ~ Kyllä. – Niin, Mäntyniemessä. ~ Kyllä, Mäntyniemessä. – Mäntyniemessä.

Kielteiset vastaukset suoriin kysymyksiin muodostetaan kieltoverbistä (§28), jonka on oltava oikeassa persoonassa ja jota valinnaisesti seuraa pääverbin taivutusvartalo ilman persoonapäätettä.

Kysymys	*Kielteinen vastaus*
Mene/e/kö Laura Kotkaan?	– Ei (mene).
Ole/t/ko kovin sairas?	– En (ole).
Syö/tte/kö hernekeittoa?	– Emme (syö). – En (syö).
O/vat/ko kirjat laukussa?	– Eivät (ole).
Vesa/ko siellä on?	– Ei (vaan Anna).
Juna/lla/ko tulitte?	– Emme (vaan bussilla).

Kysymyksestä voidaan tehdä kohteliaampi lieventämällä sitä konditionaalin päätteellä -isi- ja/tai liitepartikkelilla -han ~ -hän.

> Sa/isi/n/ko pullon punaviiniä?
> Sa/isi/n/ko/han kylmän oluen?
> On/ko/han Mikko Virtanen tavattavissa?
> Ol/isi/ko/han teillä pattereita?

Päätettä -ko ~ -kö käytetään myös epäsuorissa kysymyksissä.

> En tiedä, men/i/kö Anna kotiin.
> Kysy, on/ko heillä lämmintä ruokaa.
> Tiedä/t/kö, saa/ko sinne mennä?
> Kerro, maistu/i/ko ruoka hyvältä.

§29.2 KYSYMYSSANAKYSYMYKSET

Kysymysten toinen pääryhmä on KYSYMYSSANAKYSYMYKSET, joihin vastataan tarkemmin (eikä pelkästään 'kyllä' tai 'ei'). Suomen tärkeimmät kysymyssanat ovat (§56):

mikä
mitä
millainen
missä
mistä
mihin
minne
miten
miksi
miksei (miksen, jne.)
miksi ei (en, jne.)
koska
milloin
kuka
kuinka
kumpi

Mikä, kuka ja **millainen** taipuvat tavallisten nominien tapaan eri sijoissa. **Mitä, missä, mistä** ja **mihin** ovat oikeastaan **mikä**-pronominin itsenäistyneitä taivutusmuotoja. **Kenen** on **kuka**-pronominin genetiivi.

Kysymys	Vastaus
Mikä tämä on?	(Se on) avaimenperä.
Mitä tämä on?	(Se on) mehua.
Missä Leena on?	(Leena on) luennolla.
Mistä tulet?	(Tulen) Oslosta.
Mihin panen vaatteeni?	(Pane ne) sohvalle.
Minne aiotte muuttaa?	(Aiomme muuttaa) Vantaalle.
Millainen ihminen hän on?	(Hän on) mukava (ihminen).
Miksi olet myöhässä?	(Koska) myöhästyin bussista.
Mikset (sinä) soittanut eilen? ~ *Miksi* (sinä) *et* soittanut eilen?	(Koska) en ehtinyt.
Koska/milloin Sue tuli Suomeen?	(Hän tuli Suomeen) viime vuonna.

Kuka tuo nainen on?	(Hän on) Taina Rantala.
Kuinka paljon pullo olutta maksaa?	(Se maksaa) euron.
Kenen lasi tämä on?	(Se on) Jorman.
Kenellä pallo on?	(Pallo on) minulla.
Kumpi joukkue voitti?	Kärpät (voitti).

§29.3 MUUT KYSYMYSTEN TYYPIT

Tavallisesta väitelauseesta voidaan tehdä kysyvä liittämällä sen perään LIITE-KYSYMYS, jonka avulla kuulijalta haetaan vahvistusta juuri esitetylle väittämälle. Lyhimmillään liitekysymys voi koostua vain yhdestä tai kahdesta sanasta, esim. **vai, eikö, niinkö, eikö niin, eikö totta, vai mitä**.

Hieno maisema, *eikö*?
Yliopistossa voi opiskella myös ruotsiksi, *eikö totta*?
Nyt on meidän vuoromme, *eikö niin*?
Aiot opiskella kääntäjäksi, *niinkö*?
Olet nyt lomalla, *vai*?
Huomenna nousemme aikaisin, *vai mitä*?

Yleinen vahvistusta hakeva liitekysymys on **eikö -kin**, joka taipuu persoonan mukaan ja jonka jälkiosassa toistetaan väitelauseessa esiintyvä verbi. Se liittyy vain myönteisiin väittämiin. Jos väitelause on kielteinen, liitekysymys on muotoa **vai -ko ~ -kö**.

Tänään on ihana sää, *ei/kö ole/kin*?
Markuksen lapset ovat suloisia, *ei/vät/kö ole/kin*?
Asut nykyään Vantaalla, *et/kö asu/kin*?
He palasivat Suomeen viime viikolla, *ei/vät/kö palan/neet/kin*?
Niina ei ole töissä tänään, *vai on/ko*?
Sinähän et osaa arabiaa, *vai osaa/t/ko*?

Konjunktiolla **vai** väittämään voidaan liittää myös pidempi kysymys.

Tämä on aika suolaista, *vai mitä mieltä olet*?
Voisimme mennä illalla teatteriin, *vai ole/t/ko kiireinen*?

§30 YHDYSLAUSEET

Yksinkertaiset finiittilauseet (§27) esiintyvät yksin, yksinäislauseina. Infinitiivilausekkeet (§26, 73–77) ja partisiippilausekkeet (§26, 82–84) ovat lauseentapaisia, mutta ei finiittisen yksinäislauseen veroisia, koska niissä ei ole verbin kanssa kongruoivaa subjektia. Infinitiivi- ja partisiippilausekkeet esiintyvät ainoastaan yhdessä muiden finiittisten lauseiden tai ei-finiittisten lausekkeiden kanssa, tai joskus substantiivilausekkeen etumääritteenä (partisiippilausekkeet) tai jälkimääritteenä (infinitiivilausekkeet).

Yhdyslauseet ovat lauseiden yhdistelmiä, jotka sisältävät vähintään yhden finiittisen lauseen ja sen kanssa esiintyvän alisteisen lauseen. Yhdyslauseet voivat rakentua eri tavoin; tässä ne on luokiteltu sen mukaan, millaisia ominaisuuksia yksittäisten lauseiden ytiminä toimivilla verbeillä on. Tyypissä (1) on kaksi (tai useampia) finiittilauseita, PÄÄLAUSE ja SIVULAUSE. Nämä sivulauseet alkavat aina alistuskonjunktiolla, esim. että, jos, kun, koska, vaikka (§90). Tyyppien (2–5) yhdyslauseet muodostuvat finiittisestä päälauseesta ja ei-finiittisestä infinitiivilausekkeesta.

(1) Finiittiverbi + finiittiverbi (§90)
Sari väittä/ä, että Jone tule/e.
Tule/n, jos voi/n.
Jos Samu tule/e, tiedä/n, ettei Pinja tule.
E/n tule, koska ole/n sairastu/nut.
Kun Jasmin tul/i kotiin, Jopi heräs/i.

(2) Finiittiverbi + A-infinitiivi (§74)
(Minä) halua/n nukku/a.
(Sinä) saa/t lainat/a tämän kirjan.
(Te) voi/tte men/nä.
Osaa/ko Ville soitta/a klarinettia?
Siirin täyty/y syö/dä.
Anna hänen lähte/ä kotiin!
On mukava(a) men/nä saunaan.
Ihminen syö elä/ä/kse/en.
Ole/n täällä tutustu/a/kse/ni ihmisiin.

(3) *Finiittiverbi + MA-infinitiivi* (§76)
Mene/n kotiin nukku/ma/an.
Veera kieltäyty/i tule/ma/sta tänne.
Miehcni on pelaa/ma/ssa nettipokeria.
Teke/mä/llä oppi/i.

(4) *Finiittiverbi + E-infinitiivi* (§75)
Muut nukku/i/vat hänen herät/e/ssä/än.
Lapsi tul/i itki/e/n kotiin.

(5) *Finiittiverbi + partisiippirakenne* (§82)
Mira huomas/i nukahta/nee/nsa.
Pesukone näyttä/ä ole/va/n rikki.

(6) *Finiittiverbi + nominaalistettu verbi* (§77)
Mies esitt/i uuden auton osta/mis/ta.
(Minä) inhoa/n tupakoi/mis/ta.

Tavallisesti kieliopillinen subjekti on joko nominatiivissa tai partitiivissa. Tyyppiin (2) kuuluvat myös NESESSIIVI- ja PERMISSIIVIRAKENTEIDEN alatyypit, jotka rakentuvat sellaisten verbien kuten **täyty/y** ja **anta/a** ympärille ja joissa finiittiset ja ei-finiittiset verbit ja niiden nominit yhdistyvät erityislaatuisilla tavoilla ja vaativat subjektin taivuttamista genetiivissä.

E-infinitiivin inessiivillä (tyyppi 4) voidaan lyhentää itsenäinen **kun**-lause ei-finiittiseksi rakenteeksi, jota kutsutaan TEMPORAALIRAKENTEEKSI (§83). Vastaavasti PARTISIIPPIRAKENNE, jota kutsutaan myös REFERATIIVIRAKENTEEKSI (tyyppi 5; §82), lyhentää itsenäisen **että**-lauseen ei-finiittiseksi rakenteeksi. Tyyppi (6) menee vielä pidemmälle ja lyhentää lauseen substantiivilausekkeeksi. Tämä NOMINAALISTUS tuottaa johdettuja substantiiveja (kuten **osta/minen**, **tupakoi/minen**) verbeistä (**osta/a, tupakoi/da**), jolloin näiden verbien täydennyksistä tulee johdoksen etumääritteitä; ks. genetiivisijassa oleva substantiivilauseke **uude/n auto/n** tyypin (6) ensimmäisessä esimerkissä yllä.

Erityinen yhdyslauseiden tyyppi syntyy, kun lauseet esiintyvät substantiivien tai adjektiivien etu- tai jälkimääritteinä. Relatiivilauseet (§58), **että**-lauseet ja epäsuorat kysymyslauseet voivat esiintyä SUBSTANTIIVIEN JÄLKIMÄÄRITTEINÄ (§26.1). Relatiivilauseet voidaan edelleen lyhentää AGENTTIRAKENTEIKSI (§84), jolloin niistä tulee etumääritteitä ja niiden verbi muuttuu **MA**-partisiipiksi, joka taipuu adjektiivin tavoin.

(1) *Relatiivilause substantiivin jälkimääritteenä*
ehdotus, jonka hallitus esitti
henkilö, joka ei koskaan erehdy
maa, jossa on hyvä asua

(2) *että-lause substantiivin jälkimääritteenä*
ajatus, että ihminen voisi lentää
ehdotus, että hallitus eroaisi

(3) *Epäsuora kysymyslause substantiivin jälkimääritteenä*
kysymys, eroaako hallitus
pelko, tulevatko he ollenkaan

(4) *Komparatiivilause adjektiivin jälkimääritteenä*
Oletko sinä viisaampi kuin minä (olen)?

Kaikkia finiittisiä lauseita ja ei-finiittisiä rakenteita voidaan myös yhdistää toisiinsa RINNASTAMALLA konjunktioiden avulla, esim. **ja, tai, mutta** (§90), jolloin tuloksena on yhdyslauseita. Myös pienempiä elementtejä (sanoja ja lausekkeita) voidaan rinnastaa.

> **Risto laittoi ruuan, ja minä tiskasin astiat.**
> **Yritin soittaa Leenalle, mutta hän ei vastannut.**
> **Aion opiskella tulkiksi ja muuttaa ulkomaille.**

Rinnasteisille lauseille ja muille rakenteille on tavallista ELLIPSI eli sanojen poisjättäminen. Silloin kun kummassakin rinnastetussa lauseessa on jokin sama osa – esim. sama subjekti tai finiittiverbi – tämä tyypillisesti jää pois jälkimmäisestä lauseesta; sitä ei tarvitse toistaa. Lauseessa voi joskus olla useampiakin tällaisia aukkoja.

> **Hän avasi oven ja astui sisään.**
> **Marko heräsi kuudelta ja minä seitsemältä.**
> **Jenni asuu kaksi viikkoa Lontoossa ja viikon Oxfordissa.**

Myös objekti voi jäädä pois, joskaan ei aivan yhtä helposti kuin subjekti. Usein sen tilalla esiintyy korvaava pronomini tai jokin saman lausekkeen muu sana, joka voi edustaa lauseketta yksinään.

Joonas imuroi lattiat ja minä pesin *ne*.
Minä sain kaksi siikaa ja Heidi (sai) *yhden*.
Laurin huone on tässä ja *Nooran* tuolla kauempana.

8
NOMINATIIVI JA PARTITIIVI

- *Nominatiivin muodostus ja käyttö*
- *Partitiivin muodostus*
- *Partitiivin käyttö*

Nominatiivi ja partitiivi ovat suomen tärkeimmät sijamuodot. Ne ovat monissa tapauksissa toistensa vastakohtia. Molemmat voivat esiintyä subjektin, objektin ja predikatiivin sijana (objektin osalta ks. myös §37). Nominatiivi ilmaisee konkreettista tai abstraktia kokonaisuutta tai määräistä joukkoa tai tiettyä rajattua määrää. Partitiivi ilmaisee usein epämääräistä, rajaamatonta määrää ja sallii mahdollisuuden, että enemmänkin on olemassa. Nominatiivin ja partitiivin käytön selittämiseksi on tehtävä seuraava tärkeä erottelu. Substantiivi on JAOTON (tai LASKETTAVA), jos sillä viitataan enemmän tai vähemmän konkreettiseen olioon, jota ei voi jakaa pienempiin osiin niin, että jokaisella osalla olisi kokonaisuuden luonne. Jaottomia substantiiveja voi laskea (yksi *x*, kaksi *x:ää*, jne.). Esimerkkejä: **auto, talo, hylly, nainen, käsi, sielu**.

Substantiivi on JAOLLINEN (tai EI-LASKETTAVA), jos sillä viitataan aineeseen tai abstraktiin ilmiöön, joka voidaan jakaa osiin niin, että osat ovat kokonaisuuden kaltaisia. Esimerkkejä: **kahvi, maito, rauta, kulta, olut, vesi, vahvuus, rakkaus**. Jaollisia substantiiveja ei yleensä voi laskea.

§31 NOMINATIIVIN MUODOSTUS JA KÄYTTÖ

Nominatiivi on suomen sijajärjestelmän tukipilari. Se on nominien PERUSMUOTO sanakirjoissa ja myöskin useimpien nominien yleisin sijamuoto. Nominatiivin tehtävät ilmenevät selvimmin, kun sitä verrataan partitiiviin, sijajärjestelmän toiseen perustavaan sijaan. Partitiivi ilmaisee usein epämääräistä, rajaamatonta määrää ja sallii ylijäämän mahdollisuuden. Nominatiivi sen sijaan ilmaisee konkreettista tai abstraktia kokonaisuutta tai määräistä, rajattua, totaalista määrää.

> Nominatiivilla
> (1) ei ole päätettä yksikössä
> (2) on monikossa pääte -t (§22)

Yksikön nominatiivi	Monikon nominatiivi
auto	auto/t
maa	maa/t
talo	talo/t
hylly	hylly/t
nainen	naise/t
kivi	kive/t
käsi	+käde/t

Suomen kielessä ei ole artikkeleita, joilla ilmaistaisiin merkitysero määräisen ja epämääräisen välillä samaan tapaan kuin esim. englannissa (*the* car – *a* car). Se, ilmaiseeko suomen ilmaus **auto** määräistä vai epämääräistä merkitystä, käy usein ilmi lauseen sanajärjestyksestä. Monikon nominatiivilla, esim. **auto/t**, on lähes aina määräinen merkitys.

Nominatiivin käyttö riippuu kolmesta tekijästä: substantiivin jaollisuudesta tai jaottomuudesta, jaollisten sanojen määräisyydestä tai epämääräisyydestä, ja joskus substantiivin luvusta (yksikkö tai monikko). Alla esitetään neljä sääntöä.

> (1) Yksikkömuotoiset jaottomat substantiivit, jotka esiintyvät subjektina, ovat nominatiivissa ja ilmaisevat
> (a) määräistä merkitystä lauseen alussa
> (b) epämääräistä merkitystä lauseen lopussa.

> **Auto** on kadulla.
> Kadulla on **auto**.
> **Nainen** on asunnossa.
> Asunnossa on **nainen**.

Kirja ilmestyi.
Ilmestyi *kirja*.
Tulostin on hyllyllä.
Hyllyllä on *tulostin*.

Lauseen alussa olevat substantiivit tulkitaan yleensä määräisiksi, eli sillä tavoin tutuiksi, että kuulijalle (tai lukijalle) on ilmeistä, mihin ne viittaavat. Lauseet, joissa sekä subjekti että objekti ovat jaottomia substantiiveja, ovat usein määräisyyden suhteen moniselitteisiä:

Mies osti *asunno/n*.
Nainen hankki *auto/n*.

Jos sanajärjestys on käänteinen niin, että objekti on alussa ja subjekti lopussa, objekti tulkitaan määräiseksi (tutuksi) ja subjekti epämääräiseksi (uudeksi):

Asunno/n osti *mies*.

Jaottomat yksikkömuotoiset substantiivipredikatiivit ovat aina nominatiivissa.

Mika on *mies*.
Elina on *nainen*.
Tämä on *sanakirja*.
Tuo on *romaani*.
ROMAANI tuo on!
Paavo on *opettaja*.

Yksikkömuotoiset adjektiivipredikatiivit ovat niin ikään nominatiivissa, jos subjektina on jaoton sana.

Auto on *sininen*.
Tuo matkapuhelin on *kallis*.
Tuomas on *pitkä*.
Ajatuksesi oli *hyvä*.
Moottori on *likainen*.

(2) Monikkomuotoiset jaottomat substantiivit, joilla on määräinen merkitys, saavat päätteen -t.

> *Auto/t* ovat kadulla.
> Kadulla ovat *auto/t!*
> *Vanhemma/t* tulivat kotiin.
> *Kirja/t* maksavat 20 euroa.
> *Ministeri/t* lähtivät lomalle.
> Mikko osti *levy/t.*
> Leena näki *rakennukse/t.*
> Syön nämä *keksi/t.*

(3) Jaolliset substantiivit, joilla on määräinen (totaalinen, rajattu) merkitys, ovat yksikön nominatiivissa.

> *Ruoka* maistuu hyvältä.
> *Kahvi* on kupissa.
> *Liha* maksaa paljon.
> *Aika* loppuu.
> Osta *olut!* (§37–38)
> *Kahvi* juotiin. (§37–38)
> Tämä on Sarin *maito.*
> *Maito* on valkoista.
> *Ilma* on kirkas.

(4) Subjekti on aina nominatiivissa, jos
  (a) verbiin liittyy objekti (eli verbi on transitiivinen)
  (b) verbi on **ol/la** ja siihen liittyy predikatiivi.

> *Poika* potkii palloa.   (4a)
> *Poja/t* potkivat palloa.   (4a)
> *Kahvi* on hyvää.   (4b)
> *Mikään* ei ole mahdotonta.   (4b)

§32 PARTITIIVIN MUODOSTUS

§32.1 YKSIKÖN PARTITIIVI

Yksikössä partitiivilla on kolme päätettä: -a ~ -ä, -ta ~ -tä, -tta ~ -ttä. Kaksi ensimmäistä esiintyvät myös monikossa.

Pääte -a ~ -ä esiintyy, kun taivutusvartalo päättyy konsonantin jälkeiseen lyhyeen vokaaliin (joka ei ole katoava e).

Perusmuoto	Taivutusvartalo (yks. gen.)	Ks. §	Yksikön partitiivi
oma	oma/n	20	oma/a
päivä	päivä/n	20	päivä/ä
vanha	vanha/n	20	vanha/a
elämä	elämä/n	20	elämä/ä
talo	talo/n	–	talo/a
tuoli	tuoli/n	18.1	tuoli/a
hetki	hetke/n	18.2	hetke/ä
katu	+kadu/n	–	katu/a
käsky	käsky/n	–	käsky/ä
Suomi	Suome/n	18.2	Suome/a
koti	+kodi/n	18.1	koti/a
kaupunki	+kaupungi/n	18.1	kaupunki/a
kivi	kive/n	18.2	kive/ä
presidentti	+presidenti/n	18.1	presidentti/ä
Helsinki	+Helsingi/n	18.1	Helsinki/ä
kaikki	+kaike/n	18.2	kaikke/ä
onni	onne/n	18.2	onne/a
asia	asia/n	20	asia/a
ainoa	ainoa/n	20	ainoa/a
tärkeä	tärkeä/n	20	tärkeä/ä
vaikea	vaikea/n	20	vaikea/a

Erityisesti **ea-, eä**-loppuiset sanat voivat saada myös pidemmän päätteen -**ta** ~ -**tä**, esim. **korkea/a** ~ **korkea/ta, pehmeä/ä** ~ **pehmeä/tä**. Arkisessa puhekielessä näiden sanojen -**ea**, -**eä** lausutaan usein **ee**:nä (§95 (3)), ja tällöin partitiivin päätteen on oltava -**ta** ~ -**tä** (**pehmee/tä** jne).

Pääte -**ta** ~ -**tä** esiintyy, kun sen edessä on
(a) pitkään vokaaliin tai diftongiin päättyvä perusmuoto
(b) yhdistelmään konsonantti + **e** päättyvä taivutusvartalo, josta **e** on kadonnut
(c) konsonanttiin päättyvä perusmuoto
(d) yksitavuinen pronominivartalo

	Perusmuoto	Taivutusvartalo (yks. gen.)	Ks. §	Yksikön partitiivi
(a)	maa	maa/n	–	maa/ta
	syy	syy/n	–	syy/tä
	tie	tie/n	–	tie/tä
	Porvoo	Porvoo/n	–	Porvoo/ta
	työ	työ/n	–	työ/tä
	pää	pää/n	–	pää/tä
	yö	yö/n	–	yö/tä
	kuu	kuu/n	–	kuu/ta
(b)	kieli	kiele/n	18.3	kiel/tä
	pieni	piene/n	18.3	pien/tä
	lumi	lume/n	18.3	lun/ta (Huom. n)
	ääni	ääne/n	18.3	ään/tä
	meri	mere/n	18.3	mer/ta (Huom. -ta)
	veri	vere/n	18.3	ver/ta (Huom. -ta)
	vesi	+vede/n	18.4	vet/tä
	uusi	+uude/n	18.4	uut/ta
	kansi	+kanne/n	18.4	kant/ta
	ihminen	ihmise/n	21.1	ihmis/tä
	Virtanen	Virtase/n	21.1	Virtas/ta
	tavallinen	tavallise/n	21.1	tavallis/ta
	hyvyys	+hyvyyde/n	21.4	hyvyyt/tä
	likaisuus	+likaisuude/n	21.4	likaisuut/ta

(c)	ajatus	ajatukse/n	21.2	ajatus/ta
	kysymys	kysymykse/n	21.2	kysymys/tä
	kiitos	kiitokse/n	21.2	kiitos/ta
	+varvas	varpaa/n	21.3	+varvas/ta
	kirves	kirvee/n	21.3	kirves/tä
	puhelin	puhelime/n	21.5	puhelin/ta
	+arvoton	arvottoma/n	21.6	+arvoton/ta
	askel	askele/n	21.7	askel/ta
	mies	miehe/n	21.8	mies/tä
	olut	olue/n	21.8	olut/ta
(d)	tuo	tuo/n	–	tuo/ta
	tämä	tämä/n	–	tä/tä
	se	se/n	–	si/tä
	joka	jonka	–	jo/ta
	mikä	minkä	–	mi/tä
	kuka	kene/n	–	ke/tä

Huomaa poikkeuksellisesti taipuvat kieli-nominit lapsi ja veitsi, joiden yksikön partitiivissa vartalossa esiintyy pelkkä s: las/ta, veis/tä.
Myös io-, iö-loppuisten sanojen partitiivin pääte on -ta ~ -tä, esim. valtio/ta, radio/ta, keittiö/tä, yhtiö/tä.

Pääte -tta ~ -ttä liitetään e-loppuisiin perusmuotoihin (§19).

Perusmuoto	Taivutusvartalo (yks. gen.)	Yksikön partitiivi
perhe	perhee/n	perhe/ttä
+suhde	suhtee/n	+suhde/tta
+liikenne	liikentee/n	+liikenne/ttä
kone	konee/n	kone/tta
+tunne	tuntee/n	+tunne/tta
kirje	kirjee/n	kirje/ttä
virhe	virhee/n	virhe/ttä

Sanat itse, kolme, nalle ja nukke ja monet erisnimet kuten Anne, Raahe ja Ville saavat päätteen -a ~ -ä.

§32.2 MONIKON PARTITIIVI

Partitiivilla on monikossa kaksi päätettä, -a ~ -ä ja -ta ~ -tä, jotka liitetään taivutusvartaloon monikon -i:n perään (§22). Monikon -i aiheuttaa vokaalin-muutoksia vartalossa (§16), ja vokaalien välissä -i muuttuu j:ksi (§22). Aste-vaihtelu on monikon partitiivissa harvinainen, koska päätteet eivät täytä aste-vaihtelusäännön ehtoja (§15.2).

> Päätettä -a ~ -ä käytetään aina, kun yksikön taivutusvartalo päättyy lyhyeen vokaaliin.

Perusmuoto	Taivutusvartalo	Ks. §	Yksikön partitiivi	Monikon partitiivi
talo	talo/n	–	talo/a	talo/j/a
katu	+kadu/n	–	katu/a	katu/j/a
tunti	+tunni/n	–	tunti/a	tunte/j/a
lasi	lasi/n	–	lasi/a	lase/j/a
kivi	kive/n	18.2	kive/ä	kiv/i/ä
lehti	+lehde/n	18.2	lehte/ä	leht/i/ä
tuuli	tuule/n	18.3	tuul/ta	tuul/i/a
pieni	piene/n	18.3	pien/tä	pien/i/ä
käsi	+käde/n	18.4	kät/tä	käs/i/ä
kansi	+kanne/n	18.4	kant/ta	kans/i/a
päivä	päivä/n	–	päivä/ä	päiv/i/ä
sama	sama/n	–	sama/a	samo/j/a
poika	+poja/n	–	poika/a	poik/i/a
kirja	kirja/n	–	kirja/a	kirjo/j/a
nainen	naise/n	21.1	nais/ta	nais/i/a
yleinen	yleise/n	21.1	yleis/tä	yleis/i/ä
sormus	sormukse/n	21.2	sormus/ta	sormuks/i/a
nuoruus	+nuoruude/n	21.4	nuoruut/ta	nuoruuks/i/a
avain	avaime/n	21.5	avain/ta	avaim/i/a
+koditon	kodittoma/n	21.6	+koditon/ta	kodittom/i/a
jäsen	jäsene/n	21.7	jäsen/tä	jäsen/i/ä
mies	miehe/n	21.8	mies/tä	mieh/i/ä

§32.2

Kolmi- ja useampitavuisissa sanoissa kuten **kanava, aurinko, ammatti** pääte
-**a** ~ -**ä** esiintyy aina, kun viimeinen vartalovokaali katoaa, sekä silloin kun
sanan toiseksi viimeinen tavu päättyy konsonanttiin (**yk.si̲k.kö, au.ri̲n.ko**)
tai kahteen vokaaliin (**rat.ka̲i.su**).

Perusmuoto	Taivutusvartalo	Yksikön partitiivi	Monikon partitiivi
aurinko	+auringo/n	aurinko/a	aurinko/j/a̲
ammatti	+ammati/n	ammatti/a	ammatte/j/a̲
hedelmä	hedelmä/n	hedelmä/ä	hedelm/i/ä̲
ystävä	ystävä/n	ystävä/ä	ystäv/i/ä̲
metalli	metalli/n	metalli/a	metalle/j/a̲
kysely	kysely/n	kysely/ä	kysely/j/ä̲
yksikkö	+yksikö/n	yksikkö/ä	yksikkö/j/ä̲
ratkaisu	ratkaisu/n	ratkaisu/a	ratkaisu/j/a̲
omena	omena/n	omena/a	omen/i/a̲

Päätettä -**ta** ~ -**tä** käytetään aina, kun yksikön taivutusvartalo päättyy
kahteen vokaaliin.

Perusmuoto	Taivutusvartalo	Ks. §	Yksikön partitiivi	Monikon partitiivi
maa	maa/n	–	maa/ta	ma/i/ta̲
kuu	kuu/n	–	kuu/ta	ku/i/ta̲
syy	syy/n	–	syy/tä	sy/i/tä̲
vapaa	vapaa/n	–	vapaa/ta	vapa/i/ta̲
perhe	perhee/n	19	perhe/ttä	perhe/i/tä̲
+lääke	lääkkee/n	19	+lääke/ttä	lääkke/i/tä̲
aine	ainee/n	19	aine/tta	aine/i/ta̲
tie	tie/n	–	tie/tä	te/i/tä̲
tuo	tuo/n	–	tuo/ta	no/i/ta̲
työ	työ/n	–	työ/tä	tö/i/tä̲
+rikas	rikkaa/n	21.3	+rikas/ta	rikka/i/ta̲
+hammas	hampaa/n	21.3	+hammas/ta	hampa/i/ta̲
kallis	kallii/n	21.3	kallis/ta	kalli/i/ta̲
ohut	ohue/n	21.8	ohut/ta	ohu/i/ta̲

lyhyt	lyhye/n	21.8	lyhyt/tä	lyhy/i/<u>tä</u>
asia	asia/n	–	asia/a	asio/i/<u>ta</u>
tärkeä	tärkeä/n	–	tärkeä/ä	tärke/i/<u>tä</u>
ainoa	ainoa/n	–	ainoa/a	aino/i/<u>ta</u>
komea	komea/n	–	komea/a	kome/i/<u>ta</u>

Monet kolmi- ja useampitavuiset substantiivit, joiden toiseksi viimeinen tavu päättyy lyhyeen vokaaliin, saavat monikossa päätteen -ta ~ -tä. Tämä koskee myös substantiiveja, joiden loppu on **kka** ~ **kkä** tai **la** ~ **lä**.

Perusmuoto	Yksikön partitiivi	Monikon partitiivi
lukija	lukija/a	lukijo/i/<u>ta</u>
kävijä	kävijä/ä	kävijö/i/<u>tä</u>
lusikka	lusikka/a	+lusiko/i/<u>ta</u>
kahvila	kahvila/a	kahvilo/i/<u>ta</u>
käymälä	käymälä/ä	käymälö/i/<u>tä</u>
omena	omena/a	omeno/i/<u>ta</u>
päärynä	päärynä/ä	päärynö/i/<u>tä</u>
peruna	peruna/a	peruno/i/<u>ta</u>
tavara	tavara/a	tavaro/i/<u>ta</u>
ankkuri	ankkuri/a	ankkure/i/<u>ta</u>
arvelu	arvelu/a	arvelu/i/<u>ta</u>

Monissa tämäntyyppisissä sanoissa sekä -**ta** ~ -**tä** että -**a** ~ -**ä** ovat mahdollisia; astevaihtelu vaikuttaa vartaloon eri tavoin näissä kahdessa tapauksessa, esimerkiksi **yksikkö/j/ä : +yksikö/i/tä, lusikko/j/a : +lusiko/i/ta, sairaalo/j/a : sairaalo/i/ta, omen/i/a : omeno/i/ta.**

Kolmi- ja useampitavuisten adjektiivien monikon partitiivi muodostetaan normaalisti päätteellä -**a** ~ -**ä** (§16).

Perusmuoto	Yksikön partitiivi	Monikon partitiivi
ahkera	ahkera/a	ahker/i/<u>a</u>
ankara	ankara/a	ankar/i/<u>a</u>
hämärä	hämärä/ä	hämär/i/<u>ä</u>
vikkelä	vikkelä/ä	vikkel/i/<u>ä</u>

Seuraavat pronominimuodot ovat tärkeitä:

Perusmuoto	Yksikön partitiivi	Monikon partitiivi
minä	minu/a	
sinä	sinu/a	
hän	hän/tä	
me		me/i/tä
te		te/i/tä
he		he/i/tä
se	si/tä	ni/i/tä
tämä	tä/tä	nä/i/tä
tuo	tuo/ta	no/i/ta

§33 PARTITIIVIN KÄYTTÖ

§33.1 PARTITIIVISUBJEKTI

Partitiivin käyttöä on hyödyllistä verrata nominatiivin käyttöön (§31): nämä kaksi sijaa ovat toistensa merkitysvastakohtia. Seuraava sääntö koskee partitiivin käyttöä subjektin ja objektin sijana.

> Jaollisten sanojen yhteydessä partitiivi ilmaisee epämääräistä, rajaamatonta määrää.

Tyypillisiä partitiivin esiintymiä ovat esim. **vet/tä, valo/a, rakkaut/ta, tuole/j/a, auto/j/a**. Partitiivisubjektia koskee seuraava sääntö.

> Lauseissa, joissa on partitiivisubjekti,
>
> (1) subjekti on yleensä lauseen lopussa
> (2) finiittiverbi on aina yksikön 3. persoonassa

Seuraavat esimerkit on jaettu kahteen ryhmään: jaollisten sanojen epämääräiseen yksikköön sekä jaottomien sanojen epämääräiseen (siis samalla jaolliseen) monikkoon.

> (1) Jaolliset subjektisanat, jotka ilmaisevat epämääräistä paljoutta, ovat yksikön partitiivissa (aine-, abstrakti- ja kollektiivisanat).

Pakastimessa on *leipä/ä*.
Tölkissä on *maito/a*.
Torille tuli *kansa/a*.
Huoneessa on *valo/a*.
Kellariinkin valui *vet/tä*.
Suomessa on vielä *puhdas/ta ilma/a*.
Täällä tapahtuu *kaikenlais/ta*.
***Kaikenlais/ta* täällä tapahtuu.**
Jääkaapissa on *olut/ta*.
***OLUT/TA* jääkaapissa on!**

Yllä olevia lauseita on syytä verrata seuraaviin, joissa subjekti ilmaisee määräistä (totaalista) paljoutta. Tällaiset subjektit ovat yleensä lauseen alussa.

***Leipä* on pakastimessa.**
***Maito* on tölkissä.**
***Kansa* tuli torille.**
***Vesi* valui kellariin.**
***Kulta* löytyi Outokummusta.**

> (2) Monikkomuotoiset subjektisanat, jotka ovat jaottomia yksikössä ja ilmaisevat epämääräistä paljoutta, ovat monikon partitiivissa.

Kadulla on *auto/j/a*.
Liikkui *huhu/j/a*.
Täällä on *pien/i/ä laps/i/a*.
***Ihmis/i/ä* kuolee joka päivä.**
Syntyi *vaikeuks/i/a*.

Minulla on *mon/i/a ystäv/i/ä.*
Onko Eerolla *laps/i/a?*
Sellais/i/a virhe/i/tä esiintyy usein.

Vastaavat määräiset ('totaaliset') subjektit (jotka ovat yleensä, mutta eivät aina, määräisiä englannissa) ovat monikon nominatiivissa, ja tällöin finiittiverbi kongruoi persoonassa subjektin kanssa.

Auto/t ovat kadulla.
Lapse/t ovat täällä.
Ihmise/t kuolevat.
Laiva/t tulevat satamaan.
Vaikeude/t eivät tule yksin.

(3) Partitiivia käytetään, jos kokonaan kielletään sen olemassaolo, mihin subjektisana viittaa (siis useimmissa kieltolauseissa).

Kadulla ei ole *auto/a.*
Maassa ei ole *hallitus/ta.*
Minulla ei ole *tieto/a* siitä.
Koti/a ei enää ollut.
Täällä ei ole *yhtään tuttu/a.*
Bussi/a ei vielä näy.

Mutta jos olemassaoloa ei kokonaan kielletä, vaan ainoastaan esim. jonkin oleminen tietyssä paikassa, käytetään nominatiivia.

Auto ei ole kadulla.
Hallitus ei ole Turussa.
Juna ei ole asemalla.

Partitiivi voi joskus olla myös jaottomien sanojen subjektin sijana, nimittäin sellaisissa kysymyslauseissa, joihin odotetaan kieltävää vastausta.

Oletko lukenut *tä/tä kirja/a?*
Tuleeko hänestä *lääkäri/ä?*

§33.2 PARTITIIVIOBJEKTI

Objektin sijat ovat partitiivi ja akkusatiivi, aivan kuten subjektin sijat ovat nominatiivi ja partitiivi. Objektin akkusatiivi vastaa eräällä tavalla subjektin nominatiivia (§38).

Akkusatiiviobjekti
(Minä) lähetän *tekstiviesti/n.*
Silja joi *maido/n.*
Osta *auto.*
Tietokonee/t hankittiin halvalla.
Ostamme *auto/t.*

Nominatiivisubjektin tapaan akkusatiiviobjekti ilmaisee kokonaisuutta tai määräistä joukkoa tai paljoutta. Partitiivi ilmaisee yleensä epämääräistä määrää (sääntö (3) alempana), mutta objektin sijana sillä on muitakin tehtäviä (säännöt (1) ja (2)).

---

(1)   Kieltolauseen objekti on lähes aina partitiivissa.

En lähetä *tekstiviesti/ä.*
Pekka ei nähnyt *Leena/a.*
Linn ei juo *maito/a.*
En tunne *Tuomioja/a.*
Emma ei syö *puuro/a.*
Etkö opiskele *suome/a?*
He eivät ymmärrä *tä/tä.*
En ole koskaan tavannut *hän/tä.*
Si/tä emme vielä tiedä.
Janne ei lue *sanomaleht/i/ä.*
En tunne *no/i/ta mieh/i/ä.*
Ettekö ole lukeneet *nä/i/tä kirjo/j/a?*

Tämä sääntö pätee aina. Siihen ei vaikuta, onko objektin merkitys määräinen vai epämääräinen. Sama kieltolause vastaa siis kahta eri myönteistä lausetta.

Myöntölause	Kieltolause
Linn joi *siideri/n.*	Linn ei juonut *siideri/ä.*
Linn joi *siideri/ä.*	_"_ _

---

(2) (a) Objekti on partitiivissa, jos verbin ilmaisema toiminta ei johda 'tärkeään' lopputulokseen (eli toiminta on irresultatiivista).

Tämä partitiivin käyttö vastaa usein englannin verbien progressiivimuotoa ('be + -ing'). Vastaavasti akkusatiivi ilmaisee sitä, että verbin kuvaama toiminta on johtanut tärkeään lopputulokseen (on resultatiivista).

Irresultatiivinen lause *(partitiiviobjekti)*	*Resultatiivinen lause* *(akkusatiiviobjekti)*
Tyttö luki *kirja/a.*	Tyttö luki *kirja/n.*
Lauri kirjoitti *artikkeli/a.*	Lauri kirjoitti *artikkeli/n.*
Lauri kirjoittaa *artikkeli/a.*	Lauri kirjoittaa *artikkeli/n.*
Hän ajaa *auto/a.*	Hän ajaa *auto/n* talliin.
Metsästäjä ampui *lintu/a.*	Metsästäjä ampui *linnu/n.*
Milla lämmittää *sauna/a.*	Milla lämmittää *sauna/n.*

Monet verbit ovat ominaisluonteeltaan irresultatiivisia, ja tästä syystä niiden objekti on yleensä partitiivissa. Yhden tärkeän tällaisen verbiryhmän muodostavat tunnetta ja vastaavia mielentiloja ilmaisevat verbit.

rakasta/a	vihat/a
+pelät/ä	+kaivat/a
kunnioitta/a	sur/ra
arvosta/a	valitta/a
katu/a	sääli/ä
kiittä/ä	harrasta/a
kiinnosta/a	huvitta/a

127

miellyttä/ä	moitti/a
arvostel/la	haukku/a
+loukat/a	syyttä/ä
+uhat/a	kiusat/a
liikutta/a	halat/a
silittä/ä	taputta/a

---

(2)(b) Tunneverbien objekti on partitiivissa.

Minä rakastan *sinu/a*!
Rakastan *tuo/ta mies/tä*.
Suomi kiinnostaa *minu/a*.
Pelkäätkö *koir/i/a*?
Halonen kiitti *hallitus/ta*.
Säälin *hän/tä*.
Janne kaipaa *jo/ta/kin uut/ta*.
***Minu/a* suututtaa tämä pelleily!**

On myös muita verbejä, jotka ovat merkitykseltään irresultatiivisia ja saavat siksi yleensä partitiiviobjektin.

jatka/a	puolusta/a
+verrat/a	seurat/a
ehdotta/a	tarkoitta/a
vastusta/a	vaikeutta/a
edusta/a	korosta/a
+ajatel/la	heikentä/ä

Ajattelen *sinu/a*.
Toimitusjohtaja jatkoi *toiminta/a*.
Joku seuraa *minu/a*.
Voiko *suome/a* verrata ruotsiin?
***Mi/tä* sinä tarkoitat?**
Heinäluoma edustaa *sosialidemokraatte/j/a*.

(3) Objekti on partitiivissa, kun se ilmaisee epämääräistä, tarkemmin
rajaamatonta määrää (jaollisissa sanoissa ja monikollisissa sanoissa).

Partitiiviobjekti
(epämääräinen paljous)
Ostan **jäätelö/ä.**
Simo juo **olut/ta.**
Opitko **suome/a?**
Näen **ihmis/i/ä.**
Tuula tapaa **viera/i/ta.**
Nieminen myy **metsä/ä.**

Akkusatiiviobjekti
(määräinen paljous)
Ostan **jäätelö/n.**
Simo juo **olue/n.**
Opin **suomen kiele/n.**
Näen **ihmise/t.**
Tuula tapaa **vieraa/t.**
Nieminen myy **metsä/n.**

§33.3 PARTITIIVIPREDIKATIIVI

PREDIKATIIVILLA tarkoitetaan sitä **ol/la**-verbiin liittyvää jäsentä, joka luon-
nehtii subjektin ominaisuuksia, esim. **nainen** ja **mukava** lauseissa **Jaana on
nainen** ja **Jaana on mukava.** Predikatiivin sijat ovat nominatiivi ja partitiivi,
harvemmin myös genetiivi (esim. **Auto on minu/n**). Kun predikatiivina on
adjektiivi, seuraavat säännöt pätevät.

Yksiköllinen adjektiivipredikatiivi on partitiivissa, kun subjektina on
jaollinen sana.

Maito on *valkois/ta.*
Rauta on *kova/a.*
Kahvi on *kuuma/a.*
Tämä on *merkillis/tä.*
Musiikki on *kaunis/ta.*
Rehellisyys on *harvinais/ta.*
Uiminen on *hauska/a.*

Jos subjekti on jaoton, predikatiivi on nominatiivissa.

Heidän koiransa on *valkoinen.*
Tämä pala on *kova.*

Kuppi on *kuuma*.
Hän on *omituinen*.
Autoni ei ole *kaunis*.

Adjektiivipredikatiivi on partitiivissa myös silloin, kun subjektina on infinitiivi tai sivulause, tai kun subjektia ei ole ollenkaan. Ilman lämpötilasta puhuttaessa predikatiivi on kuitenkin yleensä nominatiivissa.

On *ilmeis/tä,* että...
On *paras/ta* lähteä.
Luennolla oli *hauska/a*.
Täällä on *kylmä*.
Saunassa on liian *kuuma*.

Joidenkin adjektiivien kohdalla sekä nominatiivi että partitiivi käyvät predikatiivin sijana; usein nominatiivi on parempi.

Minun on *vaikea(a)* tulla.
Oli *hauska(a)* tutustua.
Ei ole *helppo(a)* päättää.

Jos subjekti on monikollinen, myös adjektiivipredikatiivin on oltava monikossa (kongruenssi), yleensä monikon partitiivissa. Mutta usein monikon nominatiivi käy yhtä hyvin; tämä muoto on pakollinen, jos subjektina on monikkosana (§22) tai jos käsite, johon subjekti viittaa, on selvästi alaltaan rajattu.

Oletteko *ilois/i/a*?
Omenat ovat *tanskalais/i/a*.
Nämä kirjat ovat *kalli/i/ta*.
Tulppaanit ovat *punais/i/a*.
He ovat *miellyttäv/i/ä*.
Voileivät ovat *hyv/i/ä*.

Yllä olevien kaltaisissa lauseissa myös nominatiivi on mahdollinen: **Nämä kirjat ovat kallii/t; Tulppaanit ovat punaise/t; Voileivät ovat hyvä/t.** Seuraavissa esimerkeissä nominatiivi on kuitenkin pakollinen; subjektina on joko monikkosana tai ruumiinjäseniä ilmaiseva sana.

Jalat ovat *likaise/t.*
Saappaat ovat *pitkä/t.*
Kasvot olivat *valkoise/t.*
Sakset ovat *terävä/t.*
Stereot ovat *uude/t.*

Myös substantiivit voivat predikatiivina olla joko nominatiivissa tai partitiivissa.

Substantiivipredikatiivi on partitiivissa, kun se ilmaisee aineen, ryhmän tai lajin epämääräistä joukkoa tai rajaamatonta määrää.

Oletteko *ruotsalais/i/a?*
Olemme *suomalais/i/a.*
He ovat *nais/i/a.*
Tuoli on *puu/ta.*
Paitani on *puuvilla/a.*
Aika on *raha/a.*
Tämä on *punaviini/ä.*

Muuten substantiivipredikatiivi on nominatiivissa, kun se on jaoton sana ja ilmaisee määräistä joukkoa tai rajattua määrää.

Seppo on *mies.*
Tämä on *auto.*
Ilkka Kaitila on *lääkäri.*
Tässä on *VIINI!*
Tässä ovat pyytämäsi *osoittee/t.*
Tässä ovat *lipu/t* **konserttiin.**

Huomaa lopuksi, että lauseen kielteisyys ei yleensä vaikuta predikatiivin sijaan.

Kuppi on *kuuma.*	**Kuppi ei ole** *kuuma.*
Sakset ovat *terävä/t.*	**Sakset eivät ole** *terävä/t.*
Tämä on *auto.*	**Tämä ei ole** *auto.*
Uiminen on *hauska/a.*	**Uiminen ei ole** *hauska/a.*

§33.4 PARTITIIVI MÄÄRÄN ILMAUKSISSA

Partitiivia käytetään määrän ilmauksissa, toisin sanottuna numeraalien jäljessä (kun nämä ovat nominatiivissa tai partitiivissa) sekä sellaisten sanojen jäljessä kuin **monta, paljon, vähän.**
Numeraalien (sanaa **yksi** lukuun ottamatta) jäljessä käytetään yksikön partitiivia.

> **yksi tyttö**
> **kaksi tyttö/ä**
> **viisi tyttö/ä**
> **neljä maa/ta**
> **yhdeksän vene/ttä**
> **kaksikymmentä kirja/a**
> **sata mies/tä**
> **monta nais/ta**

Muiden määrän ilmausten jäljessä käytetään jaollisista sanoista yksikön partitiivia ja jaottomista sanoista monikon partitiivia.

> **vähän maito/a**
> **vähän auto/j/a**
> **paljon olut/ta**
> **puoli tunti/a**
> **kuppi kuuma/a kahvi/a**
> **kaksi kuppi/a kylmä/ä tee/tä**
> **lasi punaviini/ä**
> **kilo omeno/i/ta**
> **kaksi kilo/a appelsiine/j/a**
> **joukko ihmis/i/ä**
> **pari kenk/i/ä**
> **pala leipä/ä**
> **levy suklaa/ta**

Jos numeraali-ilmaus on lauseen subjektina, finiittiverbi on yksikön 3. persoonassa.

Kaksi miestä *kulke/e* **kadulla.**
(*Vertaa*: **Miehet** *kulke/vat* **kadulla.**)
Neljä pääministeriä *kokoontu/u* **Helsinkiin.**
(*Vertaa*: **Pääministerit** *kokoontu/vat* **Helsinkiin.**)

Jos numeraali on muussa sijassa kuin nominatiivissa, koko numeraali-ilmauksen on oltava tässä sijassa (kongruenssi, §52.2).

Ajamme Helsinkiin *kahde/lla auto/lla.*
Minulla ei ole *kolme/a velje/ä.*
Kirjoitin kirjan *kuude/ssa viiko/ssa.*

§33.5 PARTITIIVI PRE- JA POSTPOSITIOIDEN YHTEYDESSÄ

On useita prepositioita ja joitakin postpositioita, joiden yhteydessä käytetään partitiivia, esim. prepositiot **lähellä, ilman, ennen, pitkin, kohti, vasten** ja postpositiot **kohtaan, varten** (§88–89).

Tuletko kotiin *ennen* **joulu/a?**
Pertti selviää *ilman* **auto/a.**
He kävelivät *pitkin* **silta/a.**
Tunnen sääliä sinu/a *kohtaan.*
Tä/tä *varten* **olemme tulleet.**

9
GENETIIVI, OMISTUSLIITTEET JA AKKUSATIIVI

- *Genetiivin muodostus*
- *Genetiivin käyttö*
- *Omistusliitteet*
- *Mikä on akkusatiivi?*
- *Akkusatiivin päätteet*
- *Objektinsijaiset määrän adverbiaalit*

Tässä luvussa käsitellään kahta sijaa, genetiiviä ja akkusatiivia, sekä omistusliitteitä, jotka muodostavat sijamuodoista erottuvan päätteiden luokan. Akkusatiivi ei oikeastaan ole yksi konkreettinen sijamuoto, vaan kokoava nimitys niille sijoille (nominatiivi, genetiivi, t-akkusatiivi), jotka objektin sijoina ovat vastakohdassa partitiiviin. Genetiivillä ja omistusliitteillä on kosketuskohtia toisiinsa, koska molemmat usein ilmaisevat omistusta.

§34 GENETIIVIN MUODOSTUS

§34.1 YKSIKÖN GENETIIVI

Yksikön genetiivin pääte on aina -n, joka liittyy taivutusvartaloon. Koska genetiivin pääte koostuu vain yhdestä konsonantista, se laukaisee yleensä astevaihtelun (heikon asteen) taivutusvartalossa (§15). Tämä ei koske e-loppuisia nomineja (§19) eikä tiettyjä konsonanttiloppuisia nomineja (§21), jossa heikko aste esiintyykin perusmuodossa ja yksikön partitiivissa ja vahva aste muissa sijamuodoissa.

> Yksikön genetiivin pääte on -n, joka liittyy taivutusvartaloon.

Perusmuoto	Genetiivi	Ks. §
Rauno	Rauno/n	–
puu	puu/n	–
Riikka	+Riika/n	–
Kaisu	Kaisu/n	–
teltta	+telta/n	–
tunti	+tunni/n	–
onni	onne/n	18.2
Suomi	Suome/n	18.2
saari	saare/n	18.3
tuli	tule/n	18.3
käsi	+käde/n	18.4
varsi	+varre/n	18.4
+laite	laittee/n	19
kone	konee/n	19
Järvinen	Järvise/n	21.1
toinen	toise/n	21.1
teos	teokse/n	21.2
+tehdas	tehtaa/n	21.3
taivas	taivaa/n	21.3
rakkaus	+rakkaude/n	21.4
puhelin	puhelime/n	21.5
+isätön	isättömä/n	21.6
sävel	sävele/n	21.7
mies	miehe/n	21.8
kevät	kevää/n	21.8

Jos nominin yksikön genetiivimuoto on tiedossa, siitä voidaan aina muodostaa taivutusvartalo poistamalla pääte -n. Useimmat muut sijamuodot muodostetaan liittämällä tarvittavat luku- ja sijapäätteet näin saatuun vartaloon.

§34.2 MONIKON GENETIIVI

Monikon genetiivi on suomen sijamuodoista mutkikkain. Yleisimmät päätteet ovat -den (joka voidaan aina korvata päätteellä -tten) ja -en, jotka liitetään yleensä monikkovartalon i-päätteen jälkeen (§16, 22). Joissain taivutustyypeissä käytetään myös päätettä -ten, joka liittyy yksikön konsonanttivartaloon (etenkin **ihminen**-sanoissa, §21.1). On usein hyödyllistä verrata monikon genetiivin muodostusta monikon partitiivin muodostukseen. Seuraavissa esimerkeissä sulkeissa oleva vaihtoehto on selvästi harvinaisempi kuin vaihtoehto, joka ei ole sulkeissa, esim. **ankkure/i/den** (~ **ankkuri/en**).

Monikon genetiivi muodostetaan päätteellä **-den**, jos monikon partitiivin pääte on **-ta** ~ **-tä** (siis jos taivutusvartalo päättyy kahteen vokaaliin, sekä joissakin yksitavuisissa sanoissa, §32.2).

Perusmuoto	Taivutusvartalo (yks. gen.)	Ks. §	Monikon partitiivi	Monikon genetiivi
maa	maa/n	–	ma/i/ta	ma/i/den
puu	puu/n	–	pu/i/ta	pu/i/den
vapaa	vapaa/n	–	vapa/i/ta	vapa/i/den
este	estee/n	19	este/i/tä	este/i/den
+peite	peittee/n	19	peitte/i/tä	peitte/i/den
+hammas	hampaa/n	21.3	hampa/i/ta	hampa/i/den
+hidas	hitaa/n	21.3	hita/i/ta	hita/i/den
korkea	korkea/n	–	korke/i/ta	korke/i/den
tärkeä	tärkeä/n	–	tärke/i/tä	tärke/i/den
asia	asia/n	–	asio/i/ta	asio/i/den
lukija	lukija/n	–	lukijo/i/ta	lukijo/i/den
tavara	tavara/n	–	tavaro/i/ta	tavaro/i/den
peruna	peruna/n	–	peruno/i/ta	peruno/i/den
ankkuri	ankkuri/n	–	ankkure/i/ta	ankkure/i/den (~ ankkuri/en)
kukkula	kukkula/n	–	kukkulo/i/ta	kukkulo/i/den

Pääte **-den** voidaan aina korvata päätteellä **-tten**.

Vertaa **ma/i/den** ~ **ma/i/tten, este/i/den** ~ **este/i/tten, korke/i/den** ~ **korke/i/tten** jne.

> Monikon genetiivi muodostetaan päätteellä -en, jos monikon parti-
> tiivin pääte on -a ~ -ä (siis jos taivutusvartalo päättyy konsonantin
> jälkeiseen lyhyeen vokaaliin, sekä joissakin monitavuisissa sanoissa,
> §32.2).

Perus-muoto	Taivutusvartalo (yks. gen.)	Ks. §	Monikon partitiivi	Monikon genetiivi
katto	+kato/n	17	katto/j/a	katto/j/en
karhu	karhu/n	17	karhu/j/a	karhu/j/en
kala	kala/n	20	kalo/j/a	kalo/j/en
muna	muna/n	20	mun/i/a	mun/i/en
isä	isä/n	20	is/i/ä	is/i/en
tunti	+tunni/n	18.1	tunte/j/a	tunti/en
lasi	lasi/n	18.1	lase/j/a	lasi/en
ovi	ove/n	18.2	ov/i/a	ov/i/en
kaikki	+kaike/n	18.2	kaikk/i/a	kaikk/i/en
kieli	kiele/n	18.3	kiel/i/ä	(kiel/i/en) ~ kiel/ten
sieni	siene/n	18.3	sien/i/ä	(sien/i/en) ~ sien/ten
käsi	+käde/n	18.4	käs/i/ä	käs/i/en
viisi	+viide/n	18.4	viis/i/ä	viis/i/en
ukkonen	ukkose/n	21.1	ukkos/i/a	(ukkos/i/en) ~ ukkos/ten
nainen	naise/n	21.1	nais/i/a	(nais/i/en) ~ nais/ten
kokous	kokoukse/n	21.2	kokouks/i/a	(kokouks/i/en) ~ kokous/ten
sormus	sormukse/n	21.2	sormuks/i/a	(sormuks/i/en) ~ sormus/ten
totuus	+totuude/n	21.4	totuuks/i/a	totuuks/i/en
vaikeus	+vaikeude/n	21.4	vaikeuks/i/a	vaikeuks/i/en
avain	avaime/n	21.5	avaim/i/a	avaim/i/en ~ avain/ten
+työtön	työttömä/n	21.6	työttöm/i/ä	työttöm/i/en
askel	askele/n	21.7	askel/i/a	(askel/i/en) ~ askel/ten
mies	miehe/n	21.8	mieh/i/ä	(mieh/i/en) ~ mies/ten
hedelmä	hedelmä/n	20	hedelm/i/ä	hedelm/i/en
sopiva	sopiva/n	20	sopiv/i/a	sopiv/i/en
hämärä	hämärä/n	20	hämär/i/ä	hämär/i/en
asema	asema/n	20	asem/i/a	asem/i/en
opettaja	opettaja/n	20	opettaj/i/a	opettaj/i/en

aurinko	+auringo/n	17	aurinko/j/a	aurinko/j/en
ammatti	+ammati/n	17	ammatte/j/a	ammatti/en
yksikkö	+yksikö/n	17	yksikkö/j/ä	yksikkö/j/en

Monissa kolmi- tai useampitavuisissa sanoissa päätteet -den (-tten) ja -en ovat kumpikin mahdollisia; joissakin sanoissa astevaihtelu vaikuttaa eri tavoin näiden päätteiden kanssa: +yksikö/i/den ~ yksikkö/j/en, +ammate/i/ den ~ ammatti/en, ankkure/i/den ~ ankkuri/en.

Joskus monikon genetiivi voidaan vaihtoehtoisesti muodostaa päätteellä -ten, joka liittyy konsonanttiloppuiseen perusmuotoon (§32.1, ryhmä (c)) tai konsonanttivartaloon, joka on muodostunut loppuvokaalin kadottua (§32.1, ryhmä (b)). Näiden sanojen yksikön partitiivin pääte on aina -ta ~ -tä. Erityisen yleinen tämä pääte on ihminen-sanoilla (§21.1). Kuten edellisistä ja seuraavista esimerkeistä näkyy, genetiivin -ten-pääte on muita vaihtoehtoja yleisempi monissa sellaisissa sanoissa, joiden perusmuoto päättyy konsonanttiin. Seuraavan taulukon kahdessa genetiivisarakkeessa suluissa olevat muodot ovat selvästi harvinaisempia kuin niiden vastineet, jotka eivät ole suluissa.

Jos yksikön partitiivin pääte on -ta ~ -tä, monikon genetiivi muodostetaan päätteellä -ten, joka lisätään samaan konsonanttivartaloon.

Perusmuoto	Taivutusvartalo (yks. gen.)	Vrt. §	Monikon genetiivi	Tai (usein harvinainen)
kieli	kiele/n	18.3	kiel/ten	~ (kiel/i/en)
pieni	piene/n	18.3	pien/ten	~ (pien/i/en)
nuori	nuore/n	18.3	nuor/ten	~ (nuor/i/en)
nainen	naise/n	21.1	nais/ten	~ (nais/i/en)
ruotsalainen	ruotsalaise/n	21.1	ruotsalais/ten	~ (ruotsalais/i/en)
ostos	ostokse/n	21.2	ostos/ten	~ (ostoks/i/en)
+hammas	hampaa/n	21.3	(+hammas/ten)	~ hampa/i/den
kallis	kallii/n	21.3	(kallis/ten)	~ kalli/i/den
puhelin	puhelime/n	21.5	puhelin/ten	~ puhelim/i/en
askel	askele/n	21.7	askel/ten	~ (askel/i/en)
mies	miehe/n	21.8	mies/ten	~ (mieh/i/en)

Persoonapronominien me, te, he mon. genetiivit ovat me/i/dän, te/i/dän, he/i/dän (§54), genetiivin päätteenä siis -dän.

§35 GENETIIVIN KÄYTTÖ

Genetiivi ilmaisee usein omistajaa, kuulumista jollekulle tai johonkin, tai alkuperää.

Maj/n velje/n **nimi on Max.**
Hanna/n **auto on keltainen.**
Ihmise/n **elämä on lyhyt.**
Kaarle Kustaa on *ruotsalais/ten* **kuningas.**
Oletko juonut *Aura/n* **olutta?**
Mies/ten **vaatteet ovat pohjakerroksessa.**
Öljyma/i/den **politiikka kovenee.**
Verkkosivu/j/en **sisältö on muuttunut.**

Suomen kielelle ovat tyypillisiä seuraavanlaiset genetiivi-ilmaukset, joita monissa Euroopan kielissä vastaavat prepositiorakenteet, adjektiivirakenteet tai yhdyssanat.

> **Turu/n kaupunki**
> **Helsingi/n yliopisto**
> **englanni/n kieli**
> **Venäjä/n ulkoministeri**
> **Summa/n taistelut**
> **Niemise/n perhe**
> **Virtase/n Reino**
> **Lapi/n mies**
> **maido/n hinta**
> **Suome/n kansa**
> **Pohjoisma/i/den neuvosto**
> **Ranska/n vallankumous**
> **kadu/n mies**
> **ruotsi/n kiele/n opettaja**
> **Espanja/n matka**

Genetiivi esiintyy subjektin sijana tiettyjen välttämättömyyttä tai pakkoa ilmaisevien verbien kanssa (**täytyy, on pakko,** jne.) sekä joidenkin merkitykseltään modaalisten verbien kanssa (esim. **kannattaa, sopii, onnistuu, kuuluu**). Verbi on tällöin yksikön 3. persoonassa, eikä sitä voi muuttaa passiiviin.

Minu/n täytyy lähteä.
He/i/dän täytyy lähteä.
Saksalais/ten täytyy lähteä.
Suome/n kannattaa yrittää.
Ahose/n onnistui voittaa.
Mies/ten on pakko poistua.
Sinu/n ei pidä uskoa kaikkea.
Me/i/dän kuuluu huolehtia turvallisuudesta.

(Perinteisessä suomen kieliopissa näitä genetiivejä ei aina analysoida subjekteiksi, vaan datiiviadverbiaaleiksi. Suomen subjektin kaksi perussijaa ovat nominatiivi ja partitiivi (§31, 33).)

Genetiivi esiintyy subjektin (perinteisesti: datiiviadverbiaalin) sijana myös sellaisissa ilmauksissa kuin **on hyvä, on paha, on helppo, on vaikea** ja **on hauska.**

Minu/n on hyvä olla.
Mati/n oli hauska päästä juhliin.
Suomalais/ten oli paha palata.
Minu/n on vaikea käsittää sitä.
Laura/n oli helppo ryhtyä yrittäjäksi.
Mikä *Terhi/n* on?

Myös monien partisiippi- ja infinitiivirakenteiden subjekti on genetiivissä.

Talve/n tullessa...
Kesä/n tultua...
kaikk/i/en tuntema näyttelijä
Näin *Johanna/n* tulevan.
Huomasin *Eero/n* tulleen.

Lisäksi monet postpositiot vaativat edussanansa taivuttamista genetiivissä (ks. myös §89).

sohva/n̲ *alla*
kesä/n̲ *aikana*
auto/n̲ *jäljessä*
huonee/n̲ *keskellä*

+äidi/n *luo*
Tuomioja/n *mielestä*
talo/n *sisällä*
raha/n *tähden*
isä/n *vieressä*
tämä/n *yhteydessä*
aukio/n *ympärillä*

§36 OMISTUSLIITTEET

Suomessa ei ole varsinaisia itsenäisiä possessiivipronomineja, jotka ilmaisisivat eri kieliopillisten persoonien omistajuutta; näitä vastaavat sen sijaan persoonapronominien genetiivimuodot.

minä	minu/n
sinä	sinu/n
hän	häne/n
me	me/i/dän
te	te/i/dän
he	he/i/dän

Lisäksi omistettua asiaa ilmaisevaan sanaan on liitettävä erityinen pääte (omistusliite), joita on yksi jokaista persoonan ja luvun yhdistelmää varten (kongruenssi; yksikön ja monikon 3. persoonalla on kuitenkin sama pääte).

	Yksikkö	*Monikko*
1. persoona	-ni	-mme
2. persoona	-si	-nne (mon., kohtelias yks.)
3. persoona	-nsa ~ -nsä	-nsa ~ -nsä

---

1. ja 2. persoonan genetiivimuotoiset persoonapronominit voidaan jättää pois, kun ne esiintyvät yhdessä omistusliitteen kanssa.

(minun) velje/<u>ni</u>
(minun) äiti/<u>ni</u>
(sinun) sisare/<u>si</u>
hänen poika/<u>nsa</u>
hänen isä/<u>nsä</u>
(meidän) talo/<u>mme</u>
(meidän) perhee/<u>mme</u>
(teidän) paikka/<u>nne</u>
(teidän) kirja/<u>nne</u>
heidän talo/<u>nsa</u>
heidän ystävä/<u>nsä</u>

1. ja 2. persoonan pronominien poisjättäminen on erityisen yleistä, kun persoona on sama kuin lauseen subjektilla ja omistusilmaus on lauseessa jossain toisessa tehtävässä (esim. objektina).

Otan *kännykkä/ni.*
Myyttekö *auto/nne?*
Löydätkö *avaime/si?*
Teemme *parhaa/mme.*
Emme muuta *asunno/sta/mme.*

3. persoonan pronominit voidaan yleensä jättää pois vain, kun ne viittaavat samaan tarkoitteeseen kuin lauseen subjekti; tällöin rakenne vastaa monien muiden kielten possessiivi- tai refleksiivipronomineja.

Hän ajaa *auto/nsa* kotiin.
Suvi ajaa *auto/nsa* kotiin.
He juovat *olue/nsa.*
Miehet juovat *olue/nsa.*
Presidentti lähtee *linna/a/nsa.*

Vertaa seuraaviin lauseisiin, joissa 3. persoonan pronomini ei viittaa lauseen subjektiin.

Mika ajaa *hänen auto/nsa* kotiin.
Amerikkalaiset tapaavat *heidän edustaja/nsa.*

Sanan rakenteessa omistusliitteet ovat aina sijapäätteiden jäljessä, mutta ennen liitepartikkeleita.

auto/lla/ni
auto/sta/si
maa/ta/mme
poika/nne/kin
+äidi/ltä/ni/hän
isä/lle/si/kö?

Kun omistusliite on sellaisen sijapäätteen jäljessä, joka päättyy konsonanttiin, tapahtuu seuraava äännevaihtelu:

Sijapäätteen loppukonsonantti katoaa, kun sitä seuraa omistusliite.

Tämä katoaminen koskee etenkin yksikön genetiivin päätettä -n, monikon genetiivin päätteitä -iden ~ -itten ~ -en ~ -ten, monikon nominatiivin päätettä -t ja illatiivin päätteitä -Vn ~ -hVn ~ -seen ~ -siin.

Kanta + sija	Kanta + sija + omistusliite
laiva/n	laiva/ni
+tytö/n	tyttö/mme
talo/t	talo/nne
+lauku/t	laukku/si
auto/on	auto/o/ni
maa/han	maa/ha/nsa

Loppukonsonantin katoamisen takia useista sijamuodoista tulee samannäköisiä omistusliitteen edessä: nämä ovat yksikön ja monikon nominatiivi sekä yksikön genetiivi. Omistusliitteelliset yks. illatiivi ja partitiivi ovat samannäköiset a-, ä-vartaloisilla nomineilla: **olen rakastunut *poikaasi*** (illat.) – **hän ei tunne *poikaasi*** (part.).

Veneeni on uusi.
Veneeni ovat uudet.
Veneeni nimi on Tarantella.
Oletko nähnyt *veneeni?*

Huomaa verbin kongruenssi, joka erottaa ensimmäiset kaksi lausetta toisistaan (toisaalta **on**, toisaalta **ovat**).

Edellä sanotun perusteella on selvää, että suoraan omistusliitteen edessä ei ole astevaihtelua; ks. **laukku**-substantiivin taivutusta.

(minun) lau<u>kk</u>u/ni	(meidän) lau<u>kk</u>u/mme
(sinun) lau<u>kk</u>u/si	(teidän) lau<u>kk</u>u/nne
hänen lau<u>kk</u>u/nsa	heidän lau<u>kk</u>u/nsa

Loppukonsonantin kadon takia esimerkiksi **(minun) laukku/ni** voi tarkoittaa 'minun yksi laukkuni' (yks. nom.), 'minun useat laukkuni' (mon. nom.) ja 'minun yhden laukkuni' (yks. gen.).

Yksikön nominatiivissa omistusliite liitetään aina taivutusvartaloon.

Perusmuoto	Taivutusvartalo + omistusliite	Ks. §
ovi	ove/<u>mme</u>	18.2
ääni	ääne/<u>si</u>	18.3
käsi	käte/<u>ni</u>	18.4
kone	konee/<u>nne</u>	19
lautanen	lautase/<u>nsa</u>	21.1
kysymys	kysymykse/<u>si</u>	21.2
kirves	kirvee/<u>nsä</u>	21.3

Jos 3. persoonan omistusliite esiintyy sellaisen sijapäätteen jäljessä, joka päättyy lyhyeen vokaaliin, se saa yleensä muodon -**Vn** (vokaali + n), jossa vokaali on sama kuin välittömästi edeltävä vokaali. Joskus tällaisten muotojen kanssa saattaa esiintyä myös pääte -**nsa** ~ -**nsä**, jota muutoin käytetään aina niiden sijapäätteiden kanssa, jotka eivät pääty lyhyeen vokaaliin.

> heidän talo/ssa/<u>an</u>
> hänen auto/lla/<u>an</u>
> heidän isä/lle/<u>en</u>
> hänen äidi/ltä/<u>än</u>
> äiti/ä/<u>än</u>
> pää/tä/<u>än</u>
> maa/ta/<u>an</u>

Vertaa seuraaviin muotoihin, joissa 3. persoonan omistusliitteen edellä ei ole lyhyeen vokaaliin päättyvää sijapäätettä.

heidän talo/o/<u>nsa</u>
hänen auto/<u>nsa</u>
heidän isä/ä/<u>nsä</u>
hänen äiti/<u>nsä</u>

§37 MIKÄ ON AKKUSATIIVI?

Akkusatiivi ei ole yhtenäinen morfologinen sijamuoto, vaan kokoava nimitys eräille muille sijoille, kun nämä esiintyvät lauseen objektin sijana. Kyseiset sijat ovat yksikön nominatiivi, jolla ei tietenkään ole päätettä (Ø); yksikön genetiivi, jonka pääte on -**n**; persoonapronominien omaperäinen akkusatiivin pääte -**t** (joka vielä monikossa on -**dät**, §54); ja monikon nominatiivin -**t**. Akkusatiivi, toisin sanoen äsken mainitut sijat, on objektin sijana vastakohta partitiiville.

Kun pitää ratkaista objektin sija, on aina ensin tarkistettava, täyttyykö jokin partitiivin ehdoista (§33.2); mikäli näin on, objektin sijana on käytettävä partitiivia. Partitiivi on siis objektin sijana "vahvempi" kuin akkusatiivi. Vasta tämän jälkeen, jos mikään partitiiviobjektin ehdoista ei päde, voidaan ryhtyä ratkaisemaan, mikä akkusatiivin päätteistä tulee kysymykseen.

Objekti on partitiivissa, jos jokin partitiiviehdoista (§33.2) täyttyy; jos ei, objekti saa päätteekseen jonkin akkusatiivin päätteistä (Ø, -**n**, -**t**).

Partitiiviobjekti esiintyy kolmessa tapauksessa: (a) kieltolauseissa, (b) kun verbin ilmaisema toiminta on irresultatiivista eli tuloksetonta ja (c) kun objekti ilmaisee epämääräistä määrää.

(a) **En tunne** *tuo/ta mies/tä.*
Jari ei lue *sanomalehte/ä.*
(b) **Piia lukee** *hyvä/ä kirja/a.*
He katsovat *ottelu/a.*
(c) **Opiskelemme** *suomen kiel/tä.*
Ostatteko *ruoka/a?*

Akkusatiivi tulee objektin sijana kysymykseen vain, jos (a) lause on myönteinen ja lisäksi (b) verbin ilmaisema toiminta on resultatiivista eli tuloksellista tai (c) objektisana ilmaisee kokonaisuutta tai määräistä paljoutta. Tapauksessa (c) akkusatiivia voi verrata nominatiiviin, kun tämä esiintyy subjektin sijana (§31).

Akkusatiivi ilmaisee

(a) resultatiivista toimintaa
(b) kokonaisuutta tai määräistä joukkoa tai rajattua määrää
    myönteisissä lauseissa.

	Akkusatiiviobjekti	*Partitiiviobjekti*
(a)	**Katja kirjoittaa *sähköposti/n*.**	**Katja kirjoittaa *sähköposti/a*.**
	Hän kantoi *kassi/n* kotiin.	**Hän kantoi *kassi/a*.**
	Suurensin *valokuva/n*.	**Suurensin *valokuva/a*.**
(b)	**Ostin *leivä/n*.**	**Ostin *leipä/ä*.**
	Syötkö *kala/n?*	**Syötkö *kala/a?***
	Tunnen *ruotsalaise/t*.	**Tunnen *ruotsalais/i/a*.**

Akkusatiivin päätteillä Ø, -n ja -t on kaikilla nämä perusmerkitykset. Seuraavassa jaksossa käsitellään tekijöitä, joiden perusteella määräytyy, milloin mitäkin näistä päätteistä käytetään.

§38 AKKUSATIIVIN PÄÄTTEET

Milloin mikäkin akkusatiivin pääte esiintyy? Voidaan esittää kolme sääntöä:

---

(1) -t esiintyy objektin sijana
    (a) monikossa
    (b) persoonapronomineilla ja pronominilla **kuka** yksikössä,
        monikossa -**dät**.

---

(1)(a)　Luen *artikkeli/t.*
Kansa valitsee *kansanedustaja/t.*
Otan *monistee/t* mukaani.
Isä vie *lapse/t* tarhaan.
Vie *lapse/t* tarhaan.
Lapse/t vietiin tarhaan.
Tunnetko *nämä yritykse/t?*
Eeva avasi *ikkuna/t.*
Tämä ohjelma poistaa *kaikki virukse/t.*
Hallitus korvaa *vahingo/t.*
Huomenna ostan *uude/t kengä/t.*
Minun täytyy ostaa *kirja/t.*

Monikon -t:n käyttö noudattaa näissä tapauksissa samoja sääntöjä kuin subjektin monikon -t (§31).

Toimiessaan objektina persoonapronominit ja pronomini **kuka** saavat yksikössä päätteen -**t**, monikossa päätteen -**dät**: **minu/t, sinu/t, häne/t, kene/t; me/i/dä/t, te/i/dä/t, he/i/dät,** (**ke/i/dät**). **Kuka**-pronominin mon. akkusatiivi on yleensä **ke/t/kä** (§56).

(1)(b)　Risto vei *minu/t* elokuviin.
Vie *minu/t* elokuviin!
Oletko nähnyt *häne/t?*
Te/i/dät otetaan pian vastaan.
Saatanko *sinu/t* kotiin?
Kyllä Tuula tuntee *he/i/dät.*
Tuo *häne/t* tänne!
Minu/t vietiin elokuviin.
Kene/t näit?

Mikäli objekti on *yksikössä* (eikä ole jokin persoonapronomineista **minä : minu/t, sinä : sinu/t, hän : häne/t**), on kaksi eri vaihtoehtoa. Joissain tapauksissa päätteenä on -**n**, ja joissain tapauksissa päätettä ei ole lainkaan (Ø). Yksikkömuotoinen objekti on päätteetön, jos predikaattiverbi on 1. tai 2. persoonan imperatiivimuodossa tai passiivissa, tai jos se on sellainen pakkoa ilmaiseva verbi, jonka subjekti on genetiivissä (§35). Kaikissa muissa tapauksissa yksikkömuotoinen objekti saa päätteen -**n**.

(2) Yksikkömuotoinen akkusatiiviobjekti

(a) saa useimmiten päätteen -**n**
(b) on päätteetön 1. ja 2. persoonan imperatiivissa, passiivissa ja
eräiden pakkoa ilmaisevien verbien yhteydessä

(Minä) ostan *digikamera/n*.
Tunsitko *Olli Nuutise/n?*
Isä vie *lapse/n* tarhaan.
Sylvi avaa *ikkuna/n*.
Join *kupi/n* kahvia ja söin *leivokse/n*.
Hallitukse/n muodostaa Matti Vanhanen.
Ilkka ostaa *sormukse/n* vaimolleen.
Anu Järvelä saa *paika/n*.
Poliisit pysäyttävät *liikentee/n*.
Kristillisdemokraatit esittävät *uude/n ehdotukse/n*.
Rakennamme *voimala/n* Tampereelle.
Osta *lehti!*
Ostakaa *lehti!*
Ostakaamme *lehti!*
Kirjoita *sähköposti* loppuun!
Viekää *koira* pois!
Ostettiin *kirja*.
Ostetaan *kirja*.
Koira vietiin pois.
Onko *artikkeli* kirjoitettu loppuun?
Kalle Nieminen nähtiin viimeksi Kuopiossa.
Minun täytyy ostaa *kirja*.
Sinun on pakko lähettää *sähköposti* tänään.
Nyt *koira* on vietävä ulos.
Teidän pitäisi tavata *Raija*.
Meidän täytyy hyväksyä *tämä*.

Kolmas tärkeä akkusatiivisääntö koskee numeraaleja:

(3) Numeraalit (paitsi **yksi**) ovat akkusatiivissa päätteettömiä. Poikkeuksen muodostavat monikossa taipuvat numeraali-ilmaukset (§52.2), jotka saavat normaalin monikon akkusatiivin päätteen **-t**.

Kadulla näin *kolme* ihmistä.
Saanko *kaksi* tuoppia olutta?
Ritva söi *kuusi* appelsiinia.
Kansa valitsee *kaksisataa* kansanedustajaa.

Mutta:

Saanko *yhde/n kupi/n* kahvia?
Reijo lainaa *yhde/n kirja/n.*
Ostin *kahde/t housu/t.*
Otin mukaan *viide/t suka/t.*

Loppukonsonantin katoamisen takia tietyt muodot ovat samannäköisiä (§36):

Ilman omistusliitettä
Ostin *auto/n.*
Ostin *auto/t.*
Ostin *auto/n* moottorin.

Omistusliitteen kanssa
Ostin *auto/ni.*
Ostin *auto/ni.*
Ostin *auto/ni* moottorin.

Lopuksi on korostettava, että partitiivisäännöt menevät aina akkusatiivisääntöjen edelle. Esimerkiksi kieltolauseissa objekti on aina partitiivissa riippumatta siitä, missä muodossa vastaavan myönteisen lauseen akkusatiiviobjekti olisi (§33.2).

Myönteinen (akkusatiivi)
Luen *kirja/t.*
Tunnen *nämä yritykse/t.*
Risto vie *minu/t* elokuviin.
Näen *häne/t.*
Ostan *kirja/n.*
Johanna Ratia saa *paika/n.*

Kielteinen (partitiivi)
En lue *kirjo/j/a.*
En tunne *nä/i/tä yrityks/i/ä.*
Risto ei vie *minu/a* elokuviin.
En näe *hän/tä.*
En osta *kirja/a.*
Tyyne Nyrkiö ei saa *paikka/a.*

Sinun on pakko lähettää
sähköposti tänään.
Pertti ostaa *neljä* lippua.
Juotko *kaksi* kuppia kahvia?

Sinun ei ole pakko lähettää
sähköposti/a tänään.
Pertti ei osta *neljä/ä* lippua.
Etkö juo *kah/ta* kuppia kahvia?

§39 OBJEKTINSIJAISET MÄÄRÄN ADVERBIAALIT

On joitakin määrän ilmauksia, jotka muistuttavat objekteja sikäli, että ne saavat partitiivin tai akkusatiivin päätteet tavallisten objektisääntöjen mukaan. Nämä ilmaukset vastaavat esim. kysymyksiin 'kuinka kauan', 'kuinka pitkän matkan', 'montako kertaa' ja 'monennenko kerran'.

Olen ollut Suomessa *viiko/n.*
En ole ollut Suomessa *viikko/a.*
Ole Suomessa *viikko!*
Suomessa ollaan *viikko.*
Viren juoksee *kilometri/n.*
Viren ei juokse *kilometri/ä.*
Juokse *kilometri!*
Olen nähnyt hänet *kaksi kerta/a.*
En ole nähnyt häntä *kah/ta kerta/a.*
Voitin kilpailun *kolma/nne/n kerra/n.*
En sano tätä enää *tois/ta kerta/a.*

10
KUUSI PAIKALLISSIJAA

- *Yleistä*
- *Inessiivi*
- *Elatiivi*
- *Illatiivi*
- *Adessiivi*
- *Ablatiivi*
- *Allatiivi*
- *Muutosverbit*
- *Paikannimet*

§40 YLEISTÄ

Suomen kielen viidestätoista sijasta kuusi muodostaa oman osajärjestelmänsä siksi, että niiden perustehtävänä on ilmaista *paikkaa* ja *suuntaa*. Tähän tärkeään paikallissijojen joukkoon kuuluvat inessiivi **-ssa** ~ **-ssä**, elatiivi **-sta** ~ **-stä**, illatiivi **-Vn** ~ **-hVn** ~ **-seen** ~ **-siin** (missä **V** tarkoittaa vokaalia, joka on sama kuin lähin edeltävä vokaali), adessiivi **-lla** ~ **-llä**, ablatiivi **-lta** ~ **-ltä** ja allatiivi **-lle.**

Paikallissijajärjestelmä on rakenteeltaan kaksiulotteinen. Toinen ulottuvuus on paikka: onko jokin 'sisäpuolella' (tai välittömässä kosketuksessa) vai 'ulkopuolella'. Toinen ulottuvuus puolestaan on suunta: onko jokin 'paikallaan', liikkuuko se 'kohti jotakin' vai onko se matkalla 'poispäin jostakin'. Kuusi paikallissijaa voidaan järjestää seuraavalla tavalla; kaavioon on otettu kustakin päätteestä vain yksi muunnos.

		Paikka	
		Sisäpuolella	Ulkopuolella
	Paikallaan	**-ssa**	**-lla**
Suunta	Poispäin	**-sta**	**-lta**
	Kohti	**-Vn**	**-lle**

Paikallissijojen käyttöä havainnollistaa alla oleva talokaavio; x ilmaisee 'paikallaanoloa'.

On syytä muistaa, että paikallissijoilla on monia muitakin merkitystehtäviä kuin puhtaasti paikkaa tai suuntaa ilmaisevat. Jotkin niistä voivat ilmaista esim. aikaa, syytä, välinettä tai tapaa.

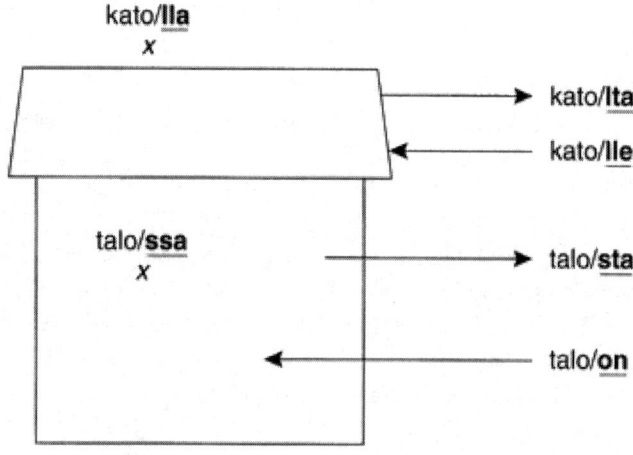

§41 INESSIIVI

Inessiivin pääte on **-ssa** ~ **-ssä**; yksikössä tämä liitetään suoraan taivutusvartaloon (§18–21) ja monikossa taivutusvartaloon liitetyn **i**-päätteen perään (§22). Koska inessiivin pääte alkaa kahdella konsonantilla, astevaihtelusäännöt toimivat tavalliseen tapaan (§15). **Vene**-sanoissa (§19) ja sanoissa, joiden perusmuoto päättyy konsonanttiin (§21), taivutusvartalossa on vahva aste.

Inessiivin perusmerkitys on 'sijainti jonkin sisäpuolella', joskus 'välitön kosketus'. *dirëllke· Beröhrung*

Perusmuoto	Yksikön inessiivi	Monikon inessiivi
talo	talo/ssa	talo/i/ssa
puu	puu/ssa	pu/i/ssa
maa	maa/ssa	ma/i/ssa
tunti	+tunni/ssa	+tunne/i/ssa
kivi	kive/ssä	kiv/i/ssä
käsi	+käde/ssä	käs/i/ssä
+liike	liikkee/ssä	liikke/i/ssä
nainen	naise/ssa	nais/i/ssa
ajatus	ajatukse/ssa	ajatuks/i/ssa
syvyys	+syvyyde/ssä	syvyyks/i/ssä
avain	avaime/ssa	avaim/i/ssa

On melko harvinaista, että inessiivillä ilmaistaan 'välitöntä kosketusta'. On kuitenkin eräitä tavallisia tällaisia ilmauksia.

Minulla on sukat *jala/ssa.*
Eevalla on hansikkaat *käde/ssä.*
Venee/ssä on kaksi mastoa.
Housu/i/ssa on taskut.
Onko sinulla hattu *pää/ssä?*
Laiva on *laituri/ssa.*

Inessiivi on yleinen ajan ilmauksissa, jolloin se ilmaisee aikaa, jonka kuluessa tekeminen tapahtuu.

Luin kirjan *tunni/ssa.*
Pimenee *kymmene/ssä minuuti/ssa.*
Hän luki lääkäriksi *viide/ssä vuode/ssa.*
Päivä/ssä pääsee Helsingistä Utsjoelle.
Tulen Norjaan *ensi kuu/ssa.*
Käyn kuntosalilla kolme kertaa *viiko/ssa.*
Hän polttaa kymmenen savuketta *päivä/ssä.*

Joskus inessiivi ilmaisee ainetta, jonka peitossa jokin on.

Talo on *tule/ssa*.
Nenä oli *vere/ssä*.
Aurajoki on *jää/ssä*.
Lasi on *huurtee/ssa*.

Kongruenssisäännöt toimivat tavalliseen tapaan: pronomini- ja adjektiivi-
määritteet taipuvat samassa sijassa ja luvussa kuin edussana (§26.1).

iso/ssa talo/ssa
tä/ssä talo/ssa
piene/ssä auto/ssa
iso/i/ssa talo/i/ssa
tavallise/ssa liikkee/ssä
tavallis/i/ssa liikke/i/ssä
toise/ssa maa/ssa
tois/i/ssa ma/i/ssa

§42 ELATIIVI

Elatiivin pääte on **-sta ~ -stä**, joka inessiivin tapaan liittyy yksikössä taivutus-
vartaloon (§18–21) ja monikossa taivutusvartaloon liitetyn **i**-päätteen pe-
rään (§22). Pääte laukaisee astevaihtelun (§15). Elatiivin perusmerkitys on
'ulos sisäpuolelta'.

> Elatiivin perusmerkitys on 'ulos sisäpuolelta', joskus 'alkuperä' tai
> 'suunta pois pintakosketuksesta'.

Perusmuoto	*Yksikön elatiivi*	*Monikon elatiivi*
talo	talo/sta	talo/i/sta
maa	maa/sta	ma/i/sta
kivi	kive/stä	kiv/i/stä
vesi	+vede/stä	ves/i/stä
ihminen	ihmise/stä	ihmis/i/stä
+tiede	tietee/stä	tiete/i/stä

Seuraavat esimerkkilauseet havainnollistavat elatiivin perusmerkitystä.

Noora nousee *sängy/stä* kello kahdeksan.
Noudan paketin *posti/sta.*
Mi/stä Aki tulee?
Sari tulee *Kemi/stä.*
Nousemme *juna/sta* pääteasemalla.
Älä juo maitoa *tölki/stä!*
Laura tulee *koulu/sta.*
Murhaaja pakeni *vankila/sta.*
Vesi loppuu *kaivo/sta.*
Kirja/sta puuttuu viimeinen sivu.
Moottoripyörä/stä puhkesi rengas.
Tulen *hammaslääkäri/stä.*
Mi/stä löysit avaimesi?
Otan hatun *pää/stä/ni.*
Jyväskylä/stä Helsinkiin
Johtaja on palannut *Brasilia/sta.*
Kävelin suoraan *ove/sta* ulos.
Luin uutisen *lehde/stä.*
Televisio/sta ei tule tänään mitään kiinnostavaa.

Elatiivia käytetään usein myös tiettyjen verbien jälkeen esiintyvien objekti-maisten adverbiaalien sijana (vertaa englannin *tell about* ja suomen **kerto/a** + elatiivi, kuten ensimmäisessä esimerkissä alla). Näitä verbejä ovat mm. puhumista, kirjoittamista, ajattelemista, ymmärtämistä, pitämistä ja tunte-mista ilmaisevat verbit.

Pentti kertoo *matka/sta/an.*
Hän puhuu *kokemuks/i/sta/an.*
Mitä ajattelet *Niinistö/stä?*
Mitä luulet *tä/stä?*
En pidä *musta/sta kahvi/sta.*
Minä pidän *Liisa/sta.*
Mi/stä sen tiedät?

Elatiivi voi myös ilmaista valmistusainetta, alkuperää, aihetta ja syytä.

Pöytä on tehty *puu/sta.*
Teen puvun *satiini/sta.*
Häne/stä tulee lääkäri.
isä/stä poikaan
kolme/sta neljään kilometriä
Witold on *Puola/sta.*
Tuomittiinko hänet *petokse/sta?*
Hän on ohjannut dokumentin *ilmastonmuutokse/sta.*
Lapsi itkee *pelo/sta.*
Hän hymyili *onne/sta.*
Mi/stä syy/stä Suvi lähti?

Huomaa myös seuraavat elatiivin tehtävät:

kaksi *te/i/stä*
viisi *nais/i/sta*
kuusi *kymmene/stä*
Hän on yksi *me/i/stä.*
Kiitos *ruua/sta.*
Maksoin 60 euroa *taki/sta.*
Minu/sta hän on sairas.
aamu/sta iltaan
Hän on ollut täällä *viime vuode/sta.*

Kongruenssisäännöt toimivat tavalliseen tapaan (§26.1):

piene/<u>stä</u> asunno/<u>sta</u>
varhaise/<u>sta</u> aamu/<u>sta</u>
tä/<u>stä</u> auto/<u>sta</u>
mu/i/<u>sta</u> ma/i/<u>sta</u>

§43 ILLATIIVI

Illatiivilla on kolme eri päätettä: -**Vn** ja -**hVn** (joissa **V** on aina samanlainen kuin lähin edeltävä vokaali) sekä -**seen**. Monikon illatiivissa esiintyy toisinaan myös pääte -**siin**. Illatiivipäätteen edessä ei ole astevaihtelua (§15.2). Perusmerkitys on 'sisään'.

> Illatiivin perusmerkitys on '(suunta) sisään', joskus 'muutoksen tai liikkeen päätepiste'.

Pääte -**Vn** esiintyy sellaisten taivutusvartaloiden jäljessä, jotka päättyvät lyhyeen vokaaliin (myös monikossa; jos monikon vartalo päättyy kahteen vokaaliin, päätteenä on -**hVn**).

Perusmuoto	Yksikön illatiivi	Monikon illatiivi
talo	talo/on	talo/i/hin
koulu	koulu/un	koulu/i/hin
kaupunki	kaupunki/in	kaupunke/i/hin
lehti	lehte/en	leht/i/in
kivi	kive/en	kiv/i/in
käsi	käte/en	käs/i/in
meri	mere/en	mer/i/in
kunta	kunta/an	kunt/i/in
ihminen	ihmise/en	ihmis/i/in
ajatus	ajatukse/en	ajatuks/i/in
avain	avaime/en	avaim/i/in
korkea	korkea/an	korke/i/siin (-hin)
sairaala	sairaala/an	sairaalo/i/hin

Pääte -**hVn** esiintyy yksitavuisten taivutusvartaloiden jäljessä (sekä yksikössä että monikossa) ja sellaisten monikon vartaloiden jäljessä, jotka päättyvät kahteen vokaaliin.

Perusmuoto	Yksikön illatiivi	Monikon illatiivi
maa	maa/han	ma/i/hin
tie	tie/hen	te/i/hin

työ	työ/hön	tö/i/hin
suu	suu/hun	su/i/hin
tämä	tä/hän	nä/i/hin
tuo	tuo/hon	no/i/hin
joka	jo/hon	jo/i/hin
mikä	mi/hin	mi/hin
pullo	pullo/on	pullo/i/hin
kala	kala/an	kalo/i/hin
vaikea	vaikea/an	vaike/i/siin (-hin)
purkki	purkki/in	purkke/i/hin

Pääte -**seen** esiintyy sellaisten monitavuisten taivutusvartaloiden jäljessä, jotka päättyvät pitkään vokaaliin; monikon illatiivin pääte on tällöin joko -**siin** tai -**hin**.

Perusmuoto	*Yksikön illatiivi*	*Monikon illatiivi*
vapaa	vapaa/seen	vapa/i/siin (-hin)
harmaa	harmaa/seen	harma/i/siin (-hin)
perhe	perhee/seen	perhe/i/siin (-hin)
+tiede	tietee/seen	tiete/i/siin (-hin)
+rikas	rikkaa/seen	rikka/i/siin (-hin)
taivas	taivaa/seen	taiva/i/siin (-hin)

Seuraavat esimerkit havainnollistavat illatiivin käyttöä perusmerkityksessään.

Isä ajaa auton *autotalli/in.*
Panetko sokeria *kahvi/in?*
Hän pani avaimen *lukko/on.*
Pane muistitikku *USB-portti/in*!
Kyllä minä vastaan *puhelime/en.*
Lähetän kirjeen *Tukholma/an.*
Seija laski rinkan *maa/han.*
Kesällä aion matkustaa *Tanska/an.*
Kuningatar lähtee *Lontoo/seen.*
Lintu rakensi pesänsä *puu/hun.*
Mi/hin ma/i/hin presidentti Niinistö lähtee tänä vuonna?
Aurinko laskee *länte/en.*
Aamulla kaikki menevät *tö/i/hin.*

Pasi menee *koulu/un.*
Aion mennä *sänky/yn.*
Muutamme *uute/en paikka/an.*
Nixon ei joutunut *vankila/an.*
Tietokone kytkettiin *lähiverkko/on.*

Illatiivi voi myös ilmaista liikkeen tai muutoksen päätepistettä tai pintaa, jota kohti liike suuntautuu ja jonka kanssa se joutuu välittömään kosketukseen. Se voi myös ilmaista erottamatonta omistusta (§27 (8)).

unhennu ba

Käte/en tuli haava.
Lamppu ripustetaan *katto/on.*
Panin ruuan *pöytä/än.*
Lapsi panee pipon *pää/hän.*
Pane kengät *jalka/an!*
Opettaja löi nyrkin *pöytä/än.*
Tä/hän tietokonee/seen kuuluu värinäyttö.
Huoneen *hinta/an* kuuluu aamiainen.

Illatiivi esiintyy myös ajan ilmauksissa, jolloin sillä ilmaistaan myöhempää kahdesta aikarajasta sekä aikaa, jonka kuluessa toiminta ei ole tapahtunut.

viikosta *viikko/on*
aamusta *ilta/an*
tammikuusta *maaliskuu/hun*
En ole käynyt Ruotsissa *vuote/en.*
Anne ei ole ollut kotona *kolme/en viikko/on.*
En ole nähnyt häntä *pari/in tunti/in.*

Kongruenssisäännöt toimivat tavalliseen tapaan.

piene/<u>en</u> kaupunki/<u>in</u>
pien/i/<u>in</u> kaupunke/i/<u>hin</u>
korkea/<u>an</u> puu/<u>hun</u>
kaikk/i/<u>in</u> perhe/i/<u>siin</u>

Illatiivipäätteen loppukonsonantti katoaa ennen omistusliitteitä.

talo/**on**
talo/**o**/ni
talo/**o**/mme
talo/i/**hin**
talo/i/**hi**/nne

§44 ADESSIIVI

Kolme edellä käsiteltyä sijaa – inessiivi, elatiivi ja illatiivi – muodostavat sisäpaikallissijojen osajärjestelmän: **talo/ssa, talo/sta, talo/on**. Vastaavat ulkopaikallissijat ovat adessiivi, ablatiivi ja allatiivi, vrt. **kadu/lla, kadu/lta, kadu/lle** ja **Peka/lla, Peka/lta, Peka/lle**.

Adessiivin pääte on **-lla ~ -llä**, joka liittyy yksikössä taivutusvartaloon (§18–21) ja monikossa taivutusvartaloon liitetyn **i**-päätteen perään (§22). Se laukaisee astevaihtelun (§15).

Adessiivi ilmaisee usein olemista jonkin 'päällä' tai 'lähellä', 'omistajaa' tai 'välinettä', jolla tekeminen suoritetaan.

Perusmuoto	Yksikön adessiivi	Monikon adessiivi
pöytä	+pöydä/**llä**	+pöyd/i/**llä**
katu	+kadu/**lla**	+kadu/i/**lla**
auto	auto/**lla**	auto/i/**lla**
ihminen	ihmise/**llä**	ihmis/i/**llä**
kone	konee/**lla**	kone/i/**lla**
vastaus	vastaukse/**lla**	vastauks/i/**lla**

Seuraavat lauseet havainnollistavat adessiivin perusmerkityksiä.

Matto on *lattia/lla.*
Kupit ovat *pöydä/llä.*
Onko lentokone jo *kentä/llä?*
Vaatteeni ovat *tuoli/lla.*
Auto on jo *lauta/lla.*

Kokous on *Ylioppilastalo/lla*.
Vainikkala on Venäjän *raja/lla*.
Pesukone on *peräseinä/llä*.
Avaimet ovat *vyö/llä*.
Käydäänkö *kahvi/lla?*
Jone on *tupaka/lla*.
Poja/lla/ni on kolme lasta.
Minu/lla ei ole rahaa.
Tuomakse/lla on uusi tietokone.
Onko *sinu/lla* parempia ideoita?
Isä/llä on harmaat hiukset.
Minu/lla taitaa olla kuumetta.
Matkustamme Kuopioon *juna/lla*.
Hän kirjoittaa kaiken *tietokonee/lla*.
Osaatko syödä *puiko/i/lla?*

Adessiivi esiintyy myös ajan ilmauksissa, varsinkin sellaisissa, joissa aikaa ilmaisevan edussanan edellä ei ole määritettä (ajan ilmaus, johon kuuluu etumäärite, on usein essiivissä -na ~ -nä, §49). Mikäli edussana on jokin sanoista **hetki, tunti, viikko, kausi** tai **vuosisata**, sijana on kuitenkin aina adessiivi.

Talve/lla voi hiihtää.
Päivä/llä teen työtä.
Yö/llä pitäisi nukkua.
Tä/llä hetke/llä en voi tulla.
Viime *tunni/lla* puhuimme partitiivista.
Ensi *viiko/lla* lähden Lappiin.

Adessiivi voi myös ilmaista tapaa.

Tä/llä tava/lla ei voi tehdä.
Puhukaa *kova/lla ääne/llä*.
Tulen *miele/llä/ni*.

Määritteet kongruoivat normaaliin tapaan (§26.1).

kolme/__lla__ auto/__lla__
pitkä/__llä__ kadu/__lla__
tä/__llä__ hylly/__llä__
vanha/__lla__ miehe/__llä__

§45 ABLATIIVI

Ablatiivin pääte on -**lta** ~ -**ltä**, joka liittyy yksikössä taivutusvartaloon (§18–21) ja monikossa taivutusvartaloon liitetyn **i**-päätteen perään (§22). Se laukaisee astevaihtelun (§15).

Ablatiivi ilmaisee liikettä 'pois pinnalta' tai 'pois läheisyydestä' tai 'joltakulta'.

Perusmuoto	Yksikön ablatiivi	Monikon ablatiivi
maa	maa/__lta__	ma/i/__lta__
pöytä	+pöydä/__ltä__	+pöyd/i/__ltä__
meri	mere/__ltä__	mer/i/__ltä__
ihminen	ihmise/__ltä__	ihmis/i/__ltä__
mies	miehe/__ltä__	mieh/i/__ltä__

Seuraavassa on muutamia esimerkkejä ablatiivin käytöstä.

Juna lähtee *asema/lta*.
Otatko maton *lattia/lta*?
Joonas nousi *sohva/lta*.
Taksi ajoi *tie/ltä*.
Milla tulee *kaupungi/lta*.
Huomenna osastopäällikkö palaa *kesäloma/lta/an*.
Raitiovaunu kääntyy *Aurakadu/lta* Eerikinkadulle.
Tänään tuli kortti *poja/lta/ni*.
Lainaan rahaa *äidi/ltä*.
Kysy *häne/ltä*, missä posti on.

Ostan auton *Niemise/ltä*.
Pyydän *sinu/lta* anteeksi.
Anoin *rehtori/lta* lupaa.
Onko *sinu/lta* kadonnut jotain?
Laulaja/lta meni ääni.
Poja/lta katkesi jalka.
Kaikki jää *minu/lta* kesken.
Me/i/ltä puuttuu tarvittava pääoma.
Tämä elokuva on *laps/i/lta* kielletty.
Tuo ei kyllä *minu/lta* onnistu.
Kokous oli unohtunut *puheenjohtaja/lta*.

Ablatiivi ilmaisee myös aikaa, mittaa ja joskus ominaisuutta.

Viini on *vuode/lta* 1879.
Lopetamme *tä/ltä päivä/ltä*.
Opetus alkaa *kello yhdeksä/ltä*.
Lounas on *kello kahde/lta/toista*.
Perunat maksavat 50 senttiä *kilo/lta*.
Maito maksaa euron *litra/lta*.
Kankaan hinta on 15 euroa *metri/ltä*.
Hän on *luontee/lta/an* vilkas.
Olen *paino/lta/ni* normaali.

Lisäksi tulee huomata aistihavaintoverbit **vaikuttaa, näyttää, tuntua, maistua, haista, tuoksua** ja **kuulostaa**, joiden adverbiaalimäärite on ablatiivissa.

Tämä näyttää *oudo/lta*.
Puku näyttää *hyvä/ltä*.
Ajatus tuntuu *huono/lta*.
Hän vaikutti *mukava/lta*.
Ruoka maistuu *paha/lta*.
Pesuaine haisee *kloori/lta*.
Kukat tuoksuvat *ihan/i/lta*.
Kuulostaa *mainio/lta*.

Kongruenssisäännöt toimivat tavalliseen tapaan.

mi/<u>lta</u> laituri/<u>lta</u>?
likaise/<u>lta</u> lattia/<u>lta</u>
tuo/<u>lta</u> vanha/<u>lta</u> naise/<u>lta</u>

§46 ALLATIIVI

Allatiivin pääte on -**lle**, joka liittyy yksikössä taivutusvartaloon (§18–21) ja monikossa taivutusvartaloon liitetyn **i**-päätteen perään (§22). Se aiheuttaa astevaihtelun (§15).

Allatiivi ilmaisee liikettä 'kohti pintaa' tai 'kohti paikkaa' tai 'jollekulle'.

Perusmuoto	Yksikön allatiivi	Monikon allatiivi
katto	+kato/<u>lle</u>	+kato/i/<u>lle</u>
tuoli	tuoli/<u>lle</u>	tuole/i/<u>lle</u>
nainen	naise/<u>lle</u>	nais/i/<u>lle</u>
+tehdas	tehtaa/<u>lle</u>	tehta/i/<u>lle</u>

Seuraavat lauseet havainnollistavat allatiivin käyttöä.

Kirja putosi *lattia/lle*.
Pane tyynyt *sohva/lle!*
Istuudun *tuoli/lle*.
Hän taputti minua *olkapää/lle*.
Lähdemmekö *ostoks/i/lle*?
Kuka vie koiran *kävely/lle*?
Menen *parvekkee/lle*.
Älä sylje *lattia/lle!*
Tarja lähtee *matka/lle* huomenna.
Aamulla menemme *yliopisto/lle*.
Kuva täytyy tallentaa *kovalevy/lle*.
Lähdemmekö *lentokentä/lle*?
Hän on muuttanut *Venäjä/lle*.
Puhun *sinu/lle*.

Minu/lle tuli jano.
Mennäänkö *lounaa/lle?*
Häne/lle tuli muuta menoa.
He/i/lle syntyi viime yönä tyttövauva.
Oikea/lle vai *vasemma/lle?*
Kerro asia *minu/lle.*
Annan lahjan *poikaystävä/lle/ni.*
Näytän *te/i/lle* tien.
Tarjoamme *viera/i/lle* illallisen.
Opetan suomea *skandinaave/i/lle.*

Aistihavaintoverbit, joiden kanssa käytetään ablatiivia (§45), voivat vaihtoehtoisesti saada myös allatiivin. Ablatiivi on kuitenkin yleiskielessä tavallisempi.

Tämä näyttää oudo/<u>lle</u> ~ oudo/<u>lta</u>.
Ruoka maistui paha/<u>lle</u> ~ paha/<u>lta</u>.

Lopuksi muutamia esimerkkejä kongruenssista.

tä/<u>lle</u> miehe/<u>lle</u>
pitkä/<u>lle</u> kävely/<u>lle</u>
likaise/<u>lle</u> lattia/<u>lle</u>
kaik/i/<u>lle</u> nä/i/<u>lle</u> laps/i/<u>lle</u>

§47 MUUTOSVERBIT

Paikallissijajärjestelmä on luonteeltaan kolmijakoinen (§40): sekä sisä- että ulkopaikallissijat voivat ilmaista paikallaanoloa, liikettä kohti tai liikettä poispäin. Eräiden muutosta ja suuntaa ilmaisevien verbien määritteet ovat suomen kielessä suuntasijassa (elatiivissa, illatiivissa, ablatiivissa, allatiivissa), siinä missä monissa indoeurooppalaisissa kielissä yleensä käytettäisiin 'staattista' prepositiota. Tällaisia verbejä ovat mm. **etsiä**, **jättää**, **jäädä**, **löytää**, **ostaa**, **pysähtyä**, **pysäyttää**, **rakentaa** ja **unohtaa**.

Hän etsii avainta *tasku/sta.*
Hän löytää kolikon *kadu/lta.*
Hän löytää avaimen *tasku/sta.*

Anttila/sta löysin uudet kengät.
Aion jäädä *Ruotsi/in*.
Paavo jäi *luoka/lle*.
Jätän auton *autotalli/in*.
Onko hän unohtanut avaimen *lukko/on*?
Unohdin kirjat *huonee/see/ni*.
Ostan viiniä *Alko/sta*.
Ostammeko matkaoppaan *kirjakaupa/sta*?
Rakennamme uuden hotellin *Turku/un*.
Juna pysähtyi *asema/lle*.
Poliisi pysäytti auton *kadunkulma/an*.
Luin uutisen *lehde/stä*.

§48 PAIKANNIMET

Paikannimet taipuvat joko sisäpaikallissijoissa (inessiivi, elatiivi, illatiivi) tai ulkopaikallissijoissa (adessiivi, ablatiivi, allatiivi). Sisäpaikallissijassa taipuminen on yleisempää. Maiden nimet taipuvat melkein aina sisäpaikallissijoissa.

Suome/ssa
Suome/sta
Suome/en
Tanska/ssa
Unkari/in
Sveitsi/stä
Englanti/in
Kiina/ssa
Kiina/an
+Yhdysvallo/i/sta
Yhdysvalto/i/hin
Euroopan unioni/in
Huom.: Venäjä/llä

Myös useimpien kaupunkien ja muiden kuntien nimet taipuvat sisäpaikallissijoissa, mutta tähän on joitakin poikkeuksiakin. Useimmat **nen**-loppuiset paikannimet taipuvat lisäksi monikossa.

+Helsingi/ssä
+Turu/ssa
Turku/un
Oulu/sta
Pori/in
Jyväskylä/ssä
Kuopio/sta
Sörnäis/i/ssä
Ikaalis/i/ssa
Tukholma/an
New Yorki/ssa
Lontoo/seen
Pariisi/ssa
Brysseli/stä
Kööpenhamina/ssa
Berliini/in
Tamperee/lla
Tamperee/lta
Tamperee/lle
Rauma/lla
+Riihimäe/ltä
Rovanieme/llä
+Seinäjoe/lla

11
MUUT SIJAMUODOT

- *Essiivi*
- *Translatiivi*
- *Abessiivi, komitatiivi ja instruktiivi*

§49 ESSIIVI

Essiivin pääte on **-na** ~ **-nä**, joka liitetään yksikössä taivutusvartaloon (§18–21) ja monikossa taivutusvartaloon liitetyn **i**-päätteen perään (§22). Pääte on rakenteeltaan sellainen, ettei se laukaise astevaihtelua (§15.2). Essiivi ilmaisee tavallisesti (tilapäistä) tilaa, asemaa tai tehtävää, joskus olosuhteita, ehtoja tai syitä. Essiiviä käytetään myös ajan ilmauksissa.

Perusmuoto	*Yksikön essiivi*	*Monikon essiivi*
auto	auto/na	auto/i/na
ihminen	ihmise/nä	ihmis/i/nä
nuori	nuore/na	nuor/i/na
vanha	vanha/na	vanho/i/na
+reipas	reippaa/na	reippa/i/na

Heikki on Jämsässä *lääkäri/nä.*
Olemme siellä *vuokralais/i/na.*
Lähetän todistuksen *pikakirjee/nä.*
Kuka siellä on *apu/na*?
Tänään *aihee/na* on partitiivi.
Pidämme ehdotusta *järkevä/nä.*
Olen Suomessa *turisti/na.*
Asuin *lapse/na* tässä talossa.
Anu oli kolme viikkoa *sairaa/na.*
Kahvi kannattaa juoda *kuuma/na.*

Tee kelpaa *kylmä/nä/kin.*
Minulla on *tapa/na* polttaa vain illalla.
Johanna lähti *iloise/na* luennolle.
Syön puuron *kuuma/na.*
Pysyykö ilma *kirkkaa/na?*
Arto tuli *väsynee/nä* kotiin.
Tavoittee/na/ni on valmistua viidessä vuodessa.
Hänen *toivee/na/an* on päästä au pairiksi.

Essiivi esiintyy ajan ilmauksissa mm. silloin, kun on kyse juhlista ja viikonpäivistä, sekä useimmiten, kun aikaa ilmaisevalla edussanalla on etumäärite (§44).

Joulu/na olin kotona.
Itsenäisyyspäivä/nä presidentillä on vastaanotto.
Juhannukse/na aion purjehtia.
Tuletko meille *perjantai/na?*
Lauantai/na kaikki menevät saunaan.
Minulla on luento *maanantai/na.*
Sunnuntai/na täytyy levätä.
Viime talve/na olin sairaana.
Ensi kesä/nä lähden Italiaan.
Erää/nä päivä/nä tapasin hänet.
Kahte/na yö/nä on ollut hallaa.
Mi/nä päivä/nä hän tulee?
Kuum/i/na kes/i/nä on paljon kärpäsiä.
Tä/nä vuon/na inflaatio on taas noussut.
tammikuun *seitsemänte/nä päivä/nä*

Huomaa, että sanat **ensi** ja **viime** eivät noudata etumääritteiden kongruens-sisääntöä, vrt. **ensi talve/na, viime talve/na.**

§50 TRANSLATIIVI

Translatiivin pääte on **-ksi,** joka liittyy yksikössä taivutusvartaloon (§18–21) ja monikossa taivutusvartaloon liitetyn **i**-päätteen perään (§22). Pääte laukaisee astevaihtelun (se alkaa kahdella konsonantilla). Translatiivi ilmaisee yleensä tilaa, ominaisuutta, tehtävää tai asemaa, johon joku tai jokin joutuu, tai muutoksen tai liikkeen päätepistettä.

Perusmuoto	Yksikön translatiivi	Monikon translatiivi
auto	auto/<u>ksi</u>	auto/i/<u>ksi</u>
pieni	piene/<u>ksi</u>	pien/i/<u>ksi</u>
takki	+taki/<u>ksi</u>	+take/i/<u>ksi</u>
+rengas	renkaa/<u>ksi</u>	renka/i/<u>ksi</u>

Lauri tuli *iloise/ksi.*
Isä on tullut *vanha/ksi.*
Tuletko *kipeä/ksi?*
Tyttö aikoo *insinööri/ksi.*
Suvi antoi kirjan *lahja/ksi.*
Syö lautanen *tyhjä/ksi.*
Poikasi on kasvanut *pitkä/ksi.*
Jalat käyvät *kanke/i/ksi.*
Tunnen oloni *virkeä/ksi.*
Kirjoitan esseen *valmii/ksi.*
Valmistuin viime vuonna *maisteri/ksi.*
Hän tekee minut *niin onnellise/ksi!*
Alkuruua/ksi on parsakeittoa ja *pääruua/ksi* paistettua lohta.
Tulin kirjoituskilpailussa *kolmanne/ksi.*
Toni jäi *viimeise/ksi.*
Olot muuttuivat *normaale/i/ksi.*
Pääsetkö *opettaja/ksi* Helsinkiin?
Sofia nimitettiin *puheenjohtaja/ksi.*
Tämä riittää *perustelu/ksi.*
Kuka teille tuli *avu/ksi?*
Suomalaise/ksi hän puhuu japania yllättävän sujuvasti.
Hän on harvinaisen nuori *tohtori/ksi.*
Näin *vanha/ksi kännykä/ksi* tämä toimii yllättävän hyvin.
Sanna luuli minua *norjalaise/ksi.*
Turkua sanotaan *vanha/ksi kaupungi/ksi.*
Pepeä ei saa kutsua *idiooti/ksi.*
Opettaja puhuu *suome/ksi.*
Kaikki esitelmät ovat *ruotsi/ksi.*

Mitä 'auto' on *englanni/ksi?*
Tule vähän *lähemmä/ksi!*
Siirtykää hiukan *kauemma/ksi!*
Nouse *ylemmä/ksi!*

Translatiivia käytetään myös ajan ilmauksissa, jolloin se ilmaisee mm. aikaa, johon mennessä tai jonka kuluessa jokin tapahtuu, tai ajankohtaa, johon jokin lykkääntyy.

Tulen kotiin *joulu/ksi.*
Onko meillä ohjelmaa *iltapäivä/ksi?*
Minun täytyy ehtiä kotiin kello *kolme/ksi.*
Jukka lähtee Espanjaan *viiko/ksi.*
Poistun *kahde/ksi tunni/ksi.*
Ostatko ruokaa *sunnuntai/ksi?*
Lykkäämme kokouksen *ylihuomise/ksi.*
Maksu siirtyy *myöhemmä/ksi.*
Loput työt jäävät *huomise/ksi.*

Huomaa essiivin ja translatiivin vastakohtaisuus seuraavanlaisissa lausepareissa.

Tulen kotiin *joulu/ksi.*
***Joulu/na* olen kotona.**
Ostatko ruokaa *sunnuntai/ksi?*
***Sunnuntai/na* emme mene kirkkoon.**
***Kesä/ksi* lähden Suomeen.**
***Ensi kesä/nä* olen Suomessa.**

Kun translatiivin päätettä seuraa omistusliite, loppu-i muuttuu e:ksi.

Tuletko *vaimo/kse/ni?*
Laulan *oma/ksi ilo/kse/ni.*
Juomme maljan *sinun kunnia/kse/si.*
He ottavat lapsen *oma/kse/en.*

§51 ABESSIIVI, KOMITATIIVI JA INSTRUKTIIVI

Nämä kolme sijamuotoa ovat harvinaisia; instruktiivi ja komitatiivi esiintyvät etupäässä idiomintapaisissa kiinteissä ilmauksissa.

Abessiivin pääte on **-tta** ~ **-ttä**, joka liittyy taivutusvartaloon yksikössä ja monikossa ja laukaisee astevaihtelun.

Epäilyks/i/ttä tuomio oli oikea.
Hän lähti ulkomaille raha/tta ja passi/tta.
Hänet tuomittiin syy/ttä.
Hän poistui maasta luva/tta.
Joka kuri/tta kasvaa, se kunnia/tta kuolee.

Abessiivin sijaan käytetään usein prepositiota **ilman**, joka vaatii partitiivin, esim. **ilman raha/a**, **ilman perhe/ttä**. Se on kuitenkin yleinen MA-infinitiivin sijamuotona (§76.5).

Instruktiivin pääte on **-n**. Se esiintyy lähes yksinomaan muutamissa kiinteissä monikollisissa ilmauksissa.

> om/*i*/n silm/*i*/n
> kaik/*i*/n puol/*i*/n
> palja/*i*/n pä/*i*/n
> kaks/*i*/n käs/*i*/n
> väär/*i*/n peruste/*i*/n
> järe/*i*/n keino/*i*/n
> tiuk/*i*/n ehdo/*i*/n
> hita/*i*/n askel/*i*/n
> kaks/*i*/n kappale/*i*/n

Komitatiivin pääte on **-ine**, jota seuraa aina omistusliite. Koska päätteen **-i** on oikeastaan kivettynyt monikon **-i** (§22), yksiköllisen ja monikollisen komitatiivin välillä ei ole eroa. Komitatiivin merkitys on '(jonkun/jonkin) kanssa'.

Läsnä oli Kari Mäkelä puoliso/ine/en.
Läsnä olivat Kirsi Heikkilä ja Eeva Kuusinen puoliso/ine/en.
Rauma on mukava kaupunki vanho/ine talo/ine/en ja kape/ine katu/ine/en.
Laina täytyy maksaa takaisin korko/ine/en.
Saavuin hotellille matkatavaro/ine/ni.
Voiko tämän päärynän syödä kuor/ine/en?

12
NUMERAALIT

- *Perusluvut*
- *Järjestysluvut*

§52 PERUSLUVUT

§52.1 PERUSLUKUJEN TAIVUTUS

Numeraalien sanaluokkaan kuuluvat vain perusluvut kuten **yksi, kaksi, kolme, seitsemän** ja **satakaksikymmentäkahdeksan**. Järjestysluvut kuten **kolma/s, seitsemä/s, sata=kahde/s=kymmene/s=kahdeksa/s** ovat johdettuja adjektiiveja (§93.1). Koska järjestysluvut merkityksensä puolesta läheisesti liittyvät peruslukuihin, nekin tulevat esille tässä luvussa (§53). Perusluvut toimivat joko numeraalilausekkeiden edussanoina, esim. **kaksi auto/a** (§26.3), tai substantiivilausekkeiden etumääritteinä, esim. **kahde/lla auto/lla**. Kaikki perusluvut taipuvat kuten substantiivit, adjektiivit ja pronominit, eli sijassa ja luvussa. Taivutetuissa muodoissa ilmenee useita äännevaihteluita:

	Perusmuoto	Taivutusvartalo (vahva aste)	Taivutusvartalo (heikko aste)	Yksikön partitiivi
1	yksi	yhte/en	+yhde/n	yh/tä
2	kaksi	kahte/en	+kahde/n	kah/ta
3	kolme	kolme/en		kolme/a
4	neljä	neljä/än		neljä/ä
5	viisi	viite/en	+viide/n	viit/tä
6	kuusi	kuute/en	+kuude/n	kuut/ta
7	seitsemän	seitsemä/än		seitsemä/ä
8	kahdeksan	kahdeksa/an		kahdeksa/a
9	yhdeksän	yhdeksä/än		yhdeksä/ä
10	kymmenen	kymmene/en		kymmen/tä

Perusluvut 11–19 muodostetaan luvuista 1–9 lisäämällä niihin taipumaton muoto **toista** (vrt. **toinen**).

11 **yksitoista**
12 **kaksitoista**
13 **kolmetoista**
14 **neljätoista**
15 **viisitoista**
16 **kuusitoista**
17 **seitsemäntoista**
18 **kahdeksantoista**
19 **yhdeksäntoista**

Näillä numeraaleilla päätteet liitetään sanan alkuosana olevan luvun taivutus-vartaloon.

yhde/ssä/toista
kolme/n/toista
viide/stä/toista
seitsemä/ä/toista
yhdeksä/lle/toista

Tasaiset kymmenluvut 20:stä ylöspäin muodostetaan perusluvuista 2–9 lisäämällä niihin **kymmen/tä** (vrt. **kymmenen**).

20 **kaksikymmentä**
30 **kolmekymmentä**
40 **neljäkymmentä**
50 **viisikymmentä**
60 **kuusikymmentä**
70 **seitsemänkymmentä**
80 **kahdeksankymmentä**
90 **yhdeksänkymmentä**
100 **sata** (yks. gen. **+sada/n**, yks. illat. **sata/an**, yks. part. **sata/a**, mon. part. **sato/j/a**)
27 **kaksikymmentäseitsemän**
39 **kolmekymmentäyhdeksän**
52 **viisikymmentäkaksi**

76   seitsemänkymmentäkuusi
99   yhdeksänkymmentäyhdeksän

Huomaa, että **kymmen/tä** (**kymmenen**) taipuu kuten numeraalin muutkin osat.

+kahde/n/kymmene/n
kolme/lle/kymmene/lle
+viide/stä/kymmene/stä
kuute/na/kymmene/nä
yhdeksä/llä/kymmene/llä
+kahde/lta/kymmene/ltä/kolme/lta
seitsemä/stä/kymmene/stä/kahdeksa/sta

Perusluvut jatkuvat ylöspäin samaan tapaan. Tasaiset sata- ja tuhatluvut muodostetaan luvuista 2–9, joihin liittyy **sata/a** '100', **tuhat/ta** '1,000', **miljoona/a** '1,000,000', jotka taipuvat luvussa ja sijassa kuten numeraalin muutkin osat.

200	**kaksisataa**
300	**kolmesataa**
700	**seitsemänsataa**
1,000	**tuhat** (yks. gen., **+tuhanne/n**, yks. illat. **tuhante/en**, yks. part. **tuhat/ta**, mon. part. **tuhans/i/a**)
3,000	**kolmetuhatta**
9,000	**yhdeksäntuhatta**
238	**kaksisataakolmekymmentäkahdeksan**
902	**yhdeksänsataakaksi**
2,134	**kaksituhatta satakolmekymmentäneljä**
9,876	**yhdeksäntuhatta kahdeksansataaseitsemänkymmentäkuusi**
87,100	**kahdeksankymmentäseitsemäntuhatta sata**
456,302	**neljäsataaviisikymmentäkuusituhatta kolmesataakaksi**
1,000,000	**miljoona**
4,000,000	**neljä miljoonaa**

Sijataivutuksessa numeraalin kaikki osat saavat päätteen. Pitkissä numeraaleissa pääte liittyy kuitenkin yleensä vain numeraalin viimeiseen osaan.

+kahde/n/sada/n
+kolme/lle/sada/lle
+viide/stä/tuhanne/sta
+kolme/lla/tuhanne/lla sada/lla/kahde/lla
+kolmetuhatta satakahde/lla

Lukusanoihin liittyvistä arkikielen ilmauksista ks. §97(13).

§52.2 PERUSLUKUJEN KÄYTTÖ

> Kun perusluku toimii subjektina, objektina tai predikatiivina, sen jälkimääritteet ovat yksikön partitiivissa.

> Kun perusluku toimii subjektina, predikaattiverbi on yksikössä.

Kadulla seisoi *seitsemän kutsuvieras/ta*.
Outi/lla on *kaksi sisar/ta*.
Neljä *ministeri/ä* erosi hallituksesta.
Kuusitoista *ihmis/tä* sai surmansa lento-onnettomuudessa.
Ostan *kolme pullo/a punaviiniä*.
Eilen kirjoitin *seitsemän sivu/a*.
En omista *kah/ta auto/a*.
Opiskelen *kolme/a kiel/tä*.
Emme voi hyväksyä yli *viit/tä/kymmen/tä osanottaja/a*.
Hän ei maksa *kolme/a/tuhat/ta euro/a* koneesta.
Hinta on *yhdeksän euro/a* kilolta.

Kun perusluku toimii määritteenä eli esiintyy muissa sijoissa kuin nominatiivissa tai partitiivissa, sen sija määräytyy edussanan (substantiivin) mukaan, ja moniosaisen peruslukuilmauksen kaikki osat taipuvat samalla tavalla. Tällaiset ilmaukset ovat aina yksikössä, paitsi jos ne sisältävät monikkosanan (§26.1) tai jos laskettavat tarkoitteet muodostavat kiinteitä pareja, joukkoja tai sarjoja. Perusluku voi olla monikossa myös silloin, kun viitataan kullakin useasta henkilöstä olevaan määrään.

Perusluvut kongruoivat edussanan kanssa kaikissa kuudessa
paikallissijassa sekä genetiivissä, essiivissä ja translatiivissa.

Matkallani käyn *kolme/ssa maa/ssa.*
Neljä/n litra/n hinta on viisi euroa.
En ole käynyt Suomessa *viite/en/toista vuote/en.*
Hän on *kahde/n piene/n lapse/n* äiti.
Verotoimistot palauttavat rahaa *seitsemä/lle/sada/lle/tuhanne/lle
suomalaise/lle.*
tuhanne/n ja yhde/n yö/n tarinat
Olen Helsingissä *yhte/nä päivä/nä* viikossa.
Olen *kolme/n/kymmene/n/kahde/n vuode/n* ikäinen.
Kuude/ssa/toista tapaukse/ssa potilas kuoli.
Kirje tuli *kahde/lta ystävä/ltä/ni.*
Kuude/lla/sada/lla euro/lla pääsee jopa Afrikkaan.
Minulla on *neljä/t sakse/t.*
Tänä kesänä menemme vain *yks/i/in hä/i/hin.*
He soittivat musiikkia *kaks/i/lla stereo/i/lla.*
Ostin *kahde/t sandaali/t.* (= kaksi paria sandaaleja)
Vuokraisäntä antoi meille *kolme/t avaime/t.* (= kolme avainnippua)
Hiiri voi saada vuodessa jopa *viide/t poikase/t.* (= viisi poikuetta)
Tilataanko vielä *yhde/t olue/t?* (= kullekin yksi olut)

Kun perusluku toimii subjektina, predikaattiverbi on (kuten edellä todettiin) yleensä yksikössä, esim. **kolme tyttöä juokse/e.** Mutta kun peruslukuilmausta edeltävät esim. sanat **nämä** tai **nuo** (jotka tekevät ilmauksesta määräisen eli definiittisen), predikaattiverbi on monikossa.

Nämä kolme miestä *seiso/vat* kadulla.
Nuo kaksi *o/vat* naimisissa.
Nämä neljä ehdotusta *o/vat* yhtä hyviä.

Verbi voi olla monikossa myös muissa tilanteissa, kun subjektina on määräinen perusnumeraali-ilmaus.

Kuusi paikallissijaa *tuli/vat* esille luvussa 10.
Kolmetoista maata *pääsi/vät* eilen sopimukseen.
Kaksi sisartani *kävi/vät* eilen luonani. (Kaksi sisartani *kävi...*)

§53 JÄRJESTYSLUVUT

Järjestyslukujen nominatiivi muodostetaan johtimella -s, joka liittyy perusluvun taivutusvartaloon, poikkeuksina **ensimmäinen, toinen** ja **kolma/s**, jossa taivutusvartalon **kolme-** e muuttuu a:ksi. Järjestyslukujen taivutusvartalossa -s:n tilalla on **nte**, joka vaihtelee **nne**:n kanssa astevaihtelusääntöjen mukaan. Yksikön partitiivi muodostetaan päätteellä -ta ~ -tä, jolloin -s vaihtuu t:ksi. Seuraavissa esimerkeissä vartalovariantit on merkitty ainoastaan sanaan **kolma/s**. **Ensimmäinen** ja **toinen** taipuvat **ihminen**-nominien tapaan (§21.1).

	Perusmuoto	Taivutusvartalo (vahva aste)	Taivutusvartalo (heikko aste)	Yksikön partitiivi
1.	ensimmäinen			ensimmäis/tä
2.	toinen			tois/ta
3.	kolma/s	kolma/nte/en	+kolma/nne/n	kolma/t/ta
4.	neljäs	neljänteen	+neljännen	neljättä
5.	+viides	viidenteen	+viidennen	+viidettä
6.	+kuudes	kuudenteen	+kuudennen	+kuudetta
7.	seitsemäs	seitsemänteen	+seitsemännen	seitsemättä
8.	kahdeksas	kahdeksanteen	+kahdeksannen	kahdeksatta
9.	yhdeksäs	yhdeksänteen	+yhdeksännen	yhdeksättä
10.	kymmenes	kymmenenteen	+kymmenennen	kymmenettä
11.	+yhdestoista	yhdenteentoista	+yhdennentoista	+yhdettätoista
12.	+kahdestoista	kahdenteentoista	+kahdennentoista	+kahdettatoista
13.	kolmastoista	kolmanteentoista	+kolmannentoista	kolmattatoista
16.	+kuudestoista	kuudenteentoista	+kuudennentoista	+kuudettatoista
20.	kahdes-kymmenes	kahdenteen-kymmenenteen	+kahdennen-kymmenennen	kahdetta-kymmenettä
50.	viides-kymmenes	viidenteen-kymmenenteen	+viidennen-kymmenennen	viidettä-kymmenettä
100.	+sadas	sadanteen	+sadannen	+sadatta
300.	+kolmas-sadas	kolmanteen-sadanteen	+kolmannen-sadannen	+kolmatta-sadatta
1,000.	tuhannes	tuhannenteen	+tuhannennen	tuhannetta
9,000.	yhdeksäs-tuhannes	yhdeksänteen-tuhannenteen	+yhdeksännen-tuhannennen	yhdeksättä-tuhannetta

Moniosaisissa järjestysluvuissa usein vain viimeinen osa saa päätteen.

3,134.   **kolmetuhatta satakolmekymmentäneljä/s**
(*Huom.* kolma/s/tuhanne/s sada/s/kolma/s/kymmene/s/neljä/s)
kolmetuhatta satakolmekymmentäneljä/nne/n
(*Huom.* kolma/nne/n/tuhanne/nne/n sada/nne/n/kolma/nne/n/
kymmene/nne/n/neljä/nne/n)

Sellaisilla järjestysluvuilla kuin 21. ja 32. on kaksi vaihtoehtoista muotoa:

kahdeskymmenesyhdes tai **kahdeskymmenesensimmäinen, kolmaskym-
meneskahdes** tai **kolmaskymmenestoinen.** Sanoja **eka** '1.' ja **toka** '2.' käyte-
tään usein puhekielessä.

> Järjestysluvut toimivat kuten adjektiivit ja kongruoivat edussanansa
> mukaan sijassa ja luvussa.

Vanhasen *kolma/nne/ssa* hallituksessa
Vasta *toinen* yritys onnistui.
tammikuun *neljä/nte/nä* päivänä
helmikuun *seitsemä/nte/nä/toista* päivänä
**Olen syntynyt joulukuun *kahde/nte/na/kymmene/nte/nä/kuude/nte/na*
päivänä.**
Tyttäreni on *ensimmäise/llä* luokalla.
Hissi menee *viide/nte/en* kerrokseen.
Joka *seitsemä/nne/llä* suomalaisella on liian pitkä työmatka.

13
PRONOMINIT

- *Persoonapronominit*
- *Demonstratiivipronominit*
- *Interrogatiivipronominit*
- *Indefiniittipronominit*
- *Relatiivipronominit*

Suomen pronominit taipuvat luvussa ja sijassa. Jotkin pronominit toimivat substantiivien tapaan ja esiintyvät lauseessa itsenäisinä sanoina (a), kun taas toiset toimivat adjektiiveina ja kongruoivat edussanansa kanssa tavalliseen tapaan (b).

(a) **Tämä on kirja.**
   Tuo ei ole totta.
   Hän on näyttelijä.
(b) **Asun tä/ssä talo/ssa.**
   Mi/ssä talo/ssa asut?
   Mi/nä päivä/nä lähdette?

Pronominien taivutuksessa esiintyy usein poikkeuksia: nämä on osoitettu alla. Huomaa erityisesti pronominit **joka**, **mikä** ja **tämä**, joiden viimeinen tavu **ka, kä, mä** esiintyy ainoastaan yksikön ja monikon nominatiivissa sekä yksikön genetiivissä. Kaikissa muissa muodoissa tämä tavu katoaa kokonaan: vrt. **tämä : tämä/n : tä/ssä : tä/llä** jne.

Seuraavissa jaksoissa pronominit esitellään viitenä ryhmänä. Jokaisesta pronominista on annettu yksikön ja monikon tärkeimmät sijamuodot (mikäli ne ylipäätään esiintyvät) sekä esimerkkejä muotojen käytöstä.

§54 PERSOONAPRONOMINIT

	Yksikkö			Monikko		
Nom.	minä	sinä	hän	me	te	he
Gen.	minu/n	sinu/n	häne/n	me/i/dän	te/i/dän	he/i/dän
Akk.	minu/t	sinu/t	häne/t	me/i/dät	te/i/dät	he/i/dät
Part.	minu/a	sinu/a	hän/tä	me/i/tä	te/i/tä	he/i/tä
Iness.	minu/ssa	sinu/ssa	häne/ssä	me/i/ssä	te/i/ssä	he/i/ssä
Elat.	minu/sta	sinu/sta	häne/stä	me/i/stä	te/i/stä	he/i/stä
Illat.	minu/un	sinu/un	häne/en	me/i/hin	te/i/hin	he/i/hin
Adess.	minu/lla	sinu/lla	häne/llä	me/i/llä	te/i/llä	he/i/llä
Ablat.	minu/lta	sinu/lta	häne/ltä	me/i/ltä	te/i/ltä	he/i/ltä
Allat.	minu/lle	sinu/lle	häne/lle	me/i/lle	te/i/lle	he/i/lle

Sinu/ssa ei ole mitään vikaa.
Minä rakastan te/i/tä.
Anna kirje häne/lle!
Minu/lla on kova nälkä.
He/i/hin ei voi luottaa.
Minu/sta ehdotus on hyvä.
Näin häne/t ravintolassa.
Tämä on he/i/dän kirjansa.
Saatte vastauksen me/i/ltä huomenna.
Saatan te/i/dät bussipysäkille.
Ettekö enää tunne minu/a?
Me/i/llä kahdella on paljon yhteistä.

Refleksiivipronominina toimii sana **itse**. Se taipuu tarvittaessa sijassa, jolloin sijapäätteen perään liittyy asiaankuuluva omistusliite. Refleksiivipronominilla ei ole erillisiä monikkomuotoja.

Haen sen itse.
Leikkaan itse hiukseni.
Olemme rakentaneet talon itse.
Ovatko he itse tulossa?
Annan kirjeen hänelle itse/lle/en.
Saitko kirjeen häneltä itse/ltä/än?
Pidätkö itse/ä/si viisaana?

Pohdin asiaa *itse/kse/ni.*
***Itse/e/nsä* ei voi luottaa.**
Ole oma *itse/si!*

Yhdistelmää **toinen – toinen** käytetään resiprookkisen (vastavuoroisen) merkityksen ilmaisemiseen. Sen ensimmäinen osa on taipumaton, mutta jälkimmäinen osa esiintyy tarvittavassa yksikön sijassa, jonka päätteen perään lisätään omistusliite. Toinen tapa ilmaista resiprookkisuutta on käyttää vain yhtä sanaa **toinen**, joka on taivutettu monikossa ja sopivassa sijassa ja johon liittyy asiaankuuluva omistusliite.

Lähetämme kirjeitä *toinen toise/lle/mme* (~ tois/i/lle/mme).
Rakastatteko *toinen tois/ta/nne* (~ tois/i/a/nne)?
Ajamme *toinen toise/mme* (~ tois/te/mme) autoilla.

§55 DEMONSTRATIIVIPRONOMINIT

Keskeisimmät demonstratiivipronominit ovat **tämä** ja **tuo**. Pronomini **se** viittaa etupäässä johonkin aiemmin mainittuun. Näiden pronominien monikkomuodot ovat epäsäännöllisiä (ensimmäinen konsonantti vaihtuu, jne.). **Tämä**-pronominissa tavu **mä** esiintyy ainoastaan yksikön ja monikon nominatiivissa sekä yksikön genetiivissä.

	Yksikkö			*Monikko*		
Nom.	tämä	tuo	se	nämä	nuo	ne
Gen.	tämä/n	tuo/n	se/n	nä/i/den	no/i/den	ni/i/den
Part.	tä/tä	tuo/ta	si/tä	nä/i/tä	no/i/ta	ni/i/tä
Iness.	tä/ssä	tuo/ssa	sii/nä	nä/i/ssä	no/i/ssa	ni/i/ssä
Elat.	tä/stä	tuo/sta	sii/tä	nä/i/stä	no/i/sta	ni/i/stä
Illat.	tä/hän	tuo/hon	sii/hen	nä/i/hin	no/i/hin	ni/i/hin
Adess.	tä/llä	tuo/lla	si/llä	nä/i/llä	no/i/lla	ni/i/llä
Ablat.	tä/ltä	tuo/lta	si/ltä	nä/i/ltä	no/i/lta	ni/i/ltä
Allat.	tä/lle	tuo/lle	si/lle	nä/i/lle	no/i/lle	ni/i/lle
Ess.	tä/nä	tuo/na	si/nä	nä/i/nä	no/i/na	ni/i/nä
Transl.	tä/ksi	tuo/ksi	si/ksi	nä/i/ksi	no/i/ksi	ni/i/ksi

Tämä kirja on minun.
Tämä on kirja.
Tuo nainen on Kirsi Laine.
Onko *tuo* sinun autosi?
Se on minun autoni.
Se auto on Jounin.
Tä/ssä on leipää ja juustoa.
Tä/ssä ravintolassa on hyvä ruoka.
Hän meni *tuo/hon* rakennukseen.
Nämä kukat maksavat viisi euroa.
Mitä *nuo* maksavat?
Ne/kin maksavat viisi euroa.
Nä/i/den kukkien hinta on kolme euroa.
Entä *no/i/den?*
Ni/i/nä aikoina asuin kotona.

Tällainen, tuollainen, sellainen ja semmoinen taipuvat kaikki ihminen-
nominien tapaan (§21.1).

Tällaise/lla autolla ei voi ajaa.
Paljonko *tuollainen* auto maksaa?
Oletko syönyt *tällais/ta* ruokaa ennen?
En ole syönyt *sellais/ta* ruokaa.
Sellais/i/a ihmisiä ei ole paljon.
Tällaise/ssa tilanteessa täytyy olla hiljaa.
En lue *tuollais/i/a* kirjoja.

§56 INTERROGATIIVIPRONOMINIT

Interrogatiivi- eli kysyvät pronominit ovat olleet lyhyesti esillä jo aiemmin
(§29.2 edellä). Kysymyssanoista monet ovat itse asiassa interrogatiiviprono-
minien **kuka** ja **mikä** taivutusmuotoja. Pronominin **kuka** yksikölliset taivu-
tusmuodot perustuvat vartaloon **kene-** (*huom.:* yksikön partitiivi **ke/tä**) ja
monikkomuodot vartaloon **ke-**. Puhekielessä käytetään useimmista paikal-
lissijoista sekä essiivistä lyhyempiä muotoja, erityisesti **ke/llä, ke/ltä, ke/lle,**
ke/stä, ke/hen. Yksikön akkusatiivi on **kene/t** ja monikon nominatiivi ja
akkusatiivi **ke/t/kä.** Pronominista **mikä** katoaa tavu **kä** kaikissa muodoissa

paitsi yksikön ja monikon nominatiivissa ja akkusatiivissa ja yksikön genetiivissä (**mikä, mi/n/kä, mi/t/kä**). Pronominin **mikä** monikkomuodot ovat melkein aina vastaavien yksikkömuotojen kaltaisia.

	Yksikkö	Monikko		
Nom.	kuka	mikä	ke/t/kä	mi/t/kä
Gen.	kene/n	mi/n/kä	ke/i/den	mi/n/kä
Akk.	kene/t	mi/n/kä	ke/t/kä	mi/t/kä
Part.	ke/tä	mi/tä	ke/i/tä	(muut muodot kuten yksikössä)
Iness.	kene/ssä	mi/ssä	ke/i/ssä	
Elat.	kene/stä	mi/stä	ke/i/stä	
Illat.	kene/en (~ kehen)	mi/hin	ke/i/hin	
Adess.	kene/llä	mi/llä	ke/i/llä	
Ablat.	kene/ltä	mi/ltä	ke/i/ltä	
Allat.	kene/lle	mi/lle	ke/i/lle	
Ess.	kene/nä	mi/nä	ke/i/nä	
Transl.	kene/ksi	mi/ksi	ke/i/ksi	

Kuka tuo mies on?
Kuka teistä on Minna?
Kuka säveltäjä kuoli vuonna 1791?
Kene/n kännykkä tämä on?
Mi/ssä talossa asut?
Mikä näistä autoista on sinun?
Mi/tä kieltä opiskelette?
Mi/hin ravintolaan mennään?
Kene/ssä vika on?
Mi/n/kä ohjelman valitset?
Ke/t/kä haluavat lähteä mukaan?
Kene/ltä voimme kysyä?
Mi/hin kaupunkeihin matkustat?
Ke/i/tä ihmisiä tapasit siellä?
Ke/i/lle lähetämme hakemukset?
Mi/ltä sää näyttää?
Mi/tä tämä on?
Kene/t näit?
Mi/nä päivänä he tulevat?

Kene/ksi sinä minua luulit?
Entä *no/i/den?*

Paikan tai suunnan kysymiseen käytetään **mikä**-pronominin sisäpaikallissi-
jaisia muotoja **missä, mistä, mihin** (~ **minne**) silloin, kun kysymyssana esiin-
tyy yksinään tai sitä seuraa adverbi kuten **täällä** tai **siellä**. Kun kysymyssana
määrittää substantiivia, se voi taipua tilanteen mukaan joko sisä- tai ulkopai-
kallissijassa.

Minne viittaa laaja-alaisempaan alueeseen kuin **mihin**, mutta usein nämä
sanat ovat vaihdettavissa keskenään, varsinkin silloin, kun niitä käytetään
itsenäisesti. Illatiivisijaisten substantiivien edellä käytetään kuitenkin yleen-
sä **mihin**-pronominia.

Missä **täällä on lipunmyynti?**
Missä **(talossa) asut?**
Millä **kadulla Sami asuu?**
Mistä **täältä voi ostaa lippuja?**
Mistä **(kaupungista) olet kotoisin?**
Miltä **raiteelta juna lähtee?**
Minne ~ *mihin* **olet matkalla?**
Minne ~ *mihin* **tänne voi jättää matkatavarat?**
Mihin **(maahan) ajattelit matkustaa seuraavaksi?**
Mille **raiteelle juna saapuu?**

Mikä-pronominin ulkopaikallissijaiset muodot **millä, miltä, mille** voivat
esiintyä yksin, kun niillä kysytään esimerkiksi välinettä tai kun kysymykses-
sä käytetty verbi tai predikatiivi vaatii ulkopaikallissijan käyttöä.

Millä **te matkustatte töihin?**
Miltä (~ mille) **ruoka maistuu?**
Mille **olet allerginen?**

Kumpi taipuu adjektiivien komparatiivimuotojen tapaan (§85). (Tästä eteen-
päin akkusatiivimuotoja ei ole sisällytetty taivutuskaavioihin, koska nämä
muodot ovat vastaavia kuin yksikön nominatiivi ja genetiivi tai monikon
osalta nominatiivi, §37.)

	Yksikkö	Monikko
Nom.	kumpi	+kumma/t
Gen.	+kumma/n	kump/i/en
Part.	kumpa/a	kump/i/a
Iness.	+kumma/ssa	+kumm/i/ssa
Elat.	+kumma/sta	+kumm/i/sta
Illat.	kumpa/an	kump/i/in
Adess.	+kumma/lla	+kumm/i/lla
Ablat.	+kumma/lta	+kumm/i/lta
Allat.	+kumma/lle	+kumm/i/lle
Ess.	kumpa/na	kump/i/na
Transl.	+kumma/ksi	+kumm/i/ksi

Kumma/lla puolella olet?
Kumma/ssa huoneessa Ari on?
Kumma/t kengät ostat?
Kumpa/an kaupunkiin muutat?
Kumma/lle annat lahjan?

Interrogatiivipronominit **millainen** ja **minkälainen** taipuvat kuten **ihminen**-nominit (§21.1).

Millainen sää on ulkona?
Minkälais/ta lihaa teillä on?
Millaise/n palkan saat?
Minkälaise/ssa autossa pääministeri saapuu?
Millais/i/a vieraita teille tulee?

§57 INDEFINIITTIPRONOMINIT

Yleisimmät indefiniittipronominit ovat **joku, jokin, (ei) kukaan, (ei) mikään, jompikumpi, kumpikin** ja **kukin**. **Joku** on kaksiosainen pronomini: molemmat osat **jo** ja **ku** saavat taivutettaessa samat päätteet. Tätä pronominia käytetään yleiskielessä vain ihmisistä. Puhekielessä pronominista **joku** käytetään lähinnä vain yksikön ja monikon nominatiivimuotoja, muissa sijoissa käytetään pronominin **jokin** vastaavia muotoja.

	Yksikkö	Monikko
Nom.	joku	jo/t/ku/t
Gen.	jo/n/ku/n	jo/i/den/ku/i/den
Part.	jo/ta/ku/ta	jo/i/ta/ku/i/ta
Iness.	jo/ssa/ku/ssa	jo/i/ssa/ku/i/ssa
Elat.	jo/sta/ku/sta	jo/i/sta/ku/i/sta
Illat.	jo/hon/ku/hun	joi/i/hin/ku/i/hin
Adess.	jo/lla/ku/lla	jo/i/lla/ku/i/lla
Ablat.	jo/lta/ku/lta	jo/i/lta/ku/i/lta
Allat.	jo/lle/ku/lle	jo/i/lle/ku/i/lle
Ess.	jo/na/ku/na	jo/i/na/ku/i/na
Transl.	jo/ksi/ku/ksi	jo/i/ksi/ku/i/ksi

Joku koputtaa oveen.
Olet saanut kirjeen *jo/lta/ku/lta*.
Tunnetko *jo/ta/ku/ta* hyvää lääkäriä?
Jo/i/den/ku/i/den mielestä meidän pitäisi lähteä jo nyt.
Jo/lla/ku/lla on avaimet.
Jo/i/hin/ku/i/hin ei voi luottaa.
Pitäisin enemmän *jo/sta/ku/sta* toisesta.

Pronominissa **jokin**, jota käytetään yleiskielessä muista kuin ihmisistä, pääte -kin on liitepartikkeli, joten luku- ja sijapäätteet liitetään sen eteen sanan sisälle. Niistä sijapäätteistä, jotka päättyvät a:han (esim. -lla, -ta), partikkelin k saattaa jäädä pois, etenkin puhekielessä mutta usein myös kirjoitetussa kielessä.

	Yksikkö		Monikko	
Nom.	jokin		jo/t/kin	
Gen.	jo/n/kin		jo/i/den/kin	
Part.	jo/ta/kin	(~ jotain)	jo/i/ta/kin	(~ joitain)
Iness.	jo/ssa/kin	(~ jossain)	jo/i/ssa/kin	(~ joissain)
Elat.	jo/sta/kin	(~ jostain)	jo/i/sta/kin	(~ joistain)
Illat.	jo/hon/kin		jo/i/hin/kin	
Adess.	jo/lla/kin	(~ jollain)	jo/i/lla/kin	(~ joillain)
Ablat.	jo/lta/kin	(~ joltain)	jo/i/lta/kin	(~ joiltain)
Allat.	jo/lle/kin		jo/i/lle/kin	
Ess.	jo/na/kin	(~ jonain)	jo/i/na/kin	(~ joinain)
Transl.	jo/ksi/kin		jo/i/ksi/kin	

187

Kujalla liikkuu *jokin*.
Jo/na/kin sunnuntaina lähden hiihtämään.
Jo/lla/kin tavalla aion myydä sen.
Sinulla on aina *jo/i/ta/kin* esteitä.
Söisin mielelläni *jo/ta/in*.
Jo/t/kin asiat ovat hyvin tärkeitä.
Olen lukenut sen *jo/sta/in*.
Jo/i/hin/kin ihmisiin ei voi luottaa.
Jo/i/lle/kin asioille ei voi mitään.
Olli on *jo/ssa/kin* ulkona.

Kuten esimerkeistä käy ilmi, **jokin** voi joskus viitata ihmisiinkin, erityisesti puhekielessä.

Pronominin **joku** kielteinen vastine on (**ei**) **kukaan**; -kaan ~ -kään on liitepartikkeli, ja siksi muut päätteet liitetään sen edelle sanan sisään. **Kukaan** esiintyy useimmiten kieltoverbin kanssa. Useimpien yksiköllisten taivutusmuotojen vartalona on **kene-**, monikkomuotojen puolestaan **ke-**; vrt. pronominin **kuka** taivutukseen (§56). Yksikössä esiintyy joissain tapauksissa myös lyhyempiä vaihtoehtoisia muotoja. Monikkomuodot ovat harvinaisia, ja niiden sijaan käytetään usein vastaavia yksiköllisiä ilmauksia.

	Yksikkö	Monikko
Nom.	(ei) kukaan	(eivät) ke/t/kään
Gen.	(ei) kene/n/kään	(ei) ke/i/den/kään
Part.	(ei) ke/tä/än	(ei) ke/i/tä/(kä)än
Iness.	(ei) kene/ssä/kään (~ kessään)	(ei) ke/i/ssä/(kä)än
Elat.	(ei) kene/stä/kään (~ kestään)	(ei) ke/i/stä/(kä)än
Illat.	(ei) kene/en/kään (~ kehenkään)	(ei) ke/i/hin/kään
Adess.	(ei) kene/llä/kään (~ kellään)	(ei) ke/i/llä/(kä)än
Ablat.	(ei) kene/ltä/kään (~ keltään)	(ei) ke/i/ltä/(kä)än
Allat.	(ei) kene/lle/kään (~ kellekään)	(ei) ke/i/lle/kään

Kukaan ei usko minua.
En usko *ke/tä/än*.
Kene/ssä/kään ei ole vikaa.
Onko täällä *ke/tä/än?*
Ke/i/tään muita ei ole näkynyt.
Älä tee *kene/lle/kään* pahaa!

Tämä ei ole *kene/stä/kään* hyvää.
Ke/t/kään heistä eivät kannata ehdotusta.
Kukaan heistä ei kannata ehdotusta.
En saa apua *kene/ltä/kään.*
Ke/i/llä/kään ~ *kene/llä/kään* ei ole varaa tähän.

Samaan tapaan taipuu (**ei**) **mikään**, joka on pronominin **jokin** kielteinen vastine; vrt. **mikä** (§56). **Mikä** ja (**ei**) **mikään** ovat taivutukseltaan sikäli samanlaisia, että melkein kaikki monikon muodot ovat samanlaisia kuin vastaavat yksikkömuodot.

	Yksikkö	*Monikko*
Nom.	(ei) mikään	(eivät) mi/t/kään
Gen.	(ei) mi/n/kään	(muut muodot kuten yksikössä)
Part.	(ei) mi/tä/än	
Iness.	(ei) mi/ssä/än	
Elat.	(ei) mi/stä/än	
Illat.	(ei) mi/hin/kään	
Adess.	(ei) mi/llä/än	
Ablat.	(ei) mi/ltä/än	
Allat.	(ei) mi/lle/kään	
Ess.	(ei) mi/nä/än	
Transl.	(ei) mi/ksi/kään	

Mikään ei auta.
En näe *mi/tä/än.*
Siellä ei ole *mi/tä/än.*
Hän ei välitä *mi/stä/än.*
Jaanasta ei ole *mi/hin/kään.*
En voi auttaa teitä *mi/llä/än* tavalla.
Siitä ei ole *mi/tä/än* hyötyä.
Mi/t/kään selitykset eivät auta.
Mi/stä/än maasta ei tule enemmän edustajia kuin Suomesta.
Mi/n/kään koneen ominaisuudet eivät ole paremmat kuin tämän.
Mi/ssä/än tapauksessa en suostu tähän.
Mi/nä/än vuonna ei ole satanut niin paljon kuin tänä vuonna.

Jompikumpi muistuttaa pronominia joku sikäli, että molemmat osat jompi ja kumpi taipuvat. Pronominissa kumpikin etuosa taipuu kuten pronomini kumpi (§56), johon liitetään partikkeli -kin. Kumpikaan taipuu kuten kumpikin.

	Yksikkö	Monikko
Nom.	jompikumpi	+jomma/t/kumma/t
Gen.	+jomma/n/kumma/n	jomp/i/en/kump/i/en
Part.	jompa/a/kumpa/a	jomp/i/a/kump/i/a
Iness.	+jomma/ssa/kumma/ssa	+jomm/i/ssa/kumm/i/ssa
Elat.	+jomma/sta/kumma/sta	+jomm/i/sta/kumm/i/sta
Illat.	jompa/an/kumpa/an	jomp/i/in/kump/i/in
Adess.	+jomma/lla/kumma/lla	+jomm/i/lla/kumm/i/lla
Abl.	+jomma/lta/kumma/lta	+jomm/i/lta/kumm/i/lta
Allat.	+jomma/lle/kumma/lle	+jomm/i/lle/kumm/i/lle
Ess.	jompa/na/kumpa/na	jomp/i/na/kump/i/na
Transl.	+jomma/ksi/kumma/ksi	+jomm/i/ksi/kumm/i/ksi

	Yksikkö	Monikko
Nom.	kumpikin	+kumma/t/kin
Gen.	+kumma/n/kin	kump/i/en/kin
Part.	kumpa/a/kin	kump/i/a/kin
Iness.	+kumma/ssa/kin	+kumm/i/ssa/kin
Elat.	+kumma/sta/kin	+kumm/i/sta/kin
Illat.	kumpa/an/kin	kump/i/in/kin
Adess.	+kumma/lla/kin	+kumm/i/lla/kin
Ablat.	+kumma/lta/kin	+kumm/i/lta/kin
Allat.	+kumma/lle/kin	+kumm/i/lle/kin
Ess.	kumpa/na/kin	kump/i/na/kin
Transl.	+kumma/ksi/kin	+kumm/i/ksi/kin

Jompikumpi ehdotus voittaa.
Kumpikaan ei voita.
En tunne kumpa/a/kaan heistä.
jomma/ssa/kumma/ssa tapauksessa
Pidän kumma/sta/kin.
Tulen jompa/na/kumpa/na pääsiäispäivänä.

En tule *kumpa/na/kaan* päivänä.
Kumma/sta/kin talosta tulee yksi mies.
Kumpa/an/kin perheeseen syntyi tyttö.
Voit ottaa *jomma/t/kumma/t* kengät.
Kumma/t/kin häät ovat ennen juhannusta.
En pidä *kumma/sta/kaan* kirjasta.
Sain kirjan *jomma/lta/kumma/lta,* en muista keneltä.
Hän ei osaa *kumpa/a/kaan* kieltä.
Kumma/n/kin kengät ovat eteisessä.

Vastaavasti pronominissa **kukin** luku- ja sijapäätteet esiintyvät ennen liitepartikkelia -**kin**. Tällä pronominilla ei ole monikkomuotoja.

	Yksikkö
Nom.	**kukin**
Gen.	**ku/n/kin**
Part.	**ku/ta/kin**
Iness.	**ku/ssa/kin**
Elat.	**ku/sta/kin**
Illat.	**ku/hun/kin**
Adess.	**ku/lla/kin**
Ablat.	**ku/lta/kin**
Allat.	**ku/lle/kin**
Ess.	**ku/na/kin**
Transl.	**ku/ksi/kin**

Kukin saa yhden vapaalipun.
Annamme *ku/lle/kin* yhden vapaalipun.
Ku/lla/kin on huolensa.
Ku/ssa/kin talossa asuu neljä perhettä.
Ku/n/kin täytyy tehdä kaikkensa.
Maksamme 20 euroa *ku/lta/kin* sivulta.
Perehdymme *ku/hun/kin* tapaukseen erikseen.

Huomaa lisäksi seuraavat sanat, jotka taipuvat vastaavien substantiivien ja adjektiivien tapaan.

§57

Perusmuoto	Genetiivi	Partitiivi
eräs	erää/n	eräs/tä
jokainen	jokaise/n	jokais/ta
kaikki	+kaike/n	kaikke/a
+molemma/t	molemp/i/en	molemp/i/a
moni	mone/n	mon/ta (*puhekielessä*: montaa)
muutama	muutama/n	muutama/a
muu	muu/n	muu/ta
toinen	toise/n	tois/ta
usea	usea/n	usea/a
harva	harva/n	harva/a

Molemma/t, muutama, harva ja usea esiintyvät sekä yksikössä että monikossa.

Melkein *jokaise/lla* perheellä on tietokone.
Kaikki tulevat meille illalla.
Kaik/i/lla on hauskaa.
Molemma/t lapset ovat koulussa.
Annan tehtävän *molemm/i/lle*.
erää/nä päivänä viime viikolla
Teos on *erää/llä* tavalla hyvä.
Eräs toinen tyttö tuli sisään.
Tiedän *kaike/n*.
Moni yritys epäonnistuu.
Tuli *mon/ta* vierasta.
Olen ollut *mon/i/ssa* maissa (~ *mone/ssa* maassa).
Mon/i/en mielestä tämä on huono ehdotus.
Mone/lla yrittäjällä on vaikeuksia.
Tunnen *mon/i/a* ihmisiä.
Muu/t ovat eri mieltä.
Olen käynyt *mu/i/ssa/kin* Pohjoismaissa.
Ostin takin *muutama/lla* eurolla.
Muutama/t ihmiset väittävät, että…
Työ on valmis *muutama/ssa* minuutissa.
muutam/i/a vuosia sitten
Selitän asian *muutama/lla* sanalla.
Tämä on *toinen* asia.

Usea/t ihmiset sanovat, että…
use/i/ssa tapauksissa
Use/i/den mielestä hallitus on tehoton.
En ole nähnyt Osmoa *use/i/hin* vuosiin.
Harva/lla opiskelijalla on paljon rahaa.
joitakin *harvo/j/a* tapauksia
Harva/ssa kaupungissa näkee näin paljon turisteja.
Palkinto myönnetään vain *harvo/i/lle* ja valituille.

§58 RELATIIVIPRONOMINIT

Yleisin relatiivipronomini on **joka**, jonka viimeinen tavu esiintyy ainoastaan yksikön ja monikon nominatiivissa ja yksikön genetiivissä.

	Yksikkö	*Monikko*
Nom.	joka	jo/t/ka
Gen.	jo/n/ka	jo/i/den
Part.	jo/ta	jo/i/ta
Iness.	jo/ssa	jo/i/ssa
Elat.	jo/sta	jo/i/sta
Illat.	jo/hon	jo/i/hin
Adess.	jo/lla	jo/i/lla
Ablat.	jo/lta	jo/i/lta
Allat.	jo/lle	jo/i/lle
Ess.	jo/na	jo/i/na
Transl.	jo/ksi	jo/i/ksi

Mikä (joka on mainittu edellä interrogatiivipronominien yhteydessä §56) toimii myös relatiivipronominina. Nominatiivia ja akkusatiivia lukuun ottamatta monikon taivutusmuodot ovat samanlaisia kuin vastaavat yksikkömuodot; muuten **mikä** taipuu kuten **joka**.

	Yksikkö	Monikko
Nom.	mikä	mi/t/kä
Gen.	mi/n/kä	(muut muodot kuten yksikössä)
Part.	mi/tä	
Iness.	mi/ssä	
Elat.	mi/stä	
Illat.	mi/hin	
Adess.	mi/llä	
Ablat.	mi/ltä	
Allat.	mi/lle	
Ess.	mi/nä	
Transl.	mi/ksi	

Joka on yleisempi relatiivipronomini kuin mikä. Sitä käytetään viitattaessa ihmisiin ja yleensä myös viitattaessa muihin elollisiin tai elottomiin tarkoitteisiin. Pronominia mikä käytetään erityisesti viitattaessa kokonaiseen lauseeseen tai superlatiivi-ilmaukseen, tai kun edussanana on pelkkä tukipronomini. Varsinkin puhekielessä sitä käytetään kuitenkin yleisesti myös esineistä ja olioista, harvemmin ihmisistä.

Huomaa, että relatiivipronomini sijoittuu aina lauseessa ensimmäiseksi. Näin ollen esimerkiksi prepositioiden paikka on relatiivipronominin jälkeen.

Hän on mies, *joka* ei pelkää.

Tämä on kirja, *jo/ta* en halua lukea.

Talo, *jo/ssa* asun, on Vilhonkadulla.

Sain lahjan, *jo/sta* on hyötyä.

Ostin moottoripyörän, *jo/n/ka* hinta oli 10 000 euroa.

Ne olivat aikoja, *jo/t/ka* eivät palaa.

Tapahtumat, *jo/i/sta* kuulin, olivat kauheita.

Tässä on opettaja, *jo/ta* ilman minusta ei olisi tullut kirjailijaa.

Kaupunki, *jo/ssa* asuin lapsena, on muuttunut paljon.

Siskoni muuttaa maaseudulle, *mi/ssä* on rauhallisempaa.

Tahdon olla siellä, *mi/ssä* sinäkin.

Se on paras paikka, *jo/n/ka* tiedän.

Tässä ovat kirjeet, *jo/t/ka* lähetit minulle.

Älä turhaan murehdi sellaista, *mi/lle* et voi mitään.

Tuo on kertomus, *jo/hon* en usko.

Alkoi sataa, *mikä* esti matkamme.
En osaa uida, *mikä* on harmillista.
Tee, *mi/tä* haluat.
Se, *mi/kä* minua eniten surettaa, on...
Se on parasta, *mitä* minulle on koskaan tapahtunut.

Relatiivilauseen alussa voi esiintyä myös pronomininkaltainen adverbi (**jonne, minne, jolloin, milloin**) tai pronomininkaltainen adjektiivi (**jollainen, millainen**). **Jollainen** ja **millainen** taipuvat luvussa ja sijassa.

Lähin kaupunki on Kuopio, *jonne* on matkaa 10 kilometriä.
Menen sinne, *minne* sinäkin.
Muistan ikuisesti aamun, *jolloin* hän lähti.
Tulen avuksi silloin, *milloin* tarvitaan.
Muutimme taloon, *jollaise/ssa* olen aina halunnut asua.
Talo ei ollut sellainen, *millaise/ksi* olin sen kuvitellut.

14
VERBIEN AIKAMUODOT

- *Preesens*
- *Imperfekti eli preteriti*
- *Perfekti*
- *Pluskvamperfekti*
- *Kielteiset aikamuodot*

§59 PREESENS

Suomessa on neljä aikamuotoa eli tempusta: kaksi yksinkertaista (preesens ja imperfekti, jonka oikeampi nimi olisi preteriti) ja kaksi yhdistettyä (perfekti ja pluskvamperfekti). Vrt. preesens **sano/n**, imperfekti **sano/i/n**, perfekti **ole/n sano/nut** ja pluskvamperfekti **ol/i/n sano/nut**.

Preesens ilmaisee menemätöntä aikaa: yleensä hetkeä, joka on samanaikainen puhehetken kanssa, joskus myös tulevaa eli puhehetken jälkeistä aikaa. Preesensiä käytetään myös yleispätevissä ajattomissa ilmauksissa tyyppiä **Leijona on eläin; Leijonat ovat eläimiä**.

Preesensillä ei ole päätettä. Huomattakoon kuitenkin, että yksikön 3. persoonassa vartalon lyhyt loppuvokaali pitenee eli kaksinkertaistuu (§ 25.1). Muuten persoonapääte liittyy preesensissä suoraan taivutusvartaloon (§ 24).

Vesa *on* ulkona.
(Minä) *ole/n* kotona.
(Me) *lue/mme* sanomalehteä.
Marko *luke/e* sanomalehteä.
Mitä *sano/tte?*
Auto *seiso/o* tallissa.
Ritva *halua/a* olutta.
Tuula ja Leena *lähte/vät* Espanjaan.
Mattikin *lähte/e* sinne.

Laura *aloitta/a* koulun ensi vuonna.
Sauna *rakenne/ta/an* tähän.
Harri *on luke/ma/ssa* sähköpostia.

§60 IMPERFEKTI ELI PRETERITI

Imperfekti eli preteriti ilmaisee mennyttä aikaa – tekemistä, joka on tapahtunut ennen puhehetkeä. Imperfektin pääte on -i, joka liitetään taivutusvartaloon (§24); sitä seuraa persoonapääte. Yksikön 3. persoonalla ei ole imperfektissä koskaan persoonapäätettä.

> Imperfekti muodostetaan päätteellä -i, joka liitetään taivutusvartaloon (§24).

Verbit **sano/a, puhu/a, anta/a** ja **ol/la** taipuvat siis imperfektissä seuraavalla tavalla.

Yks. 1. persoona	**(minä)**	**sano/i̱/n**
		puhu/i̱/n
		+anno/i̱/n
		ol/i̱/n
Yks. 2. persoona	**(sinä)**	**sano/i̱/t**
		puhu/i̱/t
		+anno/i̱/t
		ol/i̱/t
Yks. 3. persoona	**hän**	**sano/i̱**
	äiti	**puhu/i̱**
	Kalle	**anto/i̱**
	Anni	**ol/i̱**
Mon. 1. persoona	**(me)**	**sano/i̱/mme**
		puhu/i̱/mme
		+anno/i̱/mme
		ol/i̱/mme

Mon. 2. persoona	(te)	sano/i/tte
		puhu/i/tte
		+anno/i/tte
		ol/i/tte
Mon. 3. persoona	he	sano/i/vat
	naiset	puhu/i/vat
	miehet	anto/i/vat
	oppilaat	ol/i/vat

Ennen imperfektin -i:tä pätevät normaalit vokaalinmuutossäännöt (§16); ks. yllä +anno/i/n jne. Seuraavassa taulukossa on annettu ensin verbin perusmuoto (A-infinitiivi), sitten yksikön 3. persoonan preesensmuoto esimerkkinä taivutusvartalosta sekä se pykälä (§), jossa vokaalinmuutos on selitetty, ja lopuksi yksikön 3. persoonan imperfektimuoto (ilman astevaihtelua) ja yksikön 1. persoonan imperfekti (joka on astevaihtelun alainen).

A-infinitiivi	*Preesensin yks. 3. persoona*	*Vrt. §*	*Imperfektin yks. 3. persoona*	*Imperfektin yks. 1. persoona*
kerto/a	kerto/o	16(1)	kerto/i	+kerro/i/n
asu/a	asu /u	”	asu /i	asu /i/n
pysy/ä	pysy /y	”	pysy /i	pysy /i/n
luke/a	luke/e	16(5)	luk/i	+lu/i/n
etsi/ä	etsi/i	16(6)	ets/i	ets/i/n
oppi/a	oppi/i	”	opp/i	+op/i/n
vetä/ä	vetä/ä	16(7)	vet/i	+ved/i/n
yrittä/ä	yrittä/ä	16(7)	yritt/i	+yrit/i/n
anta/a	anta/a	16(8)	anto/i	+anno/i/n
sata/a	sata/a	”	sato/i	
jaka/a	jaka/a	”	jako/i	+jao/i/n
muista/a	muista/a	16(8)	muist/i	muist/i/n
otta/a	otta/a	”	ott/i	+ot/i/n
rakasta/a	rakasta/a	”	rakast/i	rakast/i/n
osta/a	osta/a	”	ost/i	ost/i/n
saa/da	saa	16(2)	sa/i	sa/i/n
myy/dä	myy	”	my/i (~ mö/i)	my/i/n (~ mö/i/n)
voi/da	voi	16(4)	vo/i	vo/i/n
juo/da	juo	16(3)	jo/i	jo/i/n
pysäköi/dä	pysäköi	16(4)	pysäkö/i	pysäkö/i/n

luenn<u>oi</u>/da	luenn<u>oi</u>	"	luenn<u>o</u>/i	luenn<u>o</u>/i/n
nous/ta	nous<u>e</u>/e	16(5)	nous/<u>i</u>	nous/<u>i</u>/n
tul/la	tul<u>e</u>/e	"	tul/<u>i</u>	tul/<u>i</u>/n
men/nä	men<u>e</u>/e	"	men/<u>i</u>	men/<u>i</u>/n
+ajatel/la	ajatel<u>e</u>/e	"	ajattel/<u>i</u>	ajattel/<u>i</u>/n
+kierrel/lä	kiertel<u>e</u>/e	"	kiertel/<u>i</u>	kiertel/<u>i</u>/n
julkais/ta	julkais<u>e</u>/e	"	julkais/<u>i</u>	julkais/<u>i</u>/n
tarvit/a	tarvits<u>e</u>/e	"	tarvits/<u>i</u>	tarvits/<u>i</u>/n
häirit/ä	häirits<u>e</u>/e	"	häirits/<u>i</u>	häirits/<u>i</u>/n
+paet/a	paken<u>e</u>/e	"	paken/<u>i</u>	paken/<u>i</u>/n

Eräillä **anta/a**-tyypin verbeillä, joissa lyhyt konsonantti **t** on loppu-a:n tai -ä:n kadon takia joutunut imperfektin päätteen viereen, tämä **t** muuttuu s:ksi. Tämä tapahtuu etenkin silloin, kun **t** on kahden vokaalin tai l:n, n:n tai r:n jäljessä.

---

t vaihtuu joskus **s**:ksi, jos se loppu-a:n tai -ä:n kadon takia on joutunut imperfektin -i:n eteen.

A-infinitiivi	Preesensin yks. 3. persoona	Imperfektin yks. 3. persoona	Imperfektin yks. 1. persoona
tietä/ä	tie<u>t</u>ä/ä	tie<u>s</u>/<u>i</u>	tie<u>s</u>/<u>i</u>/n
löytä/ä	löy<u>t</u>ä/ä	löy<u>s</u>/<u>i</u>	löy<u>s</u>/<u>i</u>/n
huuta/a	huu<u>t</u>a/a	huu<u>s</u>/<u>i</u>	huu<u>s</u>/<u>i</u>/n
piirtä/ä	piir<u>t</u>ä/ä	piir<u>s</u>/<u>i</u>	piir<u>s</u>/<u>i</u>/n
työntä/ä	työn<u>t</u>ä/ä	työn<u>s</u>/<u>i</u>	työn<u>s</u>/<u>i</u>/n
tunte/a	tun<u>t</u>e/e	tun<u>s</u>/<u>i</u>	tun<u>s</u>/<u>i</u>/n
lentä/ä	len<u>t</u>ä/ä	len<u>s</u>/<u>i</u>	len<u>s</u>/<u>i</u>/n
kiertä/ä	kier<u>t</u>ä/ä	kier<u>s</u>/<u>i</u>	kier<u>s</u>/<u>i</u>/n
pyytä/ä	pyy<u>t</u>ä/ä	pyy<u>s</u>/<u>i</u>	pyy<u>s</u>/<u>i</u>/n
kiiltä/ä	kiil<u>t</u>ä/ä	kiil<u>s</u>/<u>i</u>	kiil<u>s</u>/<u>i</u>/n

Tämä sääntö ei koske esim. verbejä **pitä/ä, vetä/ä, sietä/ä, hoita/a**, vrt. **hän pit/i, +pid/i/n, Matti vet/i, +ved/i/n** jne.

Tärkeän **huomat/a**-ryhmän verbit muodostavat imperfektinsä seuraavan erikoisen muutoksen kautta.

Huomat/a-verbien imperfekti muodostetaan vaihtamalla taivutus-
vartalon loppu-a, -ä s:ksi, jonka perään liitetään imperfektin -i.

A-infinitiivi	Preesensin yks. 3. persoona	Imperfektin yks. 3. persoona	Imperfektin yks. 1. persoona
huomat/a	huomaa	huomas/i	huomas/i/n
osat/a	osaa	osas/i	osas/i/n
+hypät/ä	hyppää	hyppäs/i	hyppäs/i/n
+pelät/ä	pelkää	pelkäs/i	pelkäs/i/n
+maat/a	makaa	makas/i	makas/i/n
avat/a	avaa	avas/i	avas/i/n
+tavat/a	tapaa	tapas/i	tapas/i/n
määrät/ä	määrää	määräs/i	määräs/i/n
googlat/a	googlaa	googlas/i	googlas/i/n
tekstat/a	tekstaa	tekstas/i	tekstas/i/n
halut/a	halua/a	halus/i	halus/i/n
tarjot/a	tarjoa/a	tarjos/i	tarjos/i/n
hajot/a	hajoa/a	hajos/i	hajos/i/n

Alla olevat esimerkit havainnollistavat imperfektin käyttöä.

Koira *makas/i* lattialla.
Aleksi *anto/i* minulle suukon.
Poliisi *kysy/i* nimeäni.
Kuka siellä *ol/i?*
Kovalevy *hajos/i.*
Jo/i/t/ko punaviiniä eilen?
Mitä he *tek/i/vät* illalla?
Mitä *te/i/tte* illalla?
Niin me *ajattel/i/mme/kin.*
Ajo/i/n Turusta Helsinkiin kahdessa tunnissa.
Mitä *ost/i/t* Merjalle lahjaksi?
He *läht/i/vät* jo aamulla.
Ties/i/tte/kö tämän?
Ville *avas/i* vieraille oven.
Linn ja Sylvi *tekstas/i/vat* toisilleen.

Huomaa, että verbillä **käy/dä** on poikkeuksellinen imperfektimuoto **käv/i**, vrt. **käv/i/n**, **he käv/i/vät**.

§61 PERFEKTI

Perfektillä ilmaistaan sellaista menneessä ajassa tapahtunutta toimintaa, jonka vaikutukset tavalla tai toisella ulottuvat puhehetkeen: perfekti on 'nykyrelevanssin' tempus. Se muodostuu preesensmuotoisesta apuverbistä **ol/la** (taivutettuna persoonassa ja luvussa), jota seuraa NUT-partisiippi joko aktiivin yksikössä tai monikossa subjektin luvusta riippuen, tai passiivissa. Aktiivin NUT-partisiipin pääte on **-nut ~ -nyt**; esim. **(minä) ole/n sano/nut**, **(sinä) ole/t luke/nut**, **hän on syö/nyt**.

Aktiivin NUT-partisiippi muodostetaan liittämällä pääte **-nut ~ -nyt** infinitiivivartaloon (§23).

Jos infinitiivivartalo päättyy konsonanttiin,

(a) joka on **l, r** tai **s**, partisiipin **n** muuttuu toiseksi l:ksi, r:ksi tai s:ksi;

(b) joka on **t**, tämä **t** muuttuu n:ksi.

A-infinitiivi	NUT-partisiippi	Vrt. preesensin yks. 3. persoona
osta/a	osta/nut	osta/a
itke/ä	itke/nyt	itke/e
seiso/a	seiso/nut	seiso/o
tanssi/a	tanssi/nut	tanssi/i
löytä/ä	löytä/nyt	löytä/ä
anta/a	anta/nut	anta/a
näyttä/ä	näyttä/nyt	näyttä/ä
synty/ä	synty/nyt	synty/y
saa/da	saa/nut	saa
myy/dä	myy/nyt	myy
juo/da	juo/nut	juo
soi/da	soi/nut	soi
vartioi/da	vartioi/nut	vartioi
nous/ta	nous/sut	nouse/e
pes/tä	pes/syt	pese/e

§61

tul/la	tul/lut	tule/e
ol/la	ol/lut	on
+ajatel/la	+ajatel/lut	ajattele/e
pur/ra	pur/rut	pure/e
+väitel/lä	+väitel/lyt	väittele/e
huomat/a	huoman/nut	huomaa
osat/a	osan/nut	osaa
halut/a	halun/nut	halua/a
+veikat/a	+veikan/nut	veikkaa
+pelät/ä	+pelän/nyt	pelkää
+hypät/ä	+hypän/nyt	hyppää
+kelvat/a	+kelvan/nut	kelpaa
tarvit/a	tarvin/nut	tarvitse/e
+paet/a	+paen/nut	pakene/e
+lämmet/ä	+lämmen/nyt	lämpene/e
havait/a	havain/nut	havaitse/e

Verbeistä **tietä/ä** ja **taita/a** käytetään yleensä poikkeuksellisia NUT-partisiipin muotoja: **tien/nyt** ja **tain/nut** (harvemmin: **tietä/nyt** ja **taita/nut**).

Aktiivin NUT-partisiipin taivutusvartalo muodostetaan vaihtamalla **ut ~ yt ee**:ksi, esim. **sano/nut: sano/nee-** tai **ol/lut: ol/lee-**, ja päätteet lisätään tähän vartaloon. Eri persoonien perfektimuodot ovat siis seuraavanlaisia.

Yksikön 1. persoona	(minä)	ole/n sano/nut
		ole/n ol/lut
		ole/n huoman/nut
Yksikön 2. persoona	(sinä)	ole/t sano/nut
		ole/t ol/lut
		ole/t huoman/nut
Yksikön 3. persoona	hän	on sano/nut
	hän	on ol/lut
	hän	on huoman/nut
Monikon 1. persoona	(me)	ole/mme sano/neet
		ole/mme ol/leet
		ole/mme huoman/neet
Monikon 2. persoona	(te)	ole/tte sano/neet
		ole/tte ol/leet
		ole/tte huoman/neet

Monikon 3. persoona   he   o/vat sano/neet
                            he   o/vat ol/leet
                            he   o/vat huoman/neet

Alla on joitakin esimerkkejä perfektin käytöstä.

Keihänen *on matkusta/nut* **Espanjaan.**
On/ko **johtaja** *men/nyt* **lounaalle?**
Ole/tte/ko **ennen** *ol/leet* **Suomessa?**
Kari ja Pertti *o/vat lähte/neet* **pois.**
Ole/t/ko **jo** *syö/nyt?*
Ole/n maan/nut **sängyssä koko päivän.**
Ole/tte/ko luke/neet **Remeksen uusimman kirjan?**

Perfekti voi esiintyä myös konditionaalissa, jolloin pääte -**isi** liitetään apu-verbiin **ol/la**, sekä potentiaalissa, joka muodostetaan **ol/la**-verbin poikkeuk-sellisella vartalolla **liene-**, johon liittyy persoonapääte. Näiden apuverbin muotojen jälkeen seuraa vielä NUT-partisiippi (ks. luku 15).

Ol/isi/n ol/lut **iloinen, jos** *ol/isi/t tul/lut.*
Ol/isi/mme lähte/neet **Espanjaan, jos meillä** *ol/isi ol/lut* **rahaa.**
Erkki Tuomioja *liene/e käy/nyt* **Marokossa.**
He *liene/vät hankki/neet* **auton.**

§62 PLUSKVAMPERFEKTI

Pluskvamperfektillä ilmaistaan toimintaa, joka on tapahtunut ennen jota-kin mennen ajan ajankohtaa. Se muodostetaan **ol/la**-verbin imperfektimuo-dosta (**ol/i/n, ol/i/t, ol/i, ol/i/mme, ol/i/tte, ol/i/vat**), jota seuraa aktiivin tai passiivin NUT-partisiippi (§61). Koska pluskvamperfekti sisältää jo tempuk-sen päätteen, siihen ei voi liittyä moduspäätteitä (§13); se on siis aina indi-katiivissa. Esimerkkejä aktiivin pluskvamperfektistä:

Ol/i/n **juuri** *tul/lut* **kotiin, kun soitit.**
Ol/i/mme tul/leet **kotiin…**
Hän *ol/i opiskel/lut* **suomea ennen kuin (hän) tuli Suomeen.**
Sami *ol/i odotta/nut* **kymmenen minuuttia kun tulin.**
He *ol/i/vat odotta/neet…*

§63 KIELTEISET AIKAMUODOT

Kaikkiin kielteisiin muotoihin liittyy kieltoverbi **en, et, ei, emme, ette, eivät**. Kielteisestä preesensistä on ollut puhe edellä (§28); näissä muodoissa kielto-verbiä seuraa pääverbin vartalo, joka on astevaihtelun alainen.

Myönteinen	*Kielteinen*
+kerro/n	<u>en</u> +kerro
+kerro/t	<u>et</u> +kerro
hän kerto/o	hän <u>ei</u> +kerro
+kerro/mme	<u>emme</u> +kerro
+kerro/tte	<u>ette</u> +kerro
he kerto/vat	he <u>eivät</u> +kerro

Kielteinen imperfekti muodostetaan eri tavalla: kieltoverbiä seuraa perfektin partisiippi (§61).

Myönteinen	*Kielteinen*
+kerro/i/n	<u>en</u> kerto/<u>nut</u>
+kerro/i/t	<u>et</u> kerto/<u>nut</u>
hän kerto/i	hän <u>ei</u> kerto/<u>nut</u>
+kerro/i/mme	<u>emme</u> kerto/<u>neet</u>
+kerro/i/tte	<u>ette</u> kerto/<u>neet</u>
he kerto/i/vat	he <u>eivät</u> kerto/<u>neet</u>

Seuraavassa on lisäesimerkkejä kielteisen imperfektin muodostamisesta.

Myönteinen	*Kielteinen*
tanss/i/n	<u>en</u> tanssi/<u>nut</u>
tanss/i/tte	<u>ette</u> tanssi/<u>neet</u>
itk/i/t	<u>et</u> itke/<u>nyt</u>
hän näytt/i	hän <u>ei</u> näyttä/<u>nyt</u>
he anto/i/vat	he <u>eivät</u> anta/<u>neet</u>
+lu/i/n	<u>en</u> luke/<u>nut</u>
ol/i/mme	<u>emme</u> ol/<u>leet</u>
ol/i/t	<u>et</u> ol/<u>lut</u>
nous/i/n	<u>en</u> nous/<u>sut</u>

he nous/i/vat	he eivät nous/seet
ajattel/i/mme	emme +ajatel/leet
Tuula sa/i	Tuula ei saa/nut
osas/i/mme	emme osan/neet
osas/i/t	et osan/nut
hän pelkäs/i	hän ei +pelän/nyt
pelkäs/i/tte	ette +pelän/neet
tarvits/i/n	en tarvin/nut
he häirits/i/vät	he eivät häirin/neet

Kielteinen perfekti muodostetaan kieltoverbillä, jota seuraa **ole** (ilman persoonapäätettä) ja pääverbin NUT-partisiippi (yksikössä tai monikossa).

Myönteinen	*Kielteinen*
ole/n osta/nut	en ole osta/nut
ole/t osta/nut	et ole osta/nut
hän on osta/nut	hän ei ole osta/nut
ole/mme osta/neet	emme ole osta/neet
ole/tte osta/neet	ette ole osta/neet
he ovat osta/neet	he eivät ole osta/neet
ole/n ol/lut	en ole ol/lut
ole/mme ol/leet	emme ole ol/leet
ole/t näyttä/nyt	et ole näyttä/nyt
he ovat anta/neet	he eivät ole anta/neet
ole/mme saa/neet	emme ole saa/neet
ole/n +ajatel/lut	en ole +ajatel/lut
hän on osan/nut	hän ei ole osan/nut
ole/mme +pelän/neet	emme ole +pelän/neet
ole/n tarvin/nut	en ole tarvin/nut
ol/isi/n osta/nut	en ol/isi osta/nut
ol/isi/tte osta/neet	ette ol/isi osta/neet
he ol/isi/vat osta/neet	he eivät ol/isi osta/neet
hän liene/e osta/nut	hän ei liene osta/nut

Kielteinen pluskvamperfekti muodostetaan kieltoverbillä, jota seuraavat **ol/la**-verbin NUT-partisiippi (**ol/lut** ~ **ol/leet**) ja pääverbin NUT-partisiippi (yksikössä tai monikossa).

Myönteinen	Kielteinen
ol/i/n osta/nut	en ol/lut osta/nut
ol/i/t osta/nut	et ol/lut osta/nut
hän ol/i osta/nut	hän ei ol/lut osta/nut
ol/i/mme osta/neet	emme ol/leet osta/neet
ol/i/tte osta/neet	ette ol/leet osta/neet
he ol/i/vat osta/neet	he eivät ol/leet osta/neet
ol/i/n ol/lut	en ol/lut ol/lut
ol/i/mme ol/leet	emme ol/leet ol/leet
ol/i/t näyttä/nyt	et ol/lut näyttä/nyt
ol/i/mme osan/neet	emme ol/leet osan/neet
ol/i/t saa/nut	et ol/lut saa/nut
hän ol/i +pelän/nyt	hän ei ol/lut +pelän/nyt
ol/i/mme tul/leet	emme ol/leet tul/leet
ol/i/n näh/nyt	en ol/lut näh/nyt

Vertaa lopuksi seuraavia lause-esimerkkejä.

En osta maitoa.
En osta/nut maitoa.
En ole osta/nut maitoa.
En ol/lut osta/nut maitoa.

15
MODUKSET

- *Indikatiivi*
- *Konditionaali*
- *Imperatiivi*
- *Potentiaali*

§64 INDIKATIIVI

MODUKSILLA tarkoitetaan verbin päätteitä, jotka ilmaisevat tapaa jolla puhuja esittää verbin ilmaiseman toiminnan suhteen todellisuuteen. Suomessa on neljä modusta: indikatiivi (jolla ei ole päätettä) on yleisin ja esittää verbin ilmaiseman toiminnan 'sellaisenaan'. Konditionaali -isi ilmaisee useimmiten toiminnan hypoteettisena; imperatiivi (jolla on useita eri päätteitä persoonan mukaan) ilmaisee käskyä; ja potentiaali -ne, joka on harvinainen modus, esittää tekemisen mahdollisena tai todennäköisenä.

Indikatiivi on siis yleisin modus. Se on päätteetön ja esittää toiminnan sellaisenaan, ilmaisematta itsessään puhujan asennetta millään lailla. Tempus-ja persoonapäätteet esiintyvät indikatiivissa tavalliseen tapaan.

Nyt *mene/n* kotiin.
Lapsi *leikki/i* pihalla.
Vieraat *tule/vat* illalla.
Eilen *sa/i/n* kaksi viestiä.
Koska *sairastu/i/t*?
He *o/vat asu/neet* kymmenen vuotta Turussa.
Missä *ole/t synty/nyt*?
Vuonna 1960 presidentti Paasikivi *ol/i* jo *kuol/lut*.

Näissä verbimuodoissa ei siis ole moduksen päätettä, vain persoonan ja mahdollisesti tempuksen päätteet.

§65 KONDITIONAALI

Konditionaali -isi ilmaisee yleensä toimintaa, joka esitetään hypoteettisena, ja esiintyy tavallisesti jos-alkuisissa chtolauseissa ja niihin liittyvissä päälauseissa.

> Konditionaali muodostetaan päätteellä -isi, joka liitetään taivutusvartaloon (§24).

Konditionaalin pääte ei aiheuta astevaihtelua vartalossa (§15.2), mutta monet vokaalinmuutossäännöt pätevät, kun -isi liittyy taivutusvartaloon (§16). Konditionaalin päätettä seuraa persoonapääte, jonka perään voi liittyä vielä liitepartikkeli. Yksikön 3. persoona on konditionaalissa aina päätteetön; esim. hän men/isi, hän tul/isi.
Verbien sano/a, puhu/a, ol/la ja anta/a konditionaalimuodot ovat yksikön persoonissa seuraavat.

Yks. 1. persoona	(minä)	sano/isi/n puhu/isi/n ol/isi/n anta/isi/n
Yks. 2. persoona	(sinä)	sano/isi/t puhu/isi/t ol/isi/t anta/isi/t
Yks. 3. persoona	hän Suvi Mikko äiti	sano/isi puhu/isi ol/isi anta/isi

Alla on esimerkkejä vokaalinmuutossääntöjen vaikutuksesta konditionaalin päätteen edellä. Taulukossa on ensin verbin perusmuoto, sitten indikatiivin preesensin yksikön 3. persoona esimerkkinä taivutusvartalosta sekä se pykälä (§), jossa taivutusvartalon loppuvokaalin muutos on selitetty, ja lopuksi yksikön 1. persoonan konditionaalimuoto (muut persoonat eroavat vain persoonapäätteen osalta).

A-infinitiivi	Indikatiivin preesensin yks. 3. persoona	Ks. §	Konditionaalin yks. 1. persona
kerto/a	kerto/o	16(1)	kerto/isi/n
asu/a	asu/u	"	asu/isi/n
pysy/ä	pysy/y	"	pysy/isi/n
luke/a	luke/e	16(5)	luk/isi/n
tunte/a	tunte/e	"	tunt/isi/n
oppi/a	oppi/i	16(6)	opp/isi/n
salli/a	salli/i	"	sall/isi/n
näyttä/ä	näyttä/ä	16(7)	näyttä/isi/n
vetä/ä	vetä/ä	"	vetä/isi/n
jaka/a	jaka/a	16(8)	jaka/isi/n
otta/a	otta/a	"	otta/isi/n
rakasta/a	rakasta/a	"	rakasta/isi/n
huomat/a	huomaa	16(2)	huoma/isi/n
+hypät/ä	hyppää	"	hyppä/isi/n
+pelät/ä	pelkää	"	pelkä/isi/n
+tavat/a	tapaa	"	tapa/isi/n
saa/da	saa	"	sa/isi/n
tuo/da	tuo	16(3)	to/isi/n
vie/dä	vie	"	ve/isi/n
syö/dä	syö	"	sö/isi/n
voi/da	voi	16(4)	vo/isi/n
pysäköi/dä	pysäköi	"	pysäkö/isi/n
nous/ta	nouse/e	16(5)	nous/isi/n
tul/la	tule/e	"	tul/isi/n
men/nä	mene/e	"	men/isi/n
+ajatel/la	ajattele/e	"	ajattel/isi/n
hymyil/lä	hymyile/e	"	hymyil/isi/n
tarvit/a	tarvitse/e	"	tarvits/isi/n
vanhet/a	vanhene/e	"	vanhen/isi/n

Alla on joitakin esimerkkejä konditionaalin käytöstä.

Ol/isi/n iloinen, jos *tul/isi/t*.
Jo/isi/n mielelläni kahvia.
Jos vesi *ol/isi* lämmintä, *sa/isi/t* uida.
Väittä/isi/n, että...

Muutta/isi/t/ko pois Suomesta?
Tul/isi/vat/ko he, jos *pyytä/isi/mme*?
Kyllä Jukka Keskisalo *voitta/isi*, jos *halua/isi*.

Konditionaalia käytetään usein kohteliaisuuden ilmaisemiseen.

Kaata/isi/t/ko lisää teetä?
Kysy/isi/n, onko teillä...
Läht/isi/mme/kö jo kotiin?
Ruoka *ol/isi* nyt valmista.

Kuten on todettu edellä (§61), konditionaali esiintyy myös perfektissä; tällöin se ilmaisee tapahtumaa, joka on jäänyt toteutumatta. Nämä muodot koostuvat **ol/la**-verbin konditionaalimuodoista **ol/isi/n** ~ **ol/isi/t** jne., joita seuraa pääverbin NUT-partisiippi.

Ol/isi/n ol/lut iloinen, jos...
Ol/isi/n mielelläni *lähte/nyt* Ruotsiin, jos *ol/isi/n voi/nut*.
Ol/isi/t/ko tul/lut meille?
Ol/isi/vat/ko he *suostu/neet* tähän?
Ol/isi/n myöhästy/nyt, ellei Martti *ol/isi autta/nut* minua.

Konditionaalin kielteiset muodot koostuvat kieltoverbistä **en** ~ **et** jne. sekä pääverbistä, johon liittyy pääte **-isi** mutta ei persoonapäätettä.

Myönteinen	*Kielteinen*
ol/isi/n	en ol/isi
tul/isi/t	et tul/isi
he anta/isi/vat	he eivät anta/isi
kerto/isi/mme	emme kerto/isi
halua/isi/n	en halua/isi
sata/isi	ei sata/isi
sö/isi/n	en sö/isi
luk/isi/mme	emme luk/isi
he vetä/isi/vät	he eivät vetä/isi
ol/isi/n otta/nut	en ol/isi otta/nut
ol/isi/tte syö/neet	ette ol/isi syö/neet
he ol/isi/vat lähte/neet	he eivät ol/isi lähte/neet

§66 IMPERATIIVI

Imperatiivilla ilmaistaan lähinnä käskyjä, pyyntöjä ja kehotuksia, 3. persoonassa myös toiveita ja lupaa. Yksikön 1. persoonalla ei ole imperatiivimuotoa. Imperatiivin päätteet liittyvät (yksikön 2. persoonaa lukuun ottamatta) infinitiivivartaloon (§23). Imperatiivin modus- ja persoonapäätteiden yhdistelmät ovat kullekin persoonalle yksilöllisiä:

	Yksikkö	Monikko
1. persoona	–	-kaa/mme ~ -kää/mme
2. persoona	(ei päätettä)	-kaa ~ -kää
3. persoona	-ko/on ~ -kö/ön	-ko/ot ~ -kö/öt

Yksikön ja monikon 2. persoonan muodot, esim. **sano** ja **sano/kaa**, ovat yleisimmät. 3. persoonan muodot esiintyvät lähinnä kirjakielessä. Monikon 2. persoona ilmaisee myös kohteliasta yksikön 2. persoonaa.

> Imperatiivin yksikön 2. persoonan muoto on usein samanlainen kuin indikatiivin preesensin yksikön 1. persoonan muoto, josta on poistettu pääte **-n**.

Tämä muoto on myös samanlainen kuin pääverbin muoto kielteisessä indikatiivin preesensissä (§63), vrt. **sano/n, tule/n, pelkää/n** – **en sano, en tule, en pelkää** – **sano, tule, pelkää**.

> Muut imperatiivimuodot muodostetaan infinitiivivartalosta (§23).

Verbien **sano/a, men/nä** ja **kerto/a** imperatiivimuodot ovat siis seuraavanlaiset.

	Yksikkö	Monikko
1. persoona	–	sano/kaa/mme
	–	men/kää/mme
	–	kerto/kaa/mme

2. persoona	sano	sano/kaa
	mene	men/kää
	+kerro	kerto/kaa
3. persoona	sano/ko/on	sano/ko/ot
	men/kö/ön	men/kö/öt
	kerto/ko/on	kerto/ko/ot

Alla olevassa taulukossa esitetään infinitiivi, indikatiivin preesensin yksikön 1. persoona sekä yksikön ja monikon 2. persoonan imperatiivit.

A-infinitiivi	Preesensin yks. 1. persoona	Imperatiivin yks. 2. persoona	Imperatiivin mon. 2. persoona
anta/a	+anna/n	+anna	anta/kaa
osta/a	osta/n	osta	osta/kaa
unohta/a	+unohda/n	+unohda	unohta/kaa
luke/a	+lue/n	+lue	luke/kaa
vetä/ä	+vedä/n	+vedä	vetä/kää
sulke/a	+sulje/n	+sulje	sulke/kaa
herättä/ä	+herätä/n	+herätä	herättä/kää
avat/a	avaa/n	avaa	avat/kaa
+maat/a	makaa/n	makaa	+maat/kaa
+tavat/a	tapaa/n	tapaa	+tavat/kaa
määrät/ä	määrää/n	määrää	määrät/kää
+hakat/a	hakkaa/n	hakkaa	+hakat/kaa
tarjot/a	tarjoa/n	tarjoa	tarjot/kaa
myy/dä	myy/n	myy	myy/kää
syö/dä	syö/n	syö	syö/kää
ui/da	ui/n	ui	ui/kaa
teh/dä	+tee/n	+tee	teh/kää
pysäköi/dä	pysäköi/n	pysäköi	pysäköi/kää
nous/ta	nouse/n	nouse	nous/kaa
tul/la	tule/n	tule	tul/kaa
ol/la	ole/n	ole	ol/kaa
men/nä	mene/n	mene	men/kää
juos/ta	juokse/n	juokse	juos/kaa
+ajatel/la	ajattele/n	ajattele	+ajatel/kaa
harkit/a	harkitse/n	harkitse	harkit/kaa
+paet/a	pakene/n	pakene	+paet/kaa

Imperatiivimuotoisen verbin objekti on partitiivissa, mikäli normaalit partitiivisäännöt pätevät (§33.2). Imperatiivin akkusatiiviobjekti on päätteetön 1. ja 2. persoonassa, mutta saa päätteen -n mikäli imperatiivi on 3. persoonassa (§38). Seuraavat esimerkit havainnollistavat imperatiivin käyttöä.

Mene kotiin!
Men/kää kotiin!
Tule tänne!
Tul/kaa tänne!
Osta minulle kuppi kahvia!
Anta/kaa meille vettä!
Anna minulle lusikka!
Ol/kaa hyvä!
Ole hyvä!
Ole hyvä ja *avaa* ovi!
Teh/kää/mme kuten hän sanoo.
Varat/kaa meillekin pöytä!
Elä/kö/ön Suomi!
Onneksi *ol/ko/on*!
Puhu/kaa/mme suomea.
Juo/kaa/mme Niinistön malja!
Tul/ko/ot he tänne.
Men/kö/öt he sinne, me jäämme kotiin.
Ajattele(pa(s)) asiaa!
Nous/kaa(pa) ylös!
Kukin *teh/kö/ön* kuten haluaa.
Luke/kaa läksynne kunnolla!
Lue läksysi kunnolla!

Puhekielessä käytetään monikon 1. persoonan imperatiivin sijaan aina passiivia, esim. **sanotaan, mennään, tehdään** muotojen **sano/kaa/mme, men/kää/mme, teh/kää/mme** sijaan. Puhekielessä imperatiivimuotoihin voidaan vielä liittää suostutteleva liitepartikkeli -**pa(s)** ~ -**pä(s)**.

Kielteiset imperatiivit muodostetaan erityisellä tavalla; yksikön 2. persoona poikkeaa taas muista muodoista.

213

Kielteinen yksikön 2. persoonan imperatiivi muodostetaan sanalla **älä**, joka sijoitetaan myönteisen imperatiivimuodon eteen.

Myönteinen	*Kielteinen*
osta	älä osta
+lue	älä +lue
+vedä	älä +vedä
avaa	älä avaa
makaa	älä makaa
syö	älä syö
tule	älä tule

Muut kielteiset imperatiivit muodostuvat vartalosta **äl-**, johon liittyy asiaankuuluva imperatiivin pääte, sekä pääverbin infinitiivivartalosta, johon liittyy pääte **-ko ~ -kö**.

Kieltosanat ovat siten **älköön** (yksikön 3. persoona), **älkäämme** (monikon 1. persoona), **älkää** (monikon 2. persoona, ilmaisee myös kohteliasta yksikön 2. persoonaa) ja **älkööt** (monikon 3. persoona).

A-infinitiivi	*Kielteisen imperatiivin* *mon. 2. persoona*
sano/a	älkää sano/ko
otta/a	älkää otta/ko
+pelät/ä	älkää +pelät/kö
määrät/ä	älkää määrät/kö
+maat/a	älkää +maat/ko
tuo/da	älkää tuo/ko
tul/la	älkää tul/ko
men/nä	älkää men/kö
+ajatel/la	älkää +ajatel/ko

Seuraavassa on esimerkkejä kielteisistä imperatiiveista. Objekti on normaalien sääntöjen mukaisesti partitiivissa (§33.2).

Älä pelkää koiraa!
Älkää syö/kö niin nopeasti!
Älä polta täällä!
Älkää poltta/ko täällä!
Älkää lähte/kö kotiin vielä!
Älä lyö minua!
Älkää lyö/kö minua!
Älkäämme ajatel/ko sitä enää.
Älä tanssi Markon kanssa!
Älköön kukaan *usko/ko,* että...
Älkää avat/ko tuota ikkunaa!
Älä sylje lattialle!

§67 POTENTIAALI

Potentiaali, jonka pääte on -**ne**, on harvinainen ja siksi vähemmän tärkeä modus. Se esittää verbin ilmaiseman toiminnan todennäköisenä, mahdollisena tai ajateltavissa olevana.

Potentiaalin peruspääte on -**ne**, joka liitetään infinitiivivartaloon (§23).

Potentiaali muodostetaan siis samalla tavalla kuin NUT-partisiippi, jonka pääte on -**nut** ~ -**nyt** (§61). Äännevaihtelut ovat myös samat.

Jos infinitiivivartalo päättyy konsonanttiin,

(a) joka on **l, r** tai **s**, päätteen -**ne** alku-**n** muuttuu toiseksi **l**:ksi, **r**:ksi tai **s**:ksi;
(b) joka on **t**, tämä **t** muuttuu **n**:ksi.

Päätteen -ne jälkeen seuraa vielä persoonapääte.

A-infinitiivi	Potentiaalin yks. 3. persoona	Vrt. indikatiivin preesensin yks. 3. persoona
anta/a	anta/ne/e	anta/a
löytä/ä	löytä/ne/e	löytä/ä
luke/a	luke/ne/e	luke/e
saa/da	saa/ne/e	saa
voi/da	voi/ne/e	voi
vartioi/da	vartioi/ne/e	vartioi
nous/ta	nous/se/e	nouse/e
tul/la	tul/le/e	tule/e
+ajatel/la	+ajatel/le/e	ajattele/e
huomat/a	huoman/ne/e	huomaa
+kohdat/a	+kohdan/ne/e	kohtaa
+leikat/a	+leikan/ne/e	leikkaa
tarvit/a	tarvin/ne/e	tarvitse/e
valit/a	valin/ne/e	valitse/e
häirit/ä	häirin/ne/e	häiritse/e

Ol/la-verbin potentiaalimuodot ovat poikkeuksellisia. Ne perustuvat vartaloon liene-, johon liittyy persoonapääte: liene/n, liene/t, liene/e, liene/mme, liene/tte, liene/vät.

Seuraavat esimerkit havainnollistavat potentiaalin käyttöä.

Pääministeri Ansip *saapu/ne/e* Tallinnasta huomenna.
Eduskunta *valin/ne/e* Sauli Niinistön puhemieheksi.
Presidentti Halonen *liene/e* ulkomailla.
Utsjoki *sijain/ne/e* pohjoisessa.
He *liene/vät* samaa mieltä kanssamme.
Hyväksy/ne/tte päätöksemme.

Potentiaali esiintyy myös perfektissä, jolloin rakenne on liene- + pääverbin NUT-partisiippi (§61).

Ahtisaari *liene/e käy/nyt* Brasiliassa.
Hän *liene/e ol/lut* myös Marokossa.
Liene/mme näh/neet tämän elokuvan aikaisemmin.

Kielteiset potentiaalimuodot muodostetaan tavalliseen tapaan. Preesensissä kieltoverbiä **en, et** jne. seuraa potentiaalimuoto ilman persoonapäätettä, esim. **en osta/<u>ne</u>**. Kielteinen potentiaalin perfekti rakentuu samaan tapaan: kieltoverbi + **liene** (ilman persoonapäätettä) + NUT-partisiippi, esim. **en liene osta/<u>nut</u>**.

> Virtanen *ei syö/ne* tällaista ruokaa.
> *Emme uskalta/ne* tehdä näin.
> Utsjoki *ei sijain/ne* Pohjanmaalla.
> He *eivät liene soitta/neet* vielä.

16
PASSIIVI

- *Yleistä*
- *Passiivin preesens*
- *Passiivin imperfekti*
- *Passiivin perfekti ja pluskvamperfekti*
- *Passiivin modukset*

§68 YLEISTÄ

PASSIIVI on suomessa yleinen ja tärkeä verbinmuoto. Se ilmoittaa verbin toiminnan suorittajaksi MÄÄRITTELEMÄTTÖMÄN HENKILÖN eli EPÄMÄÄRÄI-SEN TEKIJÄN. Passiivimuotoisella verbillä ei ole erillistä kieliopillista subjektia, mutta verbin on oltava merkitykseltään sellainen, että sen ilmaisemalla toiminnalla voisi olla inhimillinen suorittaja. Suomen passiivi vastaa karkeasti sellaisia indefiniittipronomineja kuin ruotsin ja saksan *man,* ranskan *on* ja englannin *one.* Myönteisellä passiiviverbillä on kaksi päätettä: varsinainen passiivin pääte, joka on **-tta** ~ **-ttä, -ta** ~ **-tä** tai **-da** ~ **-dä,** sekä persoonapääte **-Vn** (vokaali + **n,** jossa vokaali on sama kuin edeltävä vokaali), esim. **sano/ta/an.**

Tyypillinen englannin passiivirakenne voitaisiin ilmaista suomeksi vaihtamalla kieliopillisen subjektin ja objektin järjestystä keskenään tai käyttämällä agenttirakennetta (§84).

Ehdotuksen esitti pääministeri Vanhanen.
Ehdotus on pääministeri Vanhasen *esittä/mä.*

Suomen passiivilauseet on erotettava GENEERISISTÄ LAUSEISTA, jotka ilmaisevat yleispäteviä totuuksia, lainalaisuuksia tai asiaintiloja. Geneeristen lauseiden predikaattiverbi on aktiivin yksikön 3. persoonassa vailla erillistä subjektia:

218

Usein *kuule/e,* että...
Siellä *saa* hyvää kahvia.
Tästä *näke/e* hyvin.
Jos *juokse/e* joka aamu, *tule/e* terveeksi.

Passiivi esiintyy kaikissa tempuksissa (preesens, imperfekti, perfekti ja pluskvamperfekti) ja samoin kaikissa moduksissa (indikatiivi, konditionaali, imperatiivi ja potentiaali). Passiivimuotojen perusrakenne käy ilmi seuraavasta taulukosta.

Kanta	Passiivi	Tempus, modus	Persoona	Partikkeli	
sano	ta		an		(pass. prees.)
sano	tt	i	in		(pass. imperf.)
sano	tta	isi	in		(pass. kond.)
sano	tta	ne	en		(pass. pot.)
sano	tta	ko	on		(pass. imperat.)
sano	ta		an	han	(pass. prees.)
sano	tt	i	in	ko	(pass. imperf.)
myy	dä		än		(pass. prees.)

Jatkossa passiivin muodostamista ei kuitenkaan kuvata näiden päätteiden liittämisenä: ei esimerkiksi ole tarpeen sanoa, että passiivin preesens muodostetaan lisäämällä päätteet -ta ja -Vn: sano/ta/an. Sen sijaan voidaan hyödyntää muutamia 'oikopolkuja', jotka ovat käytettävissä, koska passiivi sattuu muistuttamaan eräitä jo käsiteltyjä muotoja, erityisesti infinitiiviä. Tällä tavoin monet passiivin mutkikkaista äännevaihteluista voidaan johtaa automaattisesti.

§69 PASSIIVIN PREESENS

Anta/a-verbejä lukuun ottamatta passiivin preesens voidaan muodostaa seuraavan yksinkertaisen säännön avulla:

Passiivin preesens muodostetaan liittämällä pääte -an ~ -än
A-infinitiiviin (ei koske **anta/a**-verbejä).

Tämä sääntö koskee siis **huomat/a-, saa/da-, nous/ta-, tul/la-, tarvit/a-** ja **lämmet/ä**-verbejä. Seuraavissa esimerkeissä vinoviivat osoittavat varsinaisten passiivin päätteiden rajoja.

A-*infinitiivi*	*Passiivin preesens*
huomat/a	huomat/a/an
osat/a	osat/a/an
+hypät/ä	+hypät/ä/än
määrät/ä	määrät/ä/än
+pelät/ä	+pelät/ä/än
saa/da	saa/da/an
myy/dä	myy/dä/än
voi/da	voi/da/an
teh/dä	teh/dä/än
nous/ta	nous/ta/an
men/nä	men/nä/än
tul/la	tul/la/an
ol/la	ol/la/an
+ajatel/la	+ajatel/la/an
julkais/ta	julkais/ta/an
tarvit/a	tarvit/a/an
valit/a	valit/a/an
+paet/a	+paet/a/an

Anta/a-verbien passiivin preesens muodostetaan liittämällä passiivin päätteet -**ta/an** ~ -**tä/än** aktiivin yksikön 1. persoonan vartaloon, esim. **sano/n: sano/ta/an**; välittömästi passiivipäätteiden edellä vaikuttavat normaalit astevaihtelusäännöt (§15.2, sääntö B(a)). Jos vartalon viimeinen vokaali on **a** tai **ä**, tämä muuttuu passiivissa **e**:ksi.

Anta/a-verbien passiivin preesens muodostetaan

(a) liittämällä -**ta/an** ~ -**tä/än** yksikön 1. persoonan vartaloon sekä
(b) muuttamalla vartalon loppu-**a** tai -**ä e**:ksi.

A-infinitiivi	Preesensin yks. 1. persoona	Passiivin preesens
sano/a	sano/n	sano/ta/an
osta/a	osta/n	oste/ta/an
etsi/ä	etsi/n	etsi/tä/än
kysy/ä	kysy/n	kysy/tä/än
nukku/a	+nuku/n	+nuku/ta/an
anta/a	+anna/n	+anne/ta/an
sulke/a	+sulje/n	+sulje/ta/an
lentä/ä	+lennä/n	+lenne/tä/än
unohta/a	+unohda/n	+unohde/ta/an
otta/a	+ota/n	+ote/ta/an
luke/a	+lue/n	+lue/ta/an
pyytä/ä	+pyydä/n	+pyyde/tä/än

> Passiivin preesensin kielteiset muodot koostuvat kieltoverbistä **ei**, jota seuraa passiivimuoto ilman persoonapäätettä **-an ~ -än**.

Myönteinen	Kielteinen
huomat/a/an	ei huomat/a
osat/a/an	ei osat/a
saa/da/an	ei saa/da
teh/dä/än	ei teh/dä
men/nä/än	ei men/nä
nous/ta/an	ei nous/ta
tarvit/a/an	ei tarvit/a
sano/ta/an	ei sano/ta
+anne/ta/an	ei +anne/ta
+pyyde/tä/än	ei +pyyde/tä
+ote/ta/an	ei +ote/ta

Alla olevat lauseet havainnollistavat passiivin preesensin käyttöä.

Suomessa *syö/dä/än* sekä perunaa että riisiä.
Yökerhossa *tanssi/ta/an* kello kolmeen.
Tanskassa *puhu/ta/an* tanskaa.

221

Ei/kö täällä *puhu/ta* ruotsia?
Nyt *näh/dä/än,* että...
Mitä täällä *teh/dä/än?*
Täällä *ei tarjot/a* olutta.
Pelät/ä/än, että Suomi häviää.
Väite/tä/än, että hän on sairas.

Passiivimuotoisen verbin yksiköllinen akkusatiiviobjekti on päätteetön, kun taas persoonapronominit ja pronomini **kuka** saavat yksikössä erityisen -t-akkusatiivipäätteensä (§38) ja monikossa päätteen -**dät.**

Huomiseksi lue/ta/an *seuraava kappale.*
***Kirja* pan/na/an pöydälle.**
***Ovi* sulje/ta/an avaimella.**
***Auto* voi/da/an ajaa pihalle.**
***Häne/t* aio/ta/an erottaa työstään.**
***Kene/t* pyyde/tä/än avuksi?**

Puhekielessä passiivimuotoja käytetään erittäin yleisesti monikon 1. persoonan indikatiivin ja imperatiivin tilalla.

Kirjakieli	*Puhekieli (erittäin usein)*
(me) juo/mme	(me) juo/daan
(me) +kerro/mme	(me) +kerro/taan
(me) halua/mme	(me) halut/aan
(me) ajattele/mme	(me) +ajatel/laan
juo/kaa/mme!	juo/daan!
kerto/kaa/mme!	+kerro/taan!
+ajatel/kaa/mme!	+ajatel/laan!
lähte/kää/mme!	+lähde/tään!

§70 PASSIIVIN IMPERFEKTI

Passiivin imperfekti muodostetaan jommallakummalla päätteistä -**tta** ~ -**ttä** tai -**ta** ~ -**tä,** minkä jälkeen loppuvokaali katoaa imperfektin -**i**:n edeltä (§16). Passiivin päätettä seuraavat imperfektin -**i** ja persoonapääte -**Vn.** Yksinkertaisuuden vuoksi nämä pääteyhdistelmät merkitään jatkossa -**ttiin** ja

-**tiin**. Passiivin imperfekti voidaan muodostaa passiivin preesensistä seuraa-
van säännön avulla:

Passiivin imperfekti muodostetaan käyttämällä

(a) päätettä -**ttiin** passiivin preesensin -**taan** ~ -**tään** sijaan, kun edellä
on vokaali;

(b) päätettä -**tiin** muiden passiivin preesensin pääteyhdistelmien
tilalla.

Esimerkkejä:

A-infinitiivi	Yksikön 1. persoona	Passiivin preesens	Passiivin imperfekti
sano/a	sano/n	sano/taan	sano/ttiin
osta/a	osta/n	oste/taan	oste/ttiin
vaati/a	+vaadi/n	+vaadi/taan	+vaadi/ttiin
anta/a	+anna/n	+anne/taan	+anne/ttiin
pyytä/ä	+pyydä/n	+pyyde/tään	+pyyde/ttiin
rakasta/a	rakasta/n	rakaste/taan	rakaste/ttiin
huomat/a	huomaa/n	huomat/aan	huomat/tiin
osat/a	osaa/n	osat/aan	osat/tiin
palat/a	palaa/n	palat/aan	palat/tiin
+pelät/ä	pelkää/n	+pelät/ään	+pelät/tiin
saa/da	saa/n	saa/daan	saa/tiin
vie/dä	vie/n	vie/dään	vie/tiin
syö/dä	syö/n	syö/dään	syö/tiin
tuo/da	tuo/n	tuo/daan	tuo/tiin
nous/ta	nouse/n	nous/taan	nous/tiin
tul/la	tule/n	tul/laan	tul/tiin
men/nä	mene/n	men/nään	men/tiin
+ajatel/la	ajattele/n	+ajatel/laan	+ajatel/tiin
ol/la	ole/n	ol/laan	ol/tiin
tarvit/a	tarvitse/n	tarvit/aan	tarvit/tiin
+paet/a	pakene/n	+paet/aan	+paet/tiin
ansait/a	ansaitse/n	ansait/aan	ansait/tiin
harkit/a	harkitse/n	harkit/aan	harkit/tiin

Seuraavat lauseet havainnollistavat myönteisen passiivin imperfektin käyttöä. Esimerkeistä näkyy, että passiivimuodoilla on usein merkitys 'me', erityisesti puhekielessä:

Viime vuonna Suomeen *tuo/tiin* enemmän kuin Suomesta *vie/tiin*.
***Ol/tiin* sitä mieltä, että...**
Pian *havait/tiin*, että Eero oli lähtenyt.
Meille *anne/ttiin* monta hyvää neuvoa.
***Tul/tiin* Helsinkiin aamulla.**
Maahan *valit/tiin* uusi presidentti.
Tukholmasta *lenne/ttiin* Osloon.
***Nuku/ttiin* eri huoneissa.**

Kielteinen passiivin imperfekti koostuu kieltoverbistä **ei** ja passiivin NUT-partisiipista (tämän muodon rakentumisesta ks. §71):

Myönteinen	Kielteinen
sano/ttiin	ei sano/ttu
oste/ttiin	ei oste/ttu
kysy/ttiin	ei kysy/tty
huomat/tiin	ei huomat/tu
osat/tiin	ei osat/tu
+pelät/tiin	ei +pelät/ty
saa/tiin	ei saa/tu
syö/tiin	ei syö/ty
tul/tiin	ei tul/tu
ol/tiin	ei ol/tu
men/tiin	ei men/ty
tarvit/tiin	ei tarvit/tu

§71 PASSIIVIN PERFEKTI JA PLUSKVAMPERFEKTI

Passiivin perfekti ja pluskvamperfekti muodostetaan rakenteella **on** (perfekti) tai **oli** (pluskvamperfekti) + passiivin NUT-partisiippi (josta myös on käytetty nimeä TU-partisiippi). Passiivin perfektin partisiippi voidaan helpoiten muodostaa passiivin imperfektistä seuraavan säännön avulla:

Passiivin perfektin partisiippi muodostetaan vaihtamalla passiivin imperfektin **iin** -**u**:ksi tai **y**:ksi.

A-infinitiivi	Yksikön 1. persoona	Passiivin imperfekti	Passiivin perfektin partisiippi
osta/a	ost<u>a</u>/n	ost<u>e</u>/ttiin	ost<u>e</u>/<u>ttu</u>
anta/a	+ann<u>a</u>/n	+ann<u>e</u>/ttiin	+anne/<u>ttu</u>
nukku/a	+nuku/n	+nuku/ttiin	+nuku/<u>ttu</u>
pyytä/ä	+pyyd<u>ä</u>/n	+pyyd<u>e</u>/ttiin	+pyyd<u>e</u>/<u>tty</u>
huomat/a	huomaa/n	huomat/tiin	huomat/<u>tu</u>
määrät/ä	määrää/n	määrät/tiin	määrät/<u>ty</u>
+pelät/ä	pelkää/n	+pelät/tiin	+pelät/<u>ty</u>
saa/da	saa/n	saa/tiin	saa/<u>tu</u>
syö/dä	syö/n	syö/tiin	syö/<u>ty</u>
myy/dä	myy/n	myy/tiin	myy/<u>ty</u>
nous/ta	nouse/n	nous/tiin	nous/<u>tu</u>
ol/la	ole/n	ol/tiin	ol/<u>tu</u>
men/nä	mene/n	men/tiin	men/<u>ty</u>
tarvit/a	tarvitse/n	tarvit/tiin	tarvit/<u>tu</u>

Näiden muotojen käytöstä on esimerkkejä alla.

On sano/ttu, että Suomi on tuhansien järvien maa.
Ol/i sano/ttu, että...
On väite/tty, ettei hän eroa koskaan.
Tähän *on tul/tu.*
Ol/i anne/ttu sellainen neuvo, että...
Kouluissa *on lue/ttu* englantia jo pitkään.
Ol/i huomat/tu, että laiva uppoaa.
Ol/i jo *syö/ty,* kun vieraat tulivat.
On esite/tty kolme ehdotusta.
Tätä *on pelät/ty* monta vuotta.
On ol/tu myös sitä mieltä, että...
On/ko nyt *men/ty* liian pitkälle?
Auto *ol/i oste/ttu* jo eilen.

Passiivin perfektin kielteinen muoto on **ei ole** + pääverbin passiivin NUT-partisiippi; pluskvamperfektin kieltomuoto taas on **ei ol/lut** + sama partisiippimuoto (§63).

Myönteinen	*Kielteinen*
on saa/tu	ei ole saa/tu
ol/i saa/tu	ei ol/lut saa/tu
on sano/ttu	ei ole sano/ttu
ol/i sano/ttu	ei ol/lut sano/ttu
on määrät/ty	ei ole määrät/ty
ol/i määrät/ty	ei ol/lut määrät/ty
on ol/tu	ei ole ol/tu
ol/i ol/tu	ei ol/lut ol/tu

Kielteisten passiivimuotojen käytöstä on lisää esimerkkejä alla.

Tätä *ei ole tarvit/tu* ennenkään.
***Ei/kö ole oste/ttu* ruokaa?**
Keneltäkään *ei kysy/tty* neuvoa.
75 vuotta sitten Suomen kouluissa *ei paljon opiskel/tu* englantia.
Virtasta *ei valit/tu* puheenjohtajaksi.
Häntä *ei ol/lut näh/ty* kaupungilla.
Lakon aikana *ei saa/tu* sähköä.
Asiaa *ei sano/ttu* suoraan.
Artikkeliani *ei* vielä *ole julkais/tu*.
Seurauksia *ei ol/lut ote/ttu* huomioon.
Ehdotusta *ei ymmärre/tty*.
Sotaa *ei* koskaan *unohde/ttu*.

Vertaa lopuksi seuraavia lause-esimerkkejä.

Asiasta *ei puhuta*.
Asiasta *ei puhuttu*.
Asiasta *ei ole puhuttu*.
Asiasta *ei ollut puhuttu*.

§72 PASSIIVIN MODUKSET

Indikatiivilla ei ole moduspäätettä, esim. **sano/ta/an, +kerro/ta/an, tul/la/an.** Muut modukset eli konditionaali (**-isi**), imperatiivi (**-ko** ~ **-kö**) ja potentiaali (**-ne**) muodostetaan kaikki passiivin imperfektistä (§70) seuraavan säännön mukaisesti.

> Vaihda passiivin imperfektin **iin** a:ksi tai ä:ksi ja lisää asianomainen moduspääte sekä lopuksi persoonapääte -**Vn.**

Passiivin imperfektistä **sano/tt/i/in** saadaan näin ollen konditionaali **sano/tta/isi/in**, imperatiivi **sano/tta/ko/on** ja potentiaali **sano/tta/ne/en.** Vokaali **V** on sama kuin moduspäätteen viimeinen vokaali.

A-infinitiivi	Passiivin imperfekti	Passiivin konditionaali	Passiivin potentiaali	Passiivin imperatiivi
katso/a	katso/ttiin	katso/ttaisiin	katso/ttaneen	katso/ttakoon
tunte/a	+tunne/ttiin	+tunne/ttaisiin	+tunne/ttaneen	+tunne/ttakoon
odotta/a	+odote/ttiin	+odote/ttaisiin	+odote/ttaneen	+odote/ttakoon
avat/a	avat/tiin	avat/taisiin	avat/taneen	avat/takoon
lisät/ä	lisät/tiin	lisät/täisiin	lisät/täneen	lisät/täköön
juo/da	juo/tiin	juo/taisiin	juo/taneen	juo/takoon
saa/da	saa/tiin	saa/taisiin	saa/taneen	saa/takoon
ol/la	ol/tiin	ol/taisiin	ol/taneen	ol/takoon
men/nä	men/tiin	men/täisiin	men/täneen	men/täköön
hävit/ä	hävit/tiin	hävit/täisiin	hävit/täneen	hävit/täköön

Vastaavat kielteiset muodot ovat: konditionaalissa ja potentiaalissa kieltoverbi **ei**, jota seuraa ao. passiivimuoto ilman persoonapäätettä -**Vn**; ja imperatiivissa **älköön**, jota seuraa passiivimuoto ilman persoonapäätettä (§66). Imperatiivi- ja potentiaalimuodot ovat harvinaisia.

Myönteinen	Kielteinen
juo/ta/isi/in	ei juo/ta/isi
ol/ta/isi/in	ei ol/ta/isi
men/tä/neen	ei men/tä/ne
sano/tta/ko/on	älköön sano/tta/ko
teh/tä/isi/in	ei teh/tä/isi
+rakenne/tta/isi/in	ei +rakenne/tta/isi
+todet/ta/ne/en	ei +todet/ta/ne

Esimerkkejä:

Tätä *ei sano/tta/isi,* jos ei olisi aihetta.
Voi/ta/isi/in/ko tehdä näin?
Ei voi/ta/isi.
Pääte/ttä/ne/en, että...
Mitä *sano/tta/isi/in,* jos...
Ei kai *sano/tta/isi* mitään.
Lakko *lopete/tta/isi/in,* jos *pääs/tä/isi/in* sopimukseen.
Ovea *älköön lukit/ta/ko* yöksi.
Tätä päätöstä *ei* siis *teh/tä/ne.*

17
INFINITIIVIT

- *Yleistä*
- *A-infinitiivi (1. infinitiivi)*
- *E-infinitiivi (2. infinitiivi)*
- *MA-infinitiivi (3. infinitiivi)*
- *4. infinitiivi*

§73 YLEISTÄ

Infinitiivit ja partisiipit muodostavat verbien ei-finiittisten muotojen ryhmän, jonka yhteinen piirre on persoonapäätteiden puuttuminen. Infinitiivien perusrakennetta on jo käsitelty edellä (§14). Kullakin infinitiivillä on oma tunnuksensa, funktiopäätteensä, jolla ei ole varsinaista merkitystä. Jotkin infinitiivit esiintyvät myös passiivissa (etenkin E-infinitiivi), ja osa voi saada useitakin eri sijapäätteitä, etenkin 3. eli MA-infinitiivi. Tietyissä tilanteissa 1. eli A- ja 2. eli E-infinitiivi voivat saada myös omistusliitteitä. Kaikkiin infinitiiveihin voi liittyä liitepartikkeleita. Luvun päätteitä infinitiiveillä ei ole koskaan.

Infinitiivit ovat substantiivisia verbinmuotoja ja toimivat lauseessa substantiivien tapaan; partisiipit toimivat adjektiivien tapaan. Seuraavat lauseet havainnollistavat infinitiivien ja varsinaisten substantiivien yhtäläisyyksiä.

Haluan *omena/n.*	(substantiivi)
Haluan *ui/da.*	(A-infinitiivi)
Haluan *osta/a* omenan.	(A-infinitiivi)
Nälkä katoaa *minuuti/ssa.*	(substantiivi inessiivissä)
Nälkä katoaa *syö/de/ssä.*	(E-infinitiivi inessiivissä)
Menen *Helsinki/in.*	(substantiivi illatiivissa)
Menen ulos *juokse/ma/an.*	(MA-infinitiivi illatiivissa)
Satamaan pääsee myös *bussi/lla.*	(substantiivi adessiivissa)
esiinty/mä/llä hankitut tulot	(MA-infinitiivi adessiivissa)

§74 A-INFINITIIVI (1. INFINITIIVI)

§74.1 A-INFINITIIVIN PERUSMUOTO

A-infinitiivi esiintyy kahdessa sijassa: perusmuodossa, johon liittyy pelkkä infinitiivin pääte (esim. **sano/a, saa/da**), sekä translatiivissa, jolloin infinitiivin päätettä seuraa vielä pääte **-kse** (§50) ja omistusliite.

A-infinitiivin päätteet on käyty läpi edellä (§23). Tämä infinitiivi on VER-BIEN SANAKIRJAMUOTO. Sillä on neljä erilaista päätettä: (1) **-a** ~ **-ä**, (2) **-da** ~ **-dä**, (3) **-ta** ~ **-tä**, (4) **-la** ~ **-lä, -na** ~ **-nä, -ra** ~ **-rä**. Muodoista ja niiden käytöstä on esimerkkejä alla.

(1)	osta/<u>a</u>		(2)	tuo/<u>da</u>
	vetä/<u>ä</u>			jää/<u>dä</u>
	varat/<u>a</u>			saa/<u>da</u>
	+levät/<u>ä</u>			kanavoi/<u>da</u>
(3)	juos/<u>ta</u>		(4)	ol/<u>la</u>
	nous/<u>ta</u>			kysel/<u>lä</u>
	valais/<u>ta</u>			men/<u>nä</u>
	väris/<u>tä</u>			pur/<u>ra</u>

Aion *lähte/ä* **ulos.**
Yritämme *ymmärtä/ä.*
Mitä haluat *syö/dä?*
Saat *lainat/a* **tämän kirjan.**
Teillä on oikeus *otta/a* **yksi kuva.**
On aika vaikea *oppi/a* **suomea.**
Sitä on hankala *sano/a.*
Onko sinulla jo ollut mahdollisuus *tilat/a?*
Nyt on aika *juhli/a.*
Teidän täytyy *tul/la* **meille!**
Täytyy *aja/a* **varovasti.**
Anna hänen *men/nä!*
Antakaa Lauran *men/nä!*
Moottorissa täytyy *ol/la* **vika.**
Vian täytyy *ol/la* **moottorissa.**
Tätä kopiokonetta on helppo *käyttä/ä.*
Minulla on ajatus *lähte/ä* **Unkariin ensi kesänä.**
Pakolaisten sallittiin *poistu/a* **maasta.**

Erityistä huomiota tulisi kiinnittää NESESSIIVI- (**täytyy, pitää**) ja PERMISSIIVI-
VERBEIHIN (**antaa x:n tehdä jotakin; sallia**), joiden yhteydessä usein käyte-
tään genetiiviä (ks. esimerkit yllä) ja joita seuraa A-infinitiivi (**antakaa Lau-
ran men/nä; vian täytyy ol/la moottorissa**).

§74.2 A-INFINITIIVIN TRANSLATIIVI

A-infinitiivin perusmuotoon voidaan liittää translatiivin pääte -**kse**, jota seu-
raa subjektipersoonaa vastaava omistusliite. Tämä rakenne ilmaisee tavalli-
sesti tavoitetta tai tarkoitusperää.

Kanta	A-infinit.	Transl. sija	Omistusliite	Liitepartikkeli
sano	a	kse	ni	
elä	ä	kse	mme	
oppi	a	kse	en	han
tavat	a	kse	si	
juo	da	kse	en	
ol	la	kse	nne	

Esimerkkejä:

Lähdin Hollantiin *levät/ä/kse/ni*.
Eetu kääntyi *lähte/ä/kse/en*.
Siellä saa aina jotakin *syö/dä/kse/en*.
Käännyin *men/nä/kse/ni*.
Otatko työn *teh/dä/kse/si*?
Muista/a/kse/ni asia on näin.
Tietä/ä/kse/mme hän ei ole täällä.
Monet suomalaiset menevät Ruotsiin *saa/da/kse/en* työtä.
Osku on hyvin voimakas *ol/la/kse/en* niin pieni.
En ole tarpeeksi vanha *perusta/a/kse/ni* perhettä.
Olen liian köyhä *osta/a/kse/ni* kesämökkiä.

A-infinitiivin translatiivi on merkityksensä puolesta lähellä MA-infinitiivin
illatiivia (§76).

§75 E-INFINITIIVI (2. INFINITIIVI)

§75.1 E-INFINITIIVIN INESSIIVI

E-infinitiivi esiintyy kahdessa sijassa: inessiivissä -**ssa** ~ -**ssä**, jolloin se ilmaisee AIKAA, sekä instruktiivissa -**n**, jolloin se ilmaisee TAPAA. Instruktiivimuoto on melko harvinainen.

Inessiivin kanssa käytetään usein omistusliitettä subjektin ilmaisemiseen, esim. **sano/e/ssa/ni**. Myös passiivi on inessiivin kanssa mahdollinen, esim. **sano/tta/e/ssa**. Yleisesti ottaen E-infinitiivin inessiivin voidaan sanoa vastaavan TEMPORAALISTA (AJALLISTA) SIVULAUSETTA, joka alkaa sanalla **kun**.

Yksinkertaisin tapa muodostaa E-infinitiivin vartalo on seuraavan säännön avulla.

E-infinitiivi muodostetaan vaihtamalla A-infinitiivin **a** ~ **ä** e:ksi.

A-infinitiivi	E-infinitiivin vartalo
sano/a	sano/e-
vetä/ä	vetä/e-
herät/ä	herät/e-
+levät/ä	+levät/e-
tilat/a	tilat/e-
saa/da	saa/de-
myy/dä	myy/de-
ol/la	ol/le-
men/nä	men/ne-
havait/a	havait/e-

Mikäli A-infinitiivin vartalo päättyy **e**:hen, tämä **e** muuttuu E-infinitiivissä **i**:ksi.

A-infinitiivi	E-infinitiivin vartalo
luke/a	luki/e-
itke/ä	itki/e-
tunte/a	tunti/e-
koke/a	koki/e-

E-infinitiivin passiivimuodot voidaan helpoiten muodostaa lisäämällä **e** passiivin vartaloon, joka saadaan §:n 72 ensimmäisen säännön avulla (vaihda passiivin imperfektin **iin** a:ksi ~ ä:ksi; muodosta **sano/ttiin** saadaan näin passiivin vartalo **sano/tta**-). E-infinitiivin muodot näkyvät seuraavassa taulukossa:

	Kanta	Passiivi	Inf.	Sija	Omistusliite	Partikkeli
	sano		e	ssa	ni	
	sano		e	ssa	nne	
	sano		e	n		
	sano	tta	e	ssa		
	sano		e	ssa	mme	kin
	ol		le	ssa	ni	
	ol	ta	e	ssa		
	juo		de	ssa	an	
	juo	ta	e	ssa		
Pekan	herät		e	ssä		
	herät	tä	e	ssä		
	luki		e	ssa	nne	
Terhin	tunti		e	ssa		

E-infinitiivin inessiivi vastaa siis tiettyjä temporaalisia sivulauseita, erityisesti sellaisia, joiden ilmaisema toiminta on SAMANAIKAISTA päälauseen ilmaiseman toiminnan kanssa, esim. **sano/e/ssa/ni tämän kaikki nousivat.**

Temporaalilauseen subjekti ilmaistaan inessiivirakenteessa seuraavalla tavalla:

Subjekti ilmaistaan

(a) pelkällä omistusliitteellä, mikäli subjekti on sama kuin päälauseessa;

(b) itsenäisellä genetiivimuotoisella sanalla, mikäli subjekti on eri kuin päälauseessa;

(c) persoonapronominin genetiivimuodolla (**minu/n** jne.), jota seuraa aina infinitiivin inessiivimuotoon liitetty omistusliite (painottomat 1. ja 2. persoonan pronominit voivat jäädä pois).

---

§75.1

Kun-lause	E-infinitiivin inessiivi
Kun *oli/n* Ruotsissa, *tapasi/n* useita ystäviä.	*Ol/le/ssa/ni* Ruotsissa tapasin useita ystäviä.
Kun *Janne* heräsi, *hän* oli sairas.	*Herät/e/ssä/än* Janne oli sairas.
Kun *aja/t, sinun* pitää olla varovainen.	*Aja/e/ssa/si* sinun pitää olla varovainen.
Kristiina ajattelee paremmin, kun *hän* juo kahvia.	Kristiina ajattelee paremmin *juo/de/ssa/an* kahvia.
Ihmiset nauttivat, kun *he* lähtevät lomalle.	Ihmiset nauttivat *lähti/e/ssä/än* lomalle.
Kun *Pekka* herää, *Liisa* lähtee töihin.	*Peka/n herät/e/ssä* Liisa lähtee töihin.
Viren tuli maaliin, kun *Päivärinta* oli vielä loppusuoralla.	Viren tuli maaliin *Päivärinna/n ol/le/ssa* vielä loppusuoralla.
Muut nukkuivat, kun *hän* heräsi.	Muut nukkuivat *häne/n herät/e/ssä/än.*
Mieheni heräsi, kun *(minä) tuli/n* kotiin.	Mieheni heräsi *(minun) tul/le/ssa/ni* kotiin.

Seuraavat esimerkit havainnollistavat passiivimuotoisen inessiivirakenteen käyttöä.

Turkuun *tul/ta/e/ssa* satoi.
Esitelmää *kuunnel/ta/e/ssa* pitää olla hiljaa.
Ikkunan pitää olla auki *nuku/tta/e/ssa.*
Tästä setelistä Suomen Pankki maksaa *vaadi/tta/e/ssa* sata euroa.

Inessiivirakenne ilmaisee siis toimintaa, joka on samanaikaista päälauseen toiminnan kanssa. Mikäli **kun**-lauseen ilmaisema toiminta on tapahtunut ENNEN päälauseen toimintaa, käytetään toista rakennetta, partitiivissa taipuvaa passiivin NUT-partisiippia (§83):

Ilka/n herät/ty/ä Miia lähti töihin.
Jäät lähtivät *kevää/n tul/tu/a.*

§75.2 E-INFINITIIVIN INSTRUKTIIVI

Tämä muoto muodostetaan siten, että instruktiivin -n liitetään infinitiivi-vartaloon, joka on saatu perussäännön avulla (§75.1), esim. **sano/e/n̲, nau-ra/e/n̲, hymyil/le/n̲, huomat/e/n̲**. Tämä rakenne ilmaisee lähinnä TAPAA ja esiintyy useimmiten kiinteissä ilmauksissa.

Lapsi tuli *itki/e/n* kotiin.
He astuivat *naura/e/n* sisään ovesta.
Kyllä sinne *kävel/le/n/kin* pääsee.
kaikesta *päättä/e/n*
illan *tul/le/n*
Jari nauroi kaikkien *näh/de/n*.
näin *ol/le/n*

§76 MA-INFINITIIVI (3. INFINITIIVI)

§76.1 MUODOSTUS

MA-infinitiivin pääte on -**ma** ~ -**mä**. Se on tärkeä ja yleinen muoto sekä kirjoitetussa että puhutussa kielessä. MA-infinitiivi esiintyy kuudessa sijas-sa: inessiivissä -**ssa** ~ -**ssä**, elatiivissa -**sta** ~ -**stä**, illatiivissa -**Vn**, adessiivissa -**lla** ~ -**llä**, abessiivissa -**tta** ~ -**ttä** ja instruktiivissa -**n**.

MA-infinitiivin vartalo muodostetaan liittämällä -**ma** ~ -**mä** verbin taivutusvartaloon (§24).

Taivutusvartalo saadaan indikatiivin preesensin yksikön 3. persoonasta, kun persoonapääte erotetaan.

A-infinitiivi	Preesensin yks. 3. pers.	MA-infinitiivin vartalo
vetä/ä	vetä/ä	vetä/mä-
otta/a	otta/a	otta/ma-
rakenta/a	rakenta/a	rakenta/ma-
huomat/a	huomaa	huomaa/ma-

+kaivat/a	kaipaa	kaipaa/ma-
+levät/ä	lepää	lepää/mä-
+maat/a	makaa	makaa/ma-
lyö/dä	lyö	lyö/mä-
ol/la	on	ole/ma- (*Huom.* vartalo!)
tul/la	tule/e	tule/ma-
men/nä	mene/e	mene/mä-
valit/a	valitse/e	valitse/ma-

Seuraavasta taulukosta näkyy MA-infinitiivin muotojen rakenne.

Kanta	Inf.	Sija	Partikkeli
lepää	mä	ssä	
lepää	mä	än	
lepää	mä	än	kö
vetä	mä	llä	
vetä	mä	llä	kin
mainitse	ma	tta	
mainitse	ma	tta	kaan
teke	mä	stä	
tule	ma	n	

§76.2 MA-INFINITIIVIN INESSIIVI

Inessiivi ilmaisee JATKUVAA TOIMINTAA tai PROSESSIA; se esiintyy yleensä yhdessä **ol/la**-verbin kanssa, joskus myös muiden tilaa ilmaisevien verbien yhteydessä.

Ville on kirjastossa *luke/ma/ssa*.
Siskoni on *opiskele/ma/ssa* Tampereella.
Lapset ovat ulkona *leikki/mä/ssä*.
Olitko jo *nukku/ma/ssa* kun soitin?
Piia ja Noora ovat ruokaa *osta/ma/ssa*.
Huomenna käyn äitiäni *katso/ma/ssa*.
Istumme juuri *syö/mä/ssä*.
Pyykki on *kuivu/ma/ssa*.

Verbien **tulla, mennä** ja **lähteä** kohdalla käytetään yleensä inessiivissä taivutettua substantiivijohdosta **tulo/ssa, meno/ssa, lähdö/ssä** MA-infinitiivin inessiivin sijaan.

Saara on *lähdö/ssä* **kauppaan.**
Olemme *meno/ssa* **viikonloppuna festivaaleille.**
Mistä olette *tulo/ssa?*

§76.3 MA-INFINITIIVIN ELATIIVI

Elatiivimuoto esiintyy yhdessä konkreettista tai abstraktia liikettä kuvaavien verbien kanssa, esim. **tul/la** ja **palat/a**, ja ilmaisee tulemista 'tekemästä jotakin'. Huomaa myös seuraavat verbit, joita seuraa aina MA-infinitiivin elatiivimuoto.

estä/ä	pelasta/a
esty/ä	pelastu/a
kieltä/ä	varo/a
kieltäyty/ä	varoitta/a
+lakat/a	välttä/ä

Sami tuli rannalta *ui/ma/sta.*
Eeva palasi Turusta *opiskele/ma/sta.*
Silja lakkasi *itke/mä/stä.*
Kieltäydyn *poltta/ma/sta* **savukkeita.**
Älä estä minua *näke/mä/stä!*
Hän pelasti minut *hukku/ma/sta.*

§76.4 MA-INFINITIIVIN ILLATIIVI

Illatiivimuoto esiintyy etenkin LIIKETTÄ ilmaisevien verbien jäljessä ja ilmaisee TEKEMISTÄ, JOHON RYHDYTÄÄN. Huomaa erityisesti rakenne **tul/la** + MA-infinitiivin illatiivi, joka ilmaisee tulevaa aikaa (futuuria), esim. **Tule/n palaa/ma/an.** Yleisimmät MA-infinitiivin illatiivin vaativat verbit ovat seuraavat:

autta/a	oppi/a
joutu/a	pakotta/a
jättä/ä	pysty/ä
jää/dä	pyytä/ä
kehotta/a	pääs/tä
kutsu/a	+ruvet/a
+kyet/ä	ryhty/ä
käske/ä	sattu/a
neuvo/a	suostu/a
opetta/a	

Menen ulos *syö/mä/än*.
Tanssi/ma/an/ko te menette?
Matkustan maalle *lepää/mä/än*.
Illalla tulen teille *sauno/ma/an*.
Lähden *hake/ma/an* lapset koulusta.
Menetkö kotiin *nukku/ma/an*?
Tulen *lähte/mä/än* pois.
Jätin Iiron kotiin *luke/ma/an*.
Jään vielä *työskentele/mä/än*.
Suostuin *siivoa/ma/an* keittiön.
Suosittelen *lopetta/ma/an* tupakoimisen.
Poliisi käski meitä *poistu/ma/an*.
Pystytkö *aja/ma/an* Helsinkiin?
Tuija pyysi minua *tanssi/ma/an*.
Illalla rupesi *sata/ma/an*.
Opitko *puhu/ma/an* ruotsia?
Reijo sattui *ole/ma/an* paikalla.

MA-infinitiivin illatiivi esiintyy myös eräiden adjektiivien jälkeen, joista tavallisimmat ovat **hyvä, huono, halukas, haluton, innokas, innostunut, kiinnostunut** ja **valmis**.

Mika on hyvä *leipo/ma/an* pullaa.
Olen huono *piirtä/mä/än*.
Kuka on halukas *vastaa/ma/an*?
En ole innokas *tule/ma/an*.
Olen kyllä kiinnostunut *osta/ma/an* printterin.
Karikin on valmis *lähte/mä/än* *syö/mä/än*.

§76.5 MA-INFINITIIVIN ADESSIIVI, ABESSIIVI JA INSTRUKTIIVI

Adessiivi ilmaisee KEINOA, joskus TAPAA.

Voitin miljoonan *veikkaa/ma/lla*.
Sinne pääsee mukavasti *kävele/mä/llä*.
Hän elää *kirjoitta/ma/lla* kirjoja.
Kieliä oppii parhaiten *puhu/ma/lla*.

Abessiivin merkitys on 'ilman'; objekti on tällöin partitiivissa (§33.2). Subjekti ilmaistaan ainoastaan, mikäli se on eri kuin lauseen finiittiverbillä; se taipuu genetiivissä, ja jos kyseessä on persoonapronomini, infinitiiviin liittyy vielä omistusliite.

Sehän on *sano/ma/tta/kin* selvää.
***Syö/mä/ttä* ja *juo/ma/tta* ei elä.**
Menimme nukkumaan *sammutta/ma/tta* valoja.
Lähdin töihin *syö/mä/ttä* mitään.
Ville lähti *sano/ma/tta* sanaakaan.
Markus teki sen *(meidän) tietä/mä/ttä/mme*.
Myyjä tuli sisään *Leenan huomaa/ma/tta* mitään.
Koira karkasi *hänen huomaa/ma/tta/an*.
Jätin sen *teke/mä/ttä*.
Emme voineet olla *naura/ma/tta*.

MA-infinitiivin instruktiivi on harvinainen muoto, joka esiintyy aina yhdessä **pitää**-verbin kanssa ja ilmaisee täytymistä. Sitä käytetään lähinnä juhlallisessa tyylissä.

Milloin sinun pitää *tule/ma/n*?

Muotoja -**ma** ~ -**mä** käytetään myös adjektiivin tapaan niin sanotussa agenttirakenteessa (§84), joka on eräänlainen relatiivilause. Muutamia esimerkkejä:

Milla/n *osta/ma* auto
Oletko istunut Milla/n *osta/ma/ssa* autossa?
En ole nähnyt Milla/n *osta/ma/a* autoa.

§77 4. INFINITIIVI

4. infinitiivi muodostetaan päätteellä -**minen**, joka liittyy verbin taivutusvartaloon (§24; §76.1). Esimerkkejä:

A-infinitiivi	Yksikön 3. persoona	4. infinitiivi
tietä/ä	tietä/ä	tietä/minen
suoritta/a	suoritta/a	suoritta/minen
halut/a	halua/a	halua/minen
+todet/a	totea/a	totea/minen
+lakat/a	lakkaa	lakkaa/minen
jää/dä	jää	jää/minen
ol/la	on (vartalo: ole-)	ole/minen
juos/ta	juokse/e	juokse/minen
havait/a	havaitse/e	havaitse/minen

4. infinitiivi esiintyy vain kahdessa muodossa, jotka ovat molemmat harvinaisia: nominatiivissa, jolloin se ilmaisee täytymistä, sekä vastaavassa partitiivissa.

Sinne *ei ole mene/mis/tä.* (part.) (tavallisemmin: **Sinne *ei pidä mennä.***)

4. infinitiiviä käytetään myös rakenteessa, jossa se esiintyy yksikön partitiivissa saman verbin finiittisen muodon jälkeen. Tällöin infinitiiviin liittyy myös subjektia vastaava omistusliite. Rakenne ilmaisee verbin tekemisen kiihtymistä.

Tilanne *huononee huonone/mis/ta/an.*
Leikkauksen jälkeen *laihduin laihtu/mis/ta/ni.*
Sinä se vain *kaunistut kaunistu/mis/ta/si!*

-**minen** esiintyy paljon yleisemmin johtimena, jolla johdetaan substantiiveja verbeistä (deverbaalisia substantiiveja, §93.2). Muutama esimerkki:

Tupakoi/minen* on täällä kielletty.
Auton *aja/minen* on hankalaa.
Sauno/minen* on mukavaa.
Internet perustuu *verkottu/mise/en.*

18
PARTISIIPIT

- *Yleistä*
- *Aktiivin preesensin VA-partisiippi*
- *Passiivin preesensin VA-partisiippi*
- *Perfektin NUT-partisiipit*
- *Partisiippirakenne*
- *Temporaalirakenne*
- *Agenttirakenne*

§78 YLEISTÄ

Partisiipit kuuluvat infinitiivien tapaan ei-finiittisiin verbinmuotoihin; niitä ei voi taivuttaa persoonassa. Suomessa on kuusi partisiippia, joista tärkeimmät ovat VA-PARTISIIPPI eli preesensin partisiippi sekä NUT-PARTISIIPPI eli perfektin partisiippi. Kumpikin esiintyy sekä aktiivissa että passiivissa. Verbin **sano/a** vastaavat muodot ovat:

	Aktiivi	*Passiivi*
VA-partisiippi	**sano/<u>va</u>**	**sano/tta/<u>va</u>**
NUT-partisiippi	**sano/<u>nut</u>**	**sano/<u>ttu</u>**

Partisiipit toimivat osittain verbeinä, erityisesti NUT-partisiippi esiintyessään liittotempusten osana kuten **olen sano/<u>nut</u>** (§61) ja **on sano/<u>ttu</u>** (§71), ja osittain adjektiiveina. Jälkimmäisessä tapauksessa ne taipuvat normaalien adjektiivien tapaan luvussa ja sijassa (§26.1):

> *pitkä* mies
> syö/<u>vä</u> mies
> syö/<u>nyt</u> mies
> lyö/tä/<u>vä</u> mies
> lyö/<u>ty</u> mies

241

pitkä/t miehe/t
syö/v<u>ä</u>/t miehe/t
syö/<u>nee</u>/t miehe/t
lyö/tä/<u>vä</u>/t miehe/t
lyö/<u>dy</u>/t miehe/t

Etumääritteinä mainitut partisiippimuodot ovat siis kongruenssin alaisia (§26.1).
Partisiipeilla on muitakin käyttöjä. Kaikkia mainittuja muotoja voi esimerkiksi genetiivissä taivutettuina käyttää PARTISIIPPIRAKENTEESSA, joka korvaa **että**-lauseen (§82):

Näen Peka/n *tule/va/n.*   **Näen, että Pekka tulee.**
Näen Pekan *tul/lee/n.*   **Näen, että Pekka on tullut.**

Partitiivissa taivutettua passiivin NUT-partisiippia käytetään aikaa ilmaisevan eli temporaalisen sivulauseen korvaajana, jos tekeminen on aikaisempaa kuin päälauseen (§83, 75.1):

Nukahdin Peka/n *tul/tu/a.*   **Nukahdin, kun Pekka oli tullut.**

MA-infinitiivin vartaloa (-**ma** ~ -**mä**, §76.1) käytetään tiettyjen relatiivilauseiden korvaajana. Tästä rakenteesta käytetään nimitystä agenttirakenne ja itse verbimuodosta nimitystä agenttipartisiippi (§84):

Paula/n *vuokraa/ma* **auto**   **auto, jonka Paula oli vuokrannut**

Kuudes partisiippi on adjektiivinen kieltopartisiippi -**ma/ton** ~ -**mä/tön**, esim. **kouluja** *käy/mä/tön henkilö,* **liittoon** *kuulu/ma/ton* **työntekijä** (§93.1).

§79 AKTIIVIN PREESENSIN VA-PARTISIIPPI

Tämä muoto saadaan aikaan päätteellä -**va** ~ -**vä**, joka liittyy verbin taivutusvartaloon (§24). Se ilmaisee päättymätöntä toimintaa tai prosessia.

A-infinitiivi	Yks. 3. persoona	VA-partisiippi
kerto/a	kerto/o	kerto/**va**
kylpe/ä	kylpe/e	kylpe/**vä**
+luvat/a	lupaa	lupaa/**va**
+kadot/a	katoa/a	katoa/**va**
määrät/ä	määrää	määrää/**vä**
soi/da	soi	soi/**va**
men/nä	mene/e	mene/**vä**
ol/la	on	ole/**va**
häirit/ä	häiritse/e	häiritse/**vä**
ratkais/ta	ratkaise/e	ratkaise/**va**

Usein VA-partisiippi vastaa relatiivilausetta, jonka verbi on preesensissä:

Pihalla *seiso/va* auto on sininen.
Oletko nähnyt pihalla *seiso/va/n* auton?
työtä *teke/vä* luokka
Pihalla on *huuta/v/i/a* lapsia.
Ratkaise/va/t päätökset tehdään nyt.

hyvää musiikkia *soitta/va* yhtye

Auto, *joka seisoo* pihalla, on sininen.
Oletko nähnyt auton, *joka seisoo* pihalla?
luokka, *joka tekee* työtä
Pihalla on lapsia, *jotka huutavat.*
Päätökset, *jotka ovat ratkaisevia,* tehdään nyt.
yhtye, *joka soittaa* hyvää musiikkia

Esimerkeistä näkyy myös, että etumääritteenä toimivan partisiipin objekti- ja adverbiaalimääritteet ovat partisiipin edellä: *musiikkia* soitta/**va** yhtye (objekti); *pihalla* seiso/**va** auto (adverbiaali).

§80 PASSIIVIN PREESENSIN VA-PARTISIIPPI

Tämä muoto saadaan yksinkertaisimmin passiivin imperfektistä (§70) seuraavan säännön avulla (joka on sama kuin passiivin modusten yhteydessä esitetty sääntö, §72).

> Vaihda passiivin imperfektin -**iin** a:ksi tai ä:ksi ja lisää -**va** ~ -**vä**.

Esimerkki: **sano/ttiin** : **sano/tta/va**. Näillä partisiipeilla on useita erityismerkityksiä. Tavallisesti ne vastaavat seuraavanlaisia relatiivilauseita:

sano/<u>tta</u>/<u>va</u> asia

(1) asia, joka täytyy/pitää sanoa/on sanottava
(2) asia, joka voidaan sanoa
(3) asia, joka tullaan sanomaan
(4) asia, joka sanotaan/tulee sanotuksi

A-infinitiivi	Passiivin imperfekti	Passiivin VA-partisiippi
kerto/a	+kerro/ttiin	+kerro/<u>tta</u>/<u>va</u>
luke/a	+lue/ttiin	+lue/<u>tta</u>/<u>va</u>
johta/a	+johde/ttiin	+johde/<u>tta</u>/<u>va</u>
huomat/a	huomat/tiin	huomat/<u>ta</u>/<u>va</u>
+pelät/ä	+pelät/tiin	+pelät/<u>tä</u>/<u>vä</u>
rakenta/a	+rakennet/tiin	+rakenne/<u>tta</u>/<u>va</u>
juo/da	juo/tiin	juo/<u>ta</u>/<u>va</u>
+ajatel/la	+ajatel/tiin	+ajatel/<u>ta</u>/<u>va</u>
hävit/ä	hävit/tiin	hävit/<u>tä</u>/<u>vä</u>

Näiden partisiippien käyttö ilmenee selvemmin seuraavista esimerkeistä. Lauseyhteydestä riippuen kaikki merkitykset (1)–(4) ovat mahdollisia.

syö/tä/vä sieni
Tämä ei ole *suositel/ta/va* elokuva.
Nämä eivät ole *suositel/ta/v/i/a* elokuvia.
Onko teillä *ilmoite/tta/v/i/a* tuloja?
Onko jääkaapissa jotain *juo/ta/va/a*?
Ei tämä ole mikään *pelät/tä/vä* koira!
Onko teillä *tarvit/ta/va* pääoma?
Ratkais/ta/va/t kysymykset ovat...
Onko vielä jotain *lisät/tä/vä/ä*?
Minulla ei ole muuta *sano/tta/va/a*.
Lainat/ta/va/t kirjat ovat oikealla.
Viimeinen *suorite/tta/v/i/sta* töistä oli vaikein.

Passiivin VA-partisiipilla on myös useita erityiskäyttöjä, esimerkiksi TÄYTY-MISEN ilmaiseminen seuraavanlaisissa rakenteissa:

Genetiivimuotoinen subjekti + **on, oli, olisi, lienee** + passiivin VA-partisiippi.

Minu/n *on sano/tta/va* **tämä.**
Mies/ten *oli lähde/ttä/vä.*
Nyt minu/n *on syö/tä/vä.*
On/ko sinu/n *lähde/ttä/vä* **jo?**
Me/i/dän *oli tilat/ta/va* **taksi.**
Kaikk/i/en *on men/tä/vä* **ulos.**
Peka/n *on usko/tta/va,* **että...**
He/i/dän *oli matkuste/tta/va* **Helsinkiin.**

Monikon inessiivissä taivutetulla passiivin VA-partisiipilla, joka on yhdistetty **ol/la**-verbiin, ilmaistaan, että jotain voidaan tai ei voida tehdä. Vaikka partisiippi on passiivimuotoinen, sillä voi olla subjekti, joka taipuu genetiivissä; mikäli kyseessä on persoonapronomini, partisiippiin liitetään myös asiaankuuluva omistusliite.

Onko Bill *tavat/ta/v/i/ssa?*
Päätös on *teh/tä/v/i/ssä.*
Tämä asia ei ole *muute/tta/v/i/ssa.*
Lopputulos on kaikk/i/en *näh/tä/v/i/ssä.*
Asia ei ole minu/n *pääte/ttä/v/i/ssä/ni.*
Vierashuone on te/i/dän *käyte/ttä/v/i/ssä/nne.*

Tämä partisiippi esiintyy myös eräissä kiinteissä ilmauksissa.

Onko teillä huoneita *vuokrat/ta/va/na?*
autoja *myy/tä/vä/nä*
Virka on julistettu *hae/tta/va/ksi.*
Se jää *näh/tä/vä/ksi.*
Susanna on sairaalassa *tutki/tta/va/na.*

§81 PERFEKTIN NUT-PARTISIIPIT

NUT-partisiippi esiintyy etenkin LIITTOTEMPUKSISSA eli perfektissä ja plus-kvamperfektissä, esim. aktiivissa **on sano/nut, on sano/ttu** ja passiivissa **oli sano/nut, oli sano/ttu**. Alla on muutamia kertaavia esimerkkejä tästä NUT-partisiipin käyttötavasta:

NUT-partisiippi (aktiivin tai passiivin perfekti)
(minä) olen anta/nut
(sinä) olet anta/nut
Emmi on anta/nut
(me) olemme anta/neet
(te) olette anta/neet
he ovat anta/neet
on anne/ttu

Vastaavat pluskvamperfektimuodot ovat **(minä) olin anta/nut, he olivat anta/neet, oli anne/ttu** jne.

NUT-partisiippimuodot ilmaisevat päättynyttä toimintaa (**anta/nut, anne/ttu**), preesensmuodot puolestaan päättymätöntä toimintaa (§79, 80). Perfektin partisiippimuodot esiintyvät myös adjektiivisessa tehtävässä, erityisesti ETUMÄÄRITTEINÄ, esim. **lahjan anta/nut mies** ja **anne/ttu lahja**. Jos partisiipilla on omia objekti- tai adverbiaalimääritteitä, nämä sijoittuvat partisiipin eteen (§79).

Seuraavassa on ensin esimerkkejä aktiivin perfektin partisiipista (**-nut ~ -nyt**). Taivutusvartalo on **nee**-loppuinen.

paljon *matkusta/nut* **ihminen**
koke/nut **lääkäri**
Tunnen *koke/nee/n* **lääkärin.**
En tunne *koke/nut/ta* **lääkäriä.**
pois *juos/sut* **koira**
Vietnamissa *ol/lee/t* **ihmiset sanovat, että…**
Eilen *saapu/nee/t* **matkustajat ovat jo lähteneet.**
Viime syksynä *ilmesty/nee/t* **kirjat ovat hyviä.**
Pommin *löytä/nyt* **koira kuoli.**
Pommin *löytä/nee/lle* **koiralle annettiin mitali.**
Näin *pala/nee/n* **talon.**

Pala/nee/ssa talossa oli ollut ihmisiä.
Oletteko *väsy/ne/i/tä*?
He ovat hyvin *koke/ne/i/ta*.

Vastaavalla tavalla passiivin NUT-partisiippi -(**t**)**tu** ~ -(**t**)**ty** ilmaisee päättynyttä toimintaa, jonka on suorittanut epämääräinen tekijä.

kaupasta *oste/ttu* kirja
syksyllä *rakenne/ttu* talo
He asuvat syksyllä *rakenne/tu/ssa* talossaan.
hyväksy/tty ehdotus
Hyväksy/ty/t opiskelijat voivat jatkaa.
syö/ty piirakka
Eilen *syö/dy/t* piirakat olivat hyviä.
anne/ttu lahja
Anne/ttu/j/a lahjoja ei voi ottaa takaisin.
pelaste/ttu kaivostyöläinen
Pelaste/tu/t kaivostyöläiset olivat hyvässä kunnossa.
maalat/tu seinä
Seinät eivät ole *maalat/u/t*.

§82 PARTISIIPPIRAKENNE

Partisiippirakennetta, jota kutsutaan myös referatiivirakenteeksi, voidaan käyttää sellaisten myönteisten **että**-lauseiden lyhentämiseen, jotka toimivat tiettyjen henkistä toimintaa ilmaisevien verbien (esim. **näh/dä, kuul/la, usko/a, sano/a, muista/a, halu/ta**) objekteina. Sekä preesensin VA-partisiippi että perfektin NUT-partisiippi esiintyvät partisiippirakenteessa, kumpikin lisäksi aktiivissa ja passiivissa. Partisiippi on tässä rakenteessa aina genetiivissä (**-n**). Verbistä **itke/ä** saadaan siten seuraavat partisiippirakenteessa esiintyvät muodot:

		Perusmuoto	Genetiivi
VA-partisiippi	(aktiivi)	itke/<u>vä</u>	itke/<u>vä</u>/n
	(passiivi)	itke/<u>ttä</u>/<u>vä</u>	itke/<u>ttä</u>/<u>vä</u>/n
NUT-partisiippi	(aktiivi)	itke/<u>nyt</u>	itke/<u>nee</u>/n
	(passiivi)	itke/<u>tty</u>	itke/<u>ty</u>/n

Lauseissa nämä muodot toimivat seuraavalla tavalla:

Että-lause	*Partisiippirakenne*
Näen, että Tuomas siivoa/a.	Näen Tuomakse/n *siivoa/va/n.*
Näen, että Tuomas on siivon/nut.	Näen Tuomakse/n *siivon/nee/n.*
Näen, että täällä siivot/a/an.	Näen täällä *siivot/ta/va/n.*
Näen, että täällä on siivot/tu.	Näen täällä *siivot/u/n.*

VA- tai NUT-partisiipin valinnan ratkaisee että-lauseen ja päälauseen välinen ajallinen suhde. Seuraava sääntö on tärkeä:

VA-partisiippia käytetään, jos että-lauseen toiminta tapahtuu samaan aikaan tai myöhemmin kuin päälauseen toiminta; NUT-partisiippia käytetään, jos että-lauseen toiminta on aikaisempaa kuin päälauseen.

Että-lauseen nominatiivimuotoinen subjekti esiintyy partisiippirakenteessa seuraavan säännön mukaan (joka koskee vain aktiivilauseita, koska suomen passiivilauseissa ei ole kieliopillista subjektia). Vrt. temporaalirakenteen subjektisääntöön (§75.1).

Että-lauseen nominatiivimuotoinen subjekti ilmaistaan

(a) pelkällä omistusliitteellä, jos subjekti on sama kuin päälauseessa;
(b) partisiippimuodon edellä olevalla genetiivillä, jos subjekti on eri kuin päälauseessa (koskee myös persoonapronomineja!).

Seuraavat esimerkit havainnollistavat tavallisinta eli aktiivin VA-partisiipin (-va/n ~ -vä/n) sisältävää rakennetta, jota käytetään, kun että-lauseen toiminta on samanaikaista tai myöhempää kuin päälauseen toiminta. Kun subjektisäännön (a)-kohtaa sovelletaan, genetiivin -n katoaa (§36).

Että-lause	*Partisiippirakenne*
Usko/n, että *nuku/n* hyvin.	Uskon *nukku/va/ni* hyvin.
Usko/t/ko, että *nuku/t* hyvin?	Uskotko *nukku/va/si* hyvin?
Tiedä/n, että *ole/n* vanha.	Tiedän *ole/va/ni* vanha.

Pekka luuli, että *hän* oliVanhanen.	Pekka luuli *ole/va/nsa* Vanhanen.
He sanoivat, että (*he*) tulisivat huomenna.	He sanoivat *tule/va/nsa* huomenna.
Hän väittää, että on sairas.	Hän väittää *ole/va/nsa* sairas.
Heli huomasi, että (*hän*) itki.	Heli huomasi *itke/vä/nsä.*
Hallitus tietää, että *se* tulee eroamaan.	Hallitus tietää *eroa/va/nsa.*
Luule/mme, että *lähde/mme* huomenna.	Luulemme *lähte/vä/mme* huomenna.
Tiedä/n, että *hän* on ulkomailla.	Tiedän *häne/n ole/va/n* ulkomailla.
Luule/t/ko, että *tiedä/n* tämän?	Luuletko *minu/n tietä/vä/n* tämän?
Näi/mme, että *he* lähtivät.	Näimme *he/i/dän lähte/vä/n.*
Kuuli/mme, että *lapsi* huusi.	Kuulimme *lapse/n huuta/va/n.*
Lauri kuuli, että *juna* saapui.	Lauri kuuli *juna/n saapu/va/n.*
He luule/vat, että *suostu/t* ehdotukseen.	He luulevat *sinu/n suostu/va/n* ehdotukseen.
Halua/n, että *lähde/tte* mukaan.	Haluan *te/i/dän lähte/vä/n* mukaan.

Huomaa erityisesti **että**-lauseen persoonapronominisubjektin ilmaiseminen partisiippirakenteessa pelkällä genetiivillä, esim. ...**minu/n** ole/va/n.... Sen sijaan **kun**-lauseen persoonapronominisubjekti ilmaistaan temporaalirakenteessa sekä persoonapronominilla (valinnaisesti) että omistusliitteellä, esim. ...(**minu/n**) ol/le/ssa/ni... (yks. 1. pers.). Vrt. §83.

Seuraavat lauseet ovat esimerkkejä aktiivin NUT-partisiipista, jota käytetään kun **että**-lauseen toiminta edeltää päälauseen toimintaa.

Että-lause	*Partisiippirakenne*
Luule/n, että *ole/n* nukkunut.	Luulen *nukku/nee/ni.*
Usko/t/ko, että *nukui/t?*	Uskotko *nukku/nee/si?*
Tiedä/n, että *oli/n* sairas.	Tiedän *ol/lee/ni* sairas.
Huomasi/mme, että *oli/mme* myöhästyneet.	Huomasimme *myöhästy/nee/mme.*
He sanoivat, että (*he*) olivat tulleet jo eilen.	He sanoivat *tul/lee/nsa* jo eilen.
Heli huomasi, että (*hän*) oli itkenyt.	Heli huomasi *itke/nee/nsä.*
TPS tajusi, että *se* oli hävinnyt.	TPS tajusi *hävin/nee/nsä.*
Tiedä/n, että *hän* on ollut ulkomailla.	Tiedän *häne/n ol/lee/n* ulkomailla.
Luule/t/ko, että *minä* tiesin tämän?	Luuletko *minu/n tietä/nee/n* tämän?

Ymmärsi/mme, että *he* olivat
lähteneet.
Lauri kuuli, että *juna* oli saapunut.
He luule/vat, että *suostui/t*
ehdotukseen.
Kerrotti/in, että *paavi* oli kuollut.

Ymmärsimme *he/i/dän lähte/nee/n.*
Lauri kuuli *juna/n saapu/nee/n.*
He luulevat *sinu/n suostu/nee/n*
ehdotukseen.
Kerrottiin *paavi/n kuol/lee/n.*

Partisiippirakenne on erityisen yleinen seuraavien verbien yhteydessä: **näky/ä,
näyttä/ä, kuulu/a, tuntu/a, vaikutta/a.** Että-lauseen subjektista tulee päälauseen subjekti, mikä vaikuttaa myös verbin kongruenssiin (vrt. **Näyttää (siltä), että auto on rikki** ja **Auto näyttää olevan rikki**). Esimerkkejä:

Auto näyttää *ole/va/n* rikki.
Sinä näytät *ole/va/n* sairas.
Auto näyttää *ol/lee/n* rikki.
Sinä näytät *ol/lee/n* sairas.
Halonen kuuluu *sano/va/n,* että...
Halonen kuuluu *sano/nee/n,* että...
Tilanne tuntuu *vaikeutu/va/n.*
Tilanne tuntui *vaikeutu/nee/n.*
Tilanne ei tunnu *vaikeutu/va/n.*
Tilanne ei tuntunut *vaikeutu/va/n.*
Tilanne ei tuntunut *vaikeutu/nee/n.*

Tämä rakenne esiintyy kaikissa yksinkertaisissa lausetyypeissä, jotka esiteltiin §:ssä 27. Esimerkkejä:

Jenni näyttää *nukahtavan.*
He tuntuvat *käyttäytyvän* hyvin.
Kannettava tuntuu *olevan* hyödyllinen.
Venla näyttää *ostaneen* kannettavan.
Maassa kuuluu *olevan* uusi hallitus.
Pojasta näyttää *kasvaneen* mies.
Autoja näytti *olleen* kolme.
Pysäkillä näyttää jo *olevan* bussi.
Suomella vaikuttaa *olevan* hyvät mahdollisuudet.
Tietokoneessa näyttää *olevan* CD-asema.

Seuraavat esimerkit havainnollistavat passiivisten **että**-lauseiden käyttöä. Jos sivulauseen verbin ilmaisema toiminta on samanaikaista tai myöhempää kuin päälauseen toiminta, käytetään muotoa -**(t)ta/va/n** ~ -**(t)tä/vä/n**, ja jos taas **että**-lauseen toiminta on aikaisempaa, käytetään muotoa -**tu/n** ~ -**ty/n**.

Että-lause	*Partisiippirakenne*
Tiedän, että Ruotsissa *puhu/taan* myös suomea.	Tiedän Ruotsissa *puhu/tta/va/n* myös suomea.
Kuulin, että *sano/ttiin*, että...	Kuulin *sano/tta/va/n*, että...
Leena kuuli, että huoneessa *katso/ttiin* televisiota.	Leena kuuli huoneessa *katso/tta/va/n* televisiota.
Huomasin, että alakerrassa *riidel/lään*.	Huomasin alakerrassa *riidel/tä/vä/n*.
Tiedän, että *ol/laan* sitä mieltä että...	Tiedän *ol/ta/va/n* sitä mieltä, että...
Tiedän, että Virossa *on puhu/ttu* myös ruotsia.	Tiedän Virossa *puhu/tu/n* myös ruotsia.
Kuulin, että *oli sano/ttu* että...	Kuulin *sano/tu/n*, että...
Huomasin, että *oli esite/tty* että...	Huomasin *esite/ty/n*, että...
Vesa kertoi, että *oli rakenne/ttu* talo.	Vesa kertoi *rakenne/tu/n* talo.
Vesa kertoi, että talo *oli rakenne/ttu*.	Vesa kertoi *talo/n rakenne/tu/n*.

Viimeisen esimerkin kaltaisissa tapauksissa passiivilauseen objektin määräinen merkitys voidaan ilmaista siirtämällä objekti partisiipin eteen (eli lauseen alkuun) ja taivuttamalla se genetiivissä.

§83 TEMPORAALIRAKENNE

Temporaalirakennetta voidaan käyttää **kun**-lauseen lyhentämiseen. Mikäli **kun**-lauseen toiminta on samanaikaista tai myöhempää kuin päälauseen, käytetään verbinmuotona E-infinitiivin inessiiviä, esim. **sano/e/ssa/ni** (§75.1).

Kun-lause	*Temporaalirakenne*
Kun Sari tuli, Laura lähti.	*Sari/n tul/le/ssa* Laura lähti.
Kun tulin, kompastuin.	*Tul/le/ssa/ni* kompastuin.

Mikäli **kun**-lauseen toiminta on aikaisempaa kuin päälauseen toiminta, käytetään temporaalirakenteessa verbinmuotona partitiivissa taivutettua passiivin NUT-partisiippia, esim. **sano/ttu/a, syö/ty/ä** (§71). Tällöin partisiippi ei esiinny tavallisessa passiivisessa merkityksessään.

Kun Sari oli tullut, Laura lähti.	*Sari/n tul/tu/a* **Laura lähti.**
Kun olin tullut, kompastuin.	*Tul/tu/a/ni* **kompastuin.**

Seuraavassa taulukossa on kerrattu passiivin NUT-partisiipin muodostusta.

Infinitiivi	Passiivin imperfekti	Passiivin NUT- partisiippi	Partisiipin partitiivi
sano/a	sano/ttiin	sano/ttu	sano/ttu/a
anta/a	+anne/ttiin	+anne/ttu	+anne/ttu/a
juo/da	juo/tiin	juo/tu	juo/tu/a
ol/la	ol/tiin	ol/tu	ol/tu/a
huomat/a	huomat/tiin	huomat/tu	huomat/tu/a
+pelät/ä	+pelät/tiin	+pelät/ty	+pelät/ty/ä
ansait/a	ansait/tiin	ansait/tu	ansait/tu/a

Kun-lauseen subjekti esiintyy temporaalirakenteessa samojen sääntöjen mukaan kuin E-infinitiivin inessiivin yhteydessä (§75.1).

Subjekti ilmaistaan
(a) pelkällä omistusliitteellä, jos subjekti on sama kuin päälauseessa;
(b) itsenäisellä genetiivimuotoisella sanalla, jos subjekti on eri kuin päälauseessa;
(c) persoonapronominien genetiivimuodolla (**minun,** jne.), jota seuraa aina partisiippiin liitetty omistusliite (painottomat 1. ja 2. persoonan pronominit voivat jäädä pois).

Kun-lause	*Passiivin NUT-partisiippi, partitiivi*
Kun *Pekka* **oli herännyt,** *hän* **lähti töihin.**	*Herät/ty/ä/än* **Pekka lähti töihin.**
Kun *oli/n* **herännyt,** *lähdi/n* **töihin.**	*Herät/ty/ä/ni* **lähdin töihin.**
Tule/t/ko **ulos, kun** *ole/t* **juonut kahvia?**	**Tuletko ulos** *juo/tu/a/si* **kahvia?**

Kun *oli/mme* syöneet, *lähdi/mme* kävelylle.

Syö/ty/ä/mme lähdimme kävelylle.

Monet *ihmiset* ajattelevat paremmin, kun *he* ovat juoneet kahvia.

Monet ihmiset ajattelevat paremmin *juo/tu/a/an* kahvia.

Kun *Pena* oli herännyt, *Jasmin* lähti töihin.

Pena/n herät/ty/ä Jasmin lähti töihin.

Kun *Viren* oli tullut maaliin, *Päivärinta* oli vielä loppusuoralla.

Vireni/n tul/tu/a maaliin Päivärinta oli vielä loppusuoralla.

Kaikki hämmästyivät, kun *Vanhanen* oli sanonut tämän.

Kaikki hämmästyivät *Vanhase/n sano/ttu/a* tämän.

Mieheni heräsi, kun *(minä) oli/n* tullut kotiin.

Mieheni heräsi *(minun) tul/tu/a/ni* kotiin.

Kun *oli/mme* olleet vuoden Ruotsissa, *ajat* huononivat.

(Meidän) *ol/tu/a/mme* vuoden Ruotsissa *ajat* huononivat.

§84 AGENTTIRAKENNE

Agenttirakenteella voidaan lyhentää relatiivilauseita – toisin sanoen **joka-**, **mikä**-lauseita – useimmiten etumääritteiksi, joissa verbi toimii adjektiivin tapaan ja subjekti (agentti) on esim. genetiivissä.

Relatiivilause
auto, jonka Kari osti
auto, jonka (minä) ostin

Agenttirakenne
Kari/n osta/ma auto
(minu/n) osta/ma/ni auto

Agenttirakenteen verbin suhteen pätee seuraava sääntö.

Agenttirakenteen verbi (agenttipartisiippi)

(a) ilmaisee useimmiten mennyttä aikaa;
(b) muodostetaan päätteellä **-ma** ~ **-mä**, joka liittyy taivutusvartaloon (§76.1);
(c) toimii tavallisen adjektiivin tapaan ja taipuu pääsana-substantiivinsa mukaan luvussa ja kaikissa sijoissa (§26.1).

Säännön kohta (a) tarkoittaa, että verbi voi vastata mitä tahansa menneen ajan tempusta (imperfekti, perfekti, pluskvamperfekti).

Kari/n osta/ma auto   (a) auto, jonka Kari *osti*
(b) auto, jonka Kari *on ostanut*
(c) auto, jonka Kari *oli ostanut*

Kohta (b) tarkoittaa, että verbinmuoto muodostetaan kuten MA-infinitiivin vartalo (§76.1).

Infinitiivi	Yks. 3. persoonan preesens	Verbinmuoto -ma ~ -mä
anta/a	anta/a	anta/ma
vetä/ä	vetä/ä	vetä/mä
+kaivat/a	kaipaa	kaipaa/ma
määrät/ä	määrää	määrää/mä
syö/dä	syö	syö/mä
valit/a	valitse/e	valitse/ma
mainit/a	mainitse/e	mainitse/ma

Kohta (c) tarkoittaa, että muodot -**ma** ~ -**mä** toimivat lauseessa adjektiivien tapaan ja ovat kongruenssisääntöjen alaisia (§26.1).

sininen auto
Karin *osta/ma* auto
sinise/n auto/n
Karin *osta/ma/n* auto/n
sinise/ssä auto/ssa
Karin *osta/ma/ssa* auto/ssa
sinise/t auto/t
Karin *osta/ma/t* auto/t
sinis/i/llä auto/i/lla
Karin *osta/m/i/lla* auto/i/lla

Agenttirakenteen agentti vastaa relatiivilauseen subjektia (**Kari** yllä olevissa esimerkeissä), ja se ilmaistaan samojen sääntöjen mukaan kuin temporaalirakenteen subjekti (§83).

Agentti ilmaistaan:

(a) pelkällä omistusliitteellä, jos se on sama kuin päälauseen vastaava lauseenjäsen (yleensä subjekti);
(b) itsenäisellä genetiivimuotoisella sanalla, jos se on eri kuin päälauseen vastaava lauseenjäsen;
(c) persoonapronominin genetiivimuodolla (**minu/n,** jne.), jota seuraa aina omistusliite (painottomat 1. ja 2. persoonan pronominit voivat jäädä pois).

Tuula/n hankki/ma **vene maksoi 1000 euroa.**
(Minun) hankki/ma/ni **vene maksoi 1000 euroa.**
Tuula istuu *hankki/ma/ssa/an* **veneessä.**
Istun *hankki/ma/ssa/ni* **veneessä.**
Miksi ette aja *hankki/ma/lla/nne* **veneellä?**
Hankki/ma/mme **veneet eivät maksaneet paljon.**
Poik/i/en hankki/ma/t **veneet ovat mukavia.**
Hän ajaa *Tuula/n hankki/ma/lla* **veneellä.**

Erityistä huomiota tulisi kiinnittää seuraavanlaisiin ilmauksiin, joissa agenttirakenne ei vastaa suoraan relatiivilausetta vaan enemmänkin tyypillistä englannin passiivirakennetta (§68):

Ehdotus on *opetusministeriö/n esittä/mä.*
Tämä runo on *Saarikoske/n kirjoitta/ma.*
Nämä runot ovat *Saarikoske/n kirjoitta/ma/t ~ kirjoitta/m/i/a.*
Kene/n kirjoitta/m/i/a **nämä runot ovat?**

19
ADJEKTIIVIEN VERTAILU

- *Komparatiivi*
- *Superlatiivi*

§85 KOMPARATIIVI

Komparatiivin pääte on -**mpi**, joka liittyy taivutusvartaloon (ks. luku 5), esim. **hullu** : **hullu/mpi**. Komparatiivin päätteen edellä tapahtuu seuraava äännevaihtelu:

> Kaksitavuisten adjektiivien lyhyt loppu-**a**, -**ä** vaihtuu **e**:ksi komparatiivin päätteen edellä.

Vrt. **vahva** : **vahve/mpi**; **selvä** : **selve/mpi**. Myös astevaihtelusäännöt vaikuttavat komparatiivin päätteen edellä (§15.6), vrt. **helppo** : **+helpo/mpi**.

Perusmuoto	Komparatiivi	Ks. taivutusvartalo §
paksu	paksu/mpi	–
iso	iso/mpi	–
kiltti	+kilti/mpi	–
vanha	vanhe/mpi	–
selvä	selve/mpi	–
kova	kove/mpi	–
paha	pahe/mpi	–
jyrkkä	+jyrke/mpi	–
tarkka	+tarke/mpi	–
nopea	nopea/mpi	–
vakava	vakava/mpi	–
suuri	suure/mpi	18.3

pieni	piene/<u>mpi</u>	18.3
uusi	+uude/<u>mpi</u>	18.4
terve	tervee/<u>mpi</u>	19
tuore	tuoree/<u>mpi</u>	19
tavallinen	tavallise/<u>mpi</u>	21.1
punainen	punaise/<u>mpi</u>	21.1
kaunis	kaunii/<u>mpi</u>	21.3
+puhdas	puhtaa/<u>mpi</u>	21.3
+raitis	raittii/<u>mpi</u>	21.3
+voimakas	voimakkaa/<u>mpi</u>	21.3
lyhyt	lyhye/<u>mpi</u>	21.8
kevyt	kevye/<u>mpi</u>	21.8

Komparatiivimuotojen taivutus on erikoinen. Taivutusvartalossa loppuosa -mpi vaihtuu muotoon **mpa** ~ **mpä**, ja astevaihtelusäännöt muuttavat tämän edelleen muotoon **mma** ~ **mmä**. Monikon -i:n edellä **a** ~ **ä** katoaa näiden päätteiden lopusta (§16).

Komparatiivin perusmuoto		*Yksikkö*	*Monikko*
paksu/<u>mpi</u>	*Gen.*	+paksu/<u>mma</u>/n	paksu/<u>mp</u>/i/en
	Part.	paksu/<u>mpa</u>/a	paksu/<u>mp</u>/i/a
	Iness.	+paksu/<u>mma</u>/ssa	+paksu/<u>mm</u>/i/ssa
	Elat.	+paksu/<u>mma</u>/sta	+paksu/<u>mm</u>/i/sta
	Illat.	paksu/<u>mpa</u>/an	paksu/<u>mp</u>/i/in
	Adess.	+paksu/<u>mma</u>/lla	+paksu/<u>mm</u>/i/lla
	Ablat.	+paksu/<u>mma</u>/lta	+paksu/<u>mm</u>/i/lta
	Allat.	+paksu/<u>mma</u>/lle	+paksu/<u>mm</u>/i/lle
	Ess.	paksu/<u>mpa</u>/na	paksu/<u>mp</u>/i/na
	Transl.	+paksu/<u>mma</u>/ksi	+paksu/<u>mm</u>/i/ksi

Vastaavasti komparatiivin perusmuoto **selve/<u>mpi</u>** taipuu seuraavalla tavalla: **selve/<u>mpä</u>/än** (illatiivi), +**selve/<u>mmä</u>/n** (genetiivi), +**selve/<u>mm</u>/i/ssä** (monikon inessiivi), jne.

Adjektiivien **hyvä** ja **pitkä** komparatiivimuodot ovat poikkeuksellisia: **hyvä : pare/mpi** ja **pitkä : pite/mpi**. **Pare/mpi** taipuu esim. **pare/<u>mpa</u>/an** (illatiivi), +**pare/<u>mma</u>/ssa** (inessiivi) ja +**pare/<u>mm</u>/i/lla** (monikon adessiivi).

Vertailulauseissa komparatiivimuodot esiintyvät usein sanan **kuin** kanssa; muuten ne käyttäytyvät tavallisten adjektiivien tapaan.

Minun autoni on *iso/mpi* kuin sinun.
Ostan *iso/mma/n* auton.
Ei *iso/mma/lla* autolla mitään tee!
Sinä olet *nuore/mpi* kuin minä.
Mutta minä taas olen *vanhe/mpi* kuin Lauri.
Jenni on vielä *vanhe/mpi* kuin minä.
Minulla on *pide/mmä/t* hiukset kuin sinulla.
Suomessa on monta *suure/mpa/a* kaupunkia kuin Salo.
Uskomme *pare/mpa/an* tulevaisuuteen.
Näytät paljon *tervee/mmä/ltä* kuin eilen.
Olenkin *tervee/mpi*!
Pitäisi elää *tervee/mpä/ä* elämää.
Anne hankki *pare/mma/n* asunnon.
Etkö pysty hankkimaan *pare/mpa/a* asuntoa?
Kaupunki rakentaa *pare/mp/i/a* asuntoja.
Mitä *suure/mpi* asunto, sitä *kallii/mpi* vuokra.
Appelsiinit ovat *kallii/mp/i/a* kuin omenat.
Keltaise/mma/t banaanit ovat *kypse/mp/i/ä*.
Ostan nuo *keltaise/mma/t* banaanit.
En osta noita *vihreä/mp/i/ä* banaaneja.
Tämä on *lue/tu/mpi* kirja.

Rakenteen **kuin** + nominatiivi voi joskus korvata pelkkä partitiivissa oleva sana, joka asetetaan komparatiivimuodon eteen.

Olet vanhe/<u>mpi</u> *kuin minä.* = Olet minu/<u>a</u> vanhe/<u>mpi</u>.
Tämä televisio on kallii/<u>mpi</u> *kuin tuo.* = Tämä televisio on tuo/<u>ta</u> kallii/<u>mpi</u>.

§86 SUPERLATIIVI

Superlatiivi muodostetaan päätteellä -**in**; se liittyy taivutusvartaloon, aivan kuten komparatiivin päätekin, esim. **hullu** : **hullu/in**. Astevaihtelu vaikuttaa superlatiivin päätteen edellä (§15.6), esim. **helppo** : **+helpo/in**.

Superlatiivin päätteen edellä pätevät myös vokaalinmuutossäännöt (§16): pitkä vokaali lyhenee, lyhyt **a, ä** ja **e** katoavat, ja **i** sekä **ii** vaihtuvat **e**:ksi.

Esimerkkejä:

Perusmuoto	Ks. taivutusvartalo §	Superlatiivi
paksu	17	paksu/in
iso	17	iso/in
kiltti	18.1	+kilte/in
vanha	20	vanh/in
selvä	20	selv/in
kova	20	kov/in
jyrkkä	20	+jyrk/in
tarkka	20	+tark/in
nopea	20	nope/in
tärkeä	20	tärke/in
matala	20	matal/in
suuri	18.3 (suure-)	suur/in
pieni	18.3	pien/in
uusi	18.4	uus/in
tavallinen	21.1	tavallis/in
punainen	21.1	punais/in
kaunis	21.3	kaune/in
+raitis	21.3	raitte/in
vapaa	17	vapa/in
vakaa	17	vaka/in
terve	19	terve/in
tuore	19	tuore/in
+puhdas	21.3	puhta/in
+voimakas	21.3	voimakka/in
runsas	21.3	runsa/in
lyhyt	21.8	lyh(y) /in
ohut	21.8	ohu/in

§86

Superlatiivimuodoillakin on erikoinen taivutus, joka muistuttaa osittain komparatiivimuotojen taivutusta (§85). Taivutusvartalossa -in vaihtuu päätteiksi **impa ~ impä**, joista astevaihtelun tuloksena syntyy **imma ~ immä**. Monikon -i:n edellä **a ~ ä** katoaa päätteen lopusta.

Superlatiivin perusmuoto		Yksikkö	Monikko
paksu/in	*Gen.*	+paksu/**imma**/n	paksu/**imp**/i/en
	Part.	paksu/**in**/ta	paksu/**imp**/i/a
	Iness.	+paksu/**imma**/ssa	+paksu/**imm**/i/ssa
	Elat.	+paksu/**imma**/sta	+paksu/**imm**/i/sta
	Illat.	paksu/**impa**/an	paksu/**imp**/i/in
	Adess.	+paksu/**imma**/lla	+paksu/**imm**/i/lla
	Ablat.	+paksu/**imma**/lta	+paksu/**imm**/i/lta
	Allat.	+paksu/**imma**/lle	+paksu/**imm**/i/lle
	Ess.	paksu/**impa**/na	paksu/**imp**/i/na
	Transl.	+paksu/**imma**/ksi	+paksu/**imm**/i/ksi

Samaan tapaan adjektiivista **selvä** saadaan superlatiivin perusmuoto **selv/in**, joka taipuu esim. **selv/impä/än** (illatiivi), +**selv/immä/stä** (elatiivi), **selv/imp/i/in** (monikon illatiivi) ja +**selv/imm/i/llä** (monikon adessiivi).

Yksikön partitiivi muodostetaan tavallisesti suoraan perusmuodosta päätteellä -ta ~ -tä, esim. **paksu/in/ta, selv/in/tä, vanh/in/ta** ja **voimakka/in/ta**.

Adjektiivien **hyvä** ja **pitkä** superlatiivimuodot ovat poikkeuksellisia.

Perusmuoto	Komparatiivi	Superlatiivi	
hyvä	pare/**mpi**	<u>paras</u> ~ parha/<u>in</u>	(gen. **parhaa/n** ~ +**parha/imma/n,** illat. **parhaa/seen** ~ **parha/impa/an,** mon. illat. **parha/i/siin** ~ **parha/imp/i/in**)
pitkä	+**pide/mpi** (**pite/mpi**)	pis/**in**	(gen. +**pis/immä/n**)

Yksikön partitiivimuodot ovat näissä tapauksissa **paras/ta** tai **parha/in/ta** sekä **pis/in/tä**.

Lauseissa superlatiivi toimii adjektiivin tapaan.

Helsinki on Suomen *suur/in* kaupunki.
Helsinki on Suomen kaupungeista *suur/in*.
Oletko käynyt Suomen *suur/imma/ssa* kaupungissa?
Helsinki on kehittynyt Suomen *suur/imma/ksi* kaupungiksi.
Mikä on Suomen *vanh/in* kaupunki?
Rauma kuuluu Suomen *vanh/imp/i/in* kaupunkeihin.
Asun kaupungin *vanh/imma/ssa* osassa.
Aion muuttaa kaupungin *vanh/impa/an* osaan.
Mitkä ovat kirjan *vaike/imma/t* luvut?
Viren oli kaikkein *nope/in*, Virtanen taas *hita/in*.
Hän on meistä *koke/ne/in*.
Kuka pojista on *pis/in*?
Entä kuka on toiseksi *pis/in*?
Intia on maailman seitsemänneksi *suur/in* maa.
Suomi on yksi maailman *pohjois/imm/i/sta* maista.
Suomi on maailman *pohjois/imp/i/a* maita.
Viren oli Suomen *nope/imp/i/a* juoksijoita.
Annan *parhaa/n (parha/imma/n)* palan sinulle.
Liha maistuu *parhaa/lta (parha/imma/lta)* paistettuna.
Satu on *parha/i/ta* ystäviäni.
On *halv/in/ta* syödä puuroa.
Ostan *halv/imma/t* kengät.
Onko Sinuhe egyptiläinen Suomen *lue/tu/in* kirja?
Lasse Pöysti on Suomen *pide/ty/imp/i/ä* näyttelijöitä.

Niin sanottu ABSOLUUTTINEN SUPERLATIIVI ilmaistaan rakenteella **mitä** +
superlatiivi, esim. **mitä hullu/in**.

Ehdotus on *mitä parha/in*.
Näytät *mitä terve/immä/ltä*.
Hän teki *mitä syv/immä/n* vaikutuksen kuulijoihin.

20
MUUT SANALUOKAT

- *Adverbit*
- *Prepositiot*
- *Postpositiot*
- *Konjunktiot*
- *Liitepartikkelit*
- *Diskurssipartikkelit*

§87 ADVERBIT

Useimmat adverbit määrittävät verbejä. Jotkin adverbit voivat saada etumääritteitä ja muodostaa ADVERBILAUSEKKEITA (§26.4), esim. **liian** *varhain*.

Yleisin adverbityyppi ilmaisee TAPAA ja muodostetaan päätteellä **-sti**, joka liitetään adjektiivin taivutusvartaloon, esim. **hauska : hauska/sti**. Tämä pääte laukaisee astevaihtelun, esim. **helppo : +helpo/sti** (§15.6).

Perusmuoto	*-sti-adverbi*
paksu	**paksu/sti**
kiltti	**+kilti/sti**
nopea	**nopea/sti**
suuri	**suure/sti**
tavallinen	**tavallise/sti**
kaunis	**kaunii/sti**
+puhdas	**puhtaa/sti**
+voimakas	**voimakkaa/sti**

Jussi laulaa *kaunii/sti*.
Panen *runsaa/sti* **voita leivän päälle.**
Puhukaa aivan *vapaa/sti!*
Nyt täytyy puhua *lyhye/sti*.

Tavallise/sti menen sänkyyn klo 23.
Teen työtä *tehokkaa/sti.*
En pidä tästä *erityise/sti.*

Komparatiivin ja superlatiivin muodot saadaan vaihtamalla vastaavat adjektiivin päätteet -**mpi** ja -**in** päätteisiin -**mmin** (komparatiivi) ja -**immin** (superlatiivi).

Adjektiivin	*Komparatiivin*	*Superlatiivin*	*Komparatiivi*	*Superlatiivi*
perusmuoto	*perusmuoto*	*perusmuoto*	-**mmin**	-**immin**
helppo	+helpo/mpi	+helpo/in	+helpo/mmin	+helpo/immin
selvä	selve/mpi	selv/in	selve/mmin	selv/immin
kova	kove/mpi	kov/in	kove/mmin	kov/immin
matala	matala/mpi	matal/in	matala/mmin	matal/immin
tarkka	+tarke/mpi	+tark/in	+tarke/mmin	+tark/immin
suuri	suure/mpi	suur/in	suure/mmin	suur/immin
tavallinen	tavallise/mpi	tavallis/in	tavallise/mmin	tavallis/immin
kaunis	kaunii/mpi	kaune/in	kaunii/mmin	kaune/immin
+puhdas	puhtaa/mpi	puhta/in	puhtaa/mmin	puhta/immin
runsas	runsaa/mpi	runsa/in	runsaa/mmin	runsa/immin
terve	tervee/mpi	terve/in	tervee/mmin	terve/immin

Teemu juoksee *nopea/mmin* kuin Lauri.
Aja *hitaa/mmin!*
Tuo mies ajaa kaikkein *hita/immin.*
Yritä opiskella *ahkera/mmin.*
Tavallis/immin herään klo 7.
Elä *tervee/mmin!*
Siellä oli *runsaa/mmin* ihmisiä kuin oli odotettu.
Kyllä Johanna laulaa *kaune/immin,* ainakin *kaunii/mmin* kuin Noora.

Sanan **paljon** komparatiivi- ja superlatiivimuodot ovat poikkeuksellisesti **enemmän** ja **eniten.** Adverbeilla +**helposti** ja **pahasti** on kaksi vaihtoehtoista superlatiivimuotoa: +**helpoimmin** ~ +**helpoiten** sekä **pahimmin** ~ **pahiten.** Huomaa myös **vähän : vähemmän : vähiten** ja **hyvin : paremmin : parhaiten.**

Toinen yleinen adverbien ryhmä ilmaisee PAIKKAA tai SUUNTAA, esim. **alas, pois.** Usein nämä adverbit taipuvat kolmessa ulkopaikallissijassa (§40) verbin ilmaiseman toiminnan suunnasta riippuen.

alas
alhaa/lla, -lta, -lle
ede/ssä, -stä, eteen
kaikkia/lla, -lta, -lle
kaukana, kaukaa, kauas
kotona, kotoa, kotiin
oikea/lla, -lta, -lle
poissa, pois
sie/llä, -ltä, sinne
tuo/lla, -lta, -nne
tää/llä, -ltä, tänne
ulkona, ulkoa, ulos
vasemma/lla, -lta, -lle
ylös

Monet tavalliset adverbit ilmaisevat AIKAA.

aikaisin	kerran
aina	kohta
eilen	myöhään
ennen	nyt
enää	pian
harvoin	silloin
heti	sitten
huomenna	tänään
jo	usein
joskus	vielä
kauan	

Suuri adverbien ryhmä ilmaisee ASTETTA, MITTAA tai MÄÄRÄÄ. Nämä sanat toimivat adjektiivien määritteinä adjektiivilausekkeissa (§26.2) ja adverbien määritteinä adverbilausekkeissa (§26.4), ja niitä on osuvinta kutsua INTEN-SITEETTISANOIKSI, esim. *varsin* pitkä.

aika	kovin
aivan	kyllin
erittäin	liian
hieman	melko

hiukan	niin
hyvin	varsin

Edellä mainittujen lisäksi on olemassa myös muita adverbeja, jotka ilmaisevat TAPAA.

hiljaa	näin
hyvin	oikein
ilmaiseksi	samoin
itsestään	siten
mielellään	väärin
noin	yksin

Tärkeitä ovat myös MODAALISET ADVERBIT, joiden avulla puhuja voi erilaisin subjektiivisin tavoin ottaa kantaa siihen, mitä sanoo.

ainakin	muun muassa
ehkä	myös
jopa	päinvastoin
juuri	tietenkin
kai	tietysti
kenties	tosin
kyllä	tosiaan
mieluummin	vain

§88 PREPOSITIOT

Prepositiot toimivat prepositiolausekkeiden edussanoina (§26.4) ja edellyttävät, että substantiivilauseke, jonka kanssa ne esiintyvät, on joko genetiivissä tai partitiivissa. Suomessa on huomattavasti vähemmän prepositioita kuin postpositioita.

Prepositiot edeltävät sanoja, joiden sijan ne määräävät, esim. *ilman* raha/a̱.
Seuraavat prepositiot edellyttävät partitiivin käyttöä:

ennen	lähe/llä, -ltä, -lle
ilman	paitsi
keske/llä, -ltä, -lle	pitkin
kohti	päin
vasten	

ennen tois/**ta** maailmansota/**a**
Oletko *ilman* raha/**a**?
Koira makaa *keskellä* lattia/**a**.
Ajan *kohti* Kuopio/**ta**.
Paitsi viini/**ä** tarvitsemme mehuakin.
Taksi ajoi *pitkin* Eerikinkatu/**a**.
Kaikki menee *päin* helvetti/**ä**.
Nojasin *vasten* seinä/**ä**.

Seuraavat prepositiot edellyttävät genetiivin käyttöä; tällaisia prepositioita ei ole paljon. **Halki** ja **läpi** ovat yleisempiä postpositioina.

alle	kesken
halki	läpi
kautta	sitten

Hänet tunnetaan *kautta* maa/**n**.
Kesken tunni/**n** Jaana lähti ulos.
läpi vuotisato/j/**en**
Sitten viime syksy/**n** en ole käynyt ulkomailla.

On useita sanoja, joka voivat esiintyä sekä prepositiona että postpositiona, jolloin niillä usein on eri sijavaatimukset täydennykseensä nähden, esim.: kylä/**n** keskellä ~ keskellä kylä/**ä**; kylä/**n** lähellä ~ lähellä kylä/**ä**; vuode/**n** ympäri ~ ympäri vuot/**ta**; polku/**a** pitkin ~ pitkin mets/i/**ä**.

§89 POSTPOSITIOT

Postpositiot toimivat postpositiolausekkeiden edussanoina (§26.4) ja edellyttävät, että substantiivilauseke, jonka kanssa ne esiintyvät, on joko genetiivissä tai partitiivissa.

Postpositiot esiintyvät niiden sanojen jäljessä, joiden sijan ne määräävät, esim. **yli** (**kadu/n yli**). Hyvin yleisiä ovat genetiivin vaativat postpositiot, joista tärkeimmät on koottu seuraavaan luetteloon. Jotkin niistä taipuvat kolmessa paikallissijassa.

aikana
ali, alitse
a/lla, -lta, -lle
ansiosta
ede/llä, -ltä, -lle
ede/ssä, -stä, eteen
eduksi
halki
hallu/ssa, -sta, haltuun
hyväksi
johdosta
jäljessä
jälkeen
kanssa
kautta
keskellä
kesken
keskuude/ssa, -sta, keskuuteen
kohda/lla, -lta, -lle
luo, luokse
luona
luota
lähe/llä, -ltä, -lle
läpi, lävitse
mielestä
mukaan
mukana
ohi, ohitse

osalta
perusteella
perässä
poikki
puole/lla, -lta, -lle
puolesta
pää/llä, -ltä, -lle
päässä
rinnalla
sisä/llä, -ltä, -lle
sisään
taakse
takaa
takana
takia, tähden
viere/llä, -ltä, -lle
viere/ssä, -stä, -en
vuoksi
yli, ylitse
ympäri, -llä, -lle

Soda/n *aikana* Ryti oli presidenttinä.
Koira on pöydä/n *alla.*
Koira ryömi pöydä/n *alle.*
Tule esiin pöydä/n *alta!*
Sinu/n *ansiosta/si* olen nyt täällä.
Talo/n *edessä* on koivu.
Pysäytän auton talo/n *eteen.*
Ajammeko kaupungi/n *halki?*
Auto on Peka/n *hallussa.*
Auto joutui Peka/n *haltuun.*
Auto on (minu/n) *hallussa/ni.*
Tee jotain Etiopia/n *hyväksi.*
Se/n *johdosta,* että...
Tunni/n *jälkeen* menen kapakkaan.
Menen tanssimaan Maria/n *kanssa.*
Tuletko tanssimaan (minu/n) *kanssa/ni?*
Salo/n *kautta* pääsee Hankoon.

Näin me/i/<u>dän</u> *kesken*…
Tori on kaupungi/<u>n</u> *keskellä.*
Ruotsalais/<u>ten</u> *keskuudessa* ollaan sitä mieltä, että…
Markus on Tuula/<u>n</u> *luona.*
Seija on me/i/<u>dän</u> *luona/mme.*
Tulen Elisa/<u>n</u> *luota.*
Lähdetkö Merja/<u>n</u> *luokse?*
Naantali on Turu/<u>n</u> *lähellä.*
Aion muuttaa Salo/<u>n</u> *lähelle.*
Aurinko paistaa ikkuna/<u>n</u> *läpi.*
Kari/<u>n</u> *mielestä* tämä ei kannata.
Ukkose/<u>n</u> *mukana* tuli sadetta.
Menen poik/i/<u>en</u> *mukaan.*
Ajoimme kaupa/<u>n</u> *ohi.*
Hän käveli (minu/<u>n</u>) *ohitse/ni.*
Tämä/n asia/<u>n</u> *osalta* olen eri mieltä.
Sano/tu/<u>n</u> *perusteella* väitän, että…
Kissa juoksi tie/<u>n</u> *poikki.*
Kene/<u>n</u> *puolella* sinä olet?
Taistelemme isänmaa/<u>n</u> *puolesta.*
Kukkulo/i/<u>den</u> *päällä* kasvoi metsää.
Kilometri/<u>n</u> *päässä* on huoltoasema.
Talo/<u>n</u> *sisällä* oli lämmintä.
Lapsi menee ove/<u>n</u> *taakse.*
Lapsi on ove/<u>n</u> *takana.*
Lapsi tuli esille ove/<u>n</u> *takaa.*
Häne/<u>n</u> *vuokse/en* teen mitä vain.
Kirjasto on yliopisto/<u>n</u> *vieressä.*
Parkkihalli rakennettiin kauppakeskukse/<u>n</u> *viereen.*
Tällaise/<u>n</u> asia/<u>n</u> *takia* ei pidä riidellä.
Nyt mennään kadu/<u>n</u> *yli.*
Lentokone lensi (me/i/<u>dän</u>) *ylitse/mme.*
Talo/j/<u>en</u> *ympärillä* oli metsää.
Hän oli purjehtinut maailma/<u>n</u> *ympäri.*

Kun postpositio esiintyy persoonapronominin genetiivimuodon yhteydessä, tämä edellyttää omistusliitteen liittämistä postpositioon, mutta 1. ja 2. persoonan pronomini voi silti itse jäädä pois (§36).

(minu/n) kanssa/<u>ni</u>
(sinu/n) kanssa/<u>si</u>
häne/n kanssa/<u>an</u>
(me/i/dän) kanssa/<u>mme</u>

Seuraaviin postpositioihin ei voi liittää omistusliitettä, eivätkä ne siksi koskaan esiinny yleiskielessä persoonapronominien yhteydessä. (Puhekielessä tällaista rajoitusta ei ole.) Joillakin näistä postpositioista esiintyy vaihtoehtoinen muoto (alla sulkeissa), jonka kanssa omistusliitteitä voi käyttää normaalisti.

ali (alitse)	ohi (ohitse)
halki	poikki
luo (luokse)	yli (ylitse)
läpi (lävitse)	

Tavallisimmat partitiivin kanssa esiintyvät postpositiot ovat seuraavat:

alas	päin
kohtaan	varten
kohti	vasta/an, -ssa
myöten	vastapäätä
pitkin	ylös

Osastopäällikkö on hyvin ystävällinen minu/<u>a</u> *kohtaan*.
Nyt lähdetään Turku/<u>a</u> *kohti*.
Hän kävelee katu/j/<u>a</u> *myöten* ~ *pitkin*.
Sinu/<u>a</u> *varten/han* se hankittiin.
Leena tuli minu/<u>a</u> *vasta/an* lentokentälle.
Onko joku sinu/<u>a</u> *vasta/ssa*?
Kirkko/<u>a</u> *vastapäätä* on Prisma.
Nyt täytyy kävellä mäke/<u>ä</u> *ylös*.

Postpositiot **asti** ja **päin** edellyttävät illatiivin käyttöä.

Opetus jatkuu ilta/<u>an</u> *asti*.
Juna kulkee Helsinki/<u>in</u> *päin*.

On myös verbeistä syntyneitä postpositioita jotka voivat vaatia muita sijoja, kuten **ilta/an** mennessä ja **olosuhte/i/sta** riippuen.

§90 KONJUNKTIOT

Konjunktiot ovat pikkusanoja, jotka sitovat lauseita ja lauseenjäseniä toisiinsa, esim. **ja, kun.** Jotkin niistä ovat konjunktion ja kieltoverbin liittoja, esim. **etten = että en, ettet = että et, ettei = että ei,** jne.; ne taipuvat siis persoonassa. Tavallisimmat konjunktiot on koottu alla olevaan luetteloon; kaikkein tavallisimpien edessä on '+'-merkki.

        ei – eikä (en – enkä, jne.)
        ei vain – vaan myös (en, jne.)
        eikä (enkä jne.)
        eli (~ elikkä)
        ellei (ellen, jne.)
        ennen kuin
        ettei (etten, jne.)
+   **että**
        ikään kuin
+   **ja**
        joko – tai
        jollei (jollen, jne.)
+   **jos**
        joskin (joskaan)
        josko
        jotta
        jottei (jotten, jne.)
+   **koska**
+   **kuin**
+   **kun**
        kun taas
        kunhan
        kunnes
        kuten
        mikäli
+   **mutta**

   muttei (mutten, jne.)
   niin että
   niin kuin
   niin – kuin -kin
   niin pian kuin
   nimittäin
   näet
   paitsi
   saati (~ saatikka)
   samoin kuin
   sekä
 + sekä – että
   sen tähden että
 + sillä
 + tai (~ taikka)
   toisin kuin
 + vaan
 + vai (~ vaiko)
 + vaikka (~ vaikkakin, vaikkakaan)
   vaikkei (vaikken, jne.)

Pentti *ja* Pirkko olivat naimisissa.
Ei Pentti *eikä* Pirkko ole tullut vielä.
Ellet ole hiljaa, menen ulos.
Ellemme yritä, emme onnistu.
Ellei sää parane, jäämme kotiin.
Eniten *eli* 450 kappaletta myytiin autoja.
Kesti pitkään *ennen kuin* nukahdin.
Ei kestänyt kauan *ennen kuin* sää kirkastui.
Huomaan, *että* kello on neljä.
Tiedän, *että* Jenni on täällä.
Väitätkö, *ettei* kello ole neljä?
Väitätkö, *että* kello *ei* ole neljä?
Väitätkö, *etten* tiedä tätä?
Väitätkö, *että en* tiedä tätä?
Simo on pitkä *ja* komea.
Matkustan *joko* junalla *tai* autolla.
En matkusta junalla *enkä* autolla.

Matkustan junalla *enkä* autolla.
Tulen *jos* voin.
Tulen, *joskin* saatan myöhästyä hiukan.
Hölkkään *jotta* kunto paranisi.
En tule, *koska* olen sairastunut.
Tulen, *kun* olen terve.
Odotan, *kunnes* hän tulee.
Kuten olen sanonut monta kertaa...
Mikäli Hanna tulee, lähden kotiin.
Satu on pidempi (pitempi) *kuin* minä.
Satu on pitkä *mutta* laiha.
Mutta sinähän sanoit, että...
Tulen, *mutten* viivy kauan.
Jos et tule, *niin* rupean itkemään.
Niin Halonen *kuin* Niinistökin pyrkivät presidentiksi.
Viren oli *sekä* nopea *että* kestävä.
Tulen, *sillä* en halua olla yksin kotona.
Otan viiniä *tai* olutta.
Otatko viiniä *vai* olutta?
Otamme *joko* viiniä *tai* vissyä.
Tulen, *vaikka* olen sairas.
En tule, *vaan* jään kotiin.

Konjunktio **vai** esiintyy vain kysymyksissä. Se on merkitykseltään poissulkeva: vastaajan oletetaan valitsevan esitetyistä vaihtoehdoista vain yhden. **Tai** sen sijaan sallii useamman kuin yhden vaihtoehdon valitsemisen, ja sitä voi käyttää myös väitelauseissa.

Menemmekö (mennäänkö) tänään *vai* huomenna?
Sopiiko tänään *tai* huomenna?
Onko tämä faksi *vai* skanneri?
Onko teillä faksia *tai* skanneria?
Haluaisin lainata faksia *tai* skanneria.

Monissa kysymyksissä on käytettävä konjunktiota **vai**, koska vaihtoehdot ovat luontaisesti toisensa poissulkevia.

Tuletko *vai* etkö tule?
Kumpi sinulle soitti, Noora *vai* Laura?
Oletko nuorempi *vai* vanhempi kuin minä?

Konjunktio **kuin** esiintyy paitsi sellaisissa vertailulauseissa, joissa vertailtavat ovat keskenään erilaisia, myös sellaisissa joissa ne ovat samanlaisia.

Lasse on yhtä vanha *kuin* minä.
Roosa on vanhempi *kuin* minä.
Sinulla on samanlainen puhelin *kuin* minulla.
Äidillä on erilainen puhelin *kuin* isällä.
Essillä on sama sukunimi *kuin* minulla.
Mikalla on eri puhelinnumero *kuin* ennen.
Se olisi sama *kuin* jos valehtelisin.
Jääkaapissa ei ole muuta *kuin* sipuleita ja pari porkkanaa.

§91 LIITEPARTIKKELIT

Suomessa on viisi yleistä LIITEPARTIKKELIA: **-ko** ~ **-kö**, **-kin**, **-kaan** ~ **-kään**, **-han** ~ **-hän** ja **-pa** ~ **-pä**. Vähemmän yleisiä liitepartikkeleita ovat **-ka** ~ **-kä** ja **-s**. Kuten edellä on jo todettu, liitepartikkelit esiintyvät aina sanan viimeisinä päätteinä; ks. pykälien 12–14 yleiskaavioita.

Liitepartikkelilla **-ko** ~ **-kö** muodostetaan suoria ja epäsuoria 'kyllä/ei'-kysymyksiä (§29.1).

Tule/t/ko?
Et/kö tule?
Auto/lla/ko tulet?
Kemi/in/kö menet?
Sa/isi/n/ko sipulipihvin?
Muutta/isi/t/ko Ruotsiin jos voisit?
Men/nä/än/kö ulos?
Sinä/kö sen teit?
Jo/ko olet korjannut autosi?
Vielä/kö sinulla on kuumetta?
Taas/ko lento on myöhässä?

Liitepartikkeli -**kin** on vahvistava pääte, joka ilmaisee usein merkitystä 'myös'. Seuraavat esimerkit havainnollistavat sen käyttöä nominien yhteydessä:

Olen hankkinut *auto/n/kin.*
Minä/kin **olen hankkinut auton.**
Oli hauskaa, että *sinä/kin* **tulit.**
Juotko *kahvi/a/kin?*
Olen ollut *Saksa/ssa/kin.*

Partikkeli -**kin** esiintyy myös verbeihin (paitsi kieltoverbiin) liittyneenä, jolloin on vaikea yksiselitteisesti sanoa, mikä sen merkitys on. Se voi esimerkiksi vahvistaa huudahduksia tai ilmaista odotusten täyttymistä, ennakkotietoa, odotusten vastaisuutta tai yllättyneisyyttä.

Odotin häntä, ja hän *tul/i/kin.*
Hän *mainits/i/kin* **siitä jotain.**
Olen ollut *ui/ma/ssa/kin.*
Eikö hän *ole/kin* **ihana!**
Simo *on/kin* **täällä.**
Etkö *lupaa/kin* **apuasi!**
Men/i/n/kin **kotiin.**
Saattaa olla, että *tule/n/kin* **mukaan.**

Liitepartikkeli -**kaan** ~ -**kään** esiintyy yleensä -**kin**-partikkelin vastineena kieltolauseissa. Aivan kuten -**kin**, se ei koskaan liity kieltoverbiin itseensä.

En ole hankkinut *auto/a/kaan.*
Minä/kään **en ole hankkinut autoa.**
Etkö juo *kahvi/a/kaan?*
En ole ollut *Saksa/ssa/kaan.*
Odotin häntä, mutta hän ei *tul/lut/kaan.*
Simo ei *ole/kaan* **täällä.**
Eikö Simo *ole/kaan* **täällä?**
Etkö *lupaa/kaan* **apuasi?**

Partikkeli **-han** ~ **-hän** ilmoittaa yleensä, että lauseessa ilmaistaan jotakin tavalla tai toisella tuttua. Sitä voidaan käyttää myös korostamaan puhujan sanomaa. Tämä pääte liittyy aina lauseen ensimmäiseen jäseneen.

Tämä/hän on skandaali!
Ruotsi/han on kuningaskunta.
Minä/hän RAKASTAN sinua!
Rakasta/n/han minä sinua.
Sinu/a/han minä rakastan.
Huomenna/han lähdemme lomalle.
Viime sunnuntai/na/han hän syntyi.
Ole/n/han minä käynyt Venäjälläkin.

-han ~ **-hän** esiintyy myös kysymyslauseissa, jolloin se antaa kysymykselle kohteliaan lisäsävyn, sekä käskylauseissa käskyn lieventäjänä.

On/ko/han Pentti kotona?
Paljon/ko/han pieni kahvi maksaa?
Sa/isi/n/ko/han laskun?
Ota/han vähän lisää!
Astu/kaa/han sisään!
Ole/han hiljaa!
Vie/hän astiat keittiöön!

Liitepartikkelilla **-pa** ~ **-pä** on vahvistava tehtävä. Puhekielessä tämän päätteen jäljessä esiintyy usein **-s**.

On/pa hän pitkä!
Kyllä/pä sinä olet ahkera!
Anna/pa(s) minullekin vähän kahvia!
En/pä anna!
On/pa(s) täällä kuuma!
Tuo/ssa/pa on iso joukko!

Liitepartikkeli **-ka** ~ **-kä** on harvinainen. Se esiintyy lähinnä kieltoverbiin yhdistyneenä korostajana, jolloin se toimii **ja**-konjunktion kielteisenä vastineena.

En tiedä *en/kä* halua tietää.
Mormonit eivät käytä kahvia *eivät/kä* myöskään alkoholia.
Älä heitä paperia *älä/kä* sylje lattialle.
Lise on norjalainen *ei/kä* ruotsalainen.
Kokous onkin tänään *ei/kä* huomenna.

Joskus samassa sanassa voi esiintyä useitakin liitepartikkeleita:

On/ko/han Sylvi kotona?	(kohtelias kysymys)
On/pa/han täällä kuuma!	(vahvistettu inttävä huudahdus)
Tule/pa/han vähän lähemmäs!	(vahvistettu kohtelias käsky)
Olutta/kin/ko (sinä) vielä otat?	(ihmettelevä kysymys)
Mene/pä/s vähän sivummalle!	(tuttavallinen vahvistettu käsky)

Liitepartikkelit -kO, -pA ja -kA eivät voi esiintyä samassa sanassa, kuten eivät myöskään -hAn ja -s tai -kin ja -kAAn.

21
SANANMUODOSTUS

- *Yleistä*
- *Johtaminen*
- *Yhdyssanojen muodostaminen*

§92 YLEISTÄ

Uusia sanoja voidaan muodostaa olemassa olevista sanoista ja vartaloista kahdella tavalla: johtamalla ja yhdistämällä. Johdettaessa muodostetaan uusia itsenäisiä sanoja (sanavartaloita) eli johdoksia liittämällä johtimia (johtopäätteitä) kantaan tai toiseen vartaloon. Adjektiivista **kaunis : kaunii-** voidaan johtimella **-ta** muodostaa johdettu verbivartalo **kaunis/ta-** (jonka A-infinitiivin muoto on **kaunis/ta/a**). Samaan tapaan voidaan verbivartalosta **aja-** johtimella **-o** muodostaa substantiivijohdos **aj/o** ja johtimella **-ele** johdettu verbivartalo **aj/ele-** (jonka A-infinitiivi on **aj/el/la**).

Johtimet sijaitsevat kannan jäljessä, mutta ennen taivutuspäätteitä – eli ennen nominien luvun ja sijan päätteitä, ennen finiittisten verbinmuotojen passiivin, tempuksen, moduksen ja persoonan päätteitä ja ennen ei-finiittisten verbinmuotojen eli infinitiivien ja partisiippien päätteitä (ks. rakennekaaviot luvussa 3).

Johdetut nominit ja verbit taipuvat aivan samalla tavalla kuin johtamattomat. Johdetut sanat ovat yleensä samojen äännevaihteluiden alaisia kuin muutkin sanat, erityisesti astevaihtelun (§15) ja vokaalinmuutosten (§16). Johtimen liittäminen voi aiheuttaa äännevaihteluita kannassa: esim. **kaunii- : kaune̲/us** ja **aja- : aj/ele-**. Nämä vaihtelut käyvät jatkossa suoraan ilmi esimerkkisanoista, eikä niistä esitetä erillisiä sääntöjä. Johtimissakin voi tapahtua äännevaihteluja muiden johtimien liittyessä niihin.

Suomen kielelle ominaista on se, että johtimia voi samassa sananmuodossa olla useitakin. Seuraavassa on muutamia esimerkkejä. Vasemmalla esitetään (johtamaton) kanta, keskellä johdettu sana ja oikealla johdinten "perusmuodot" eli pisimmät muodot.

Kantavartalo	Johdos	Johtimien "perusmuodot"
aja-	aj/ele/minen	ele-minen
asee-	asee/llis/ta-	llinen-ta
asee-	asee/llis/ta/minen	llinen-ta-minen
aja-	aj/ele/hti-	ele-hti
aja-	aj/ele/hti/va	ele-hti-va
lika-	lika/is/uus	inen-uus
koti-	+kodi/ttom/uus	ton(ttoma)-uus
kuole-	kuole/ma/ttom/uus	ma-ton(ttoma)-uus
etsi-	etsi/skel/y	skele-y
haukkaa-	++hauka/hd/us	hta-us
haukkaa-	+hauka/ht/el/u	hta-ele-u
asu-	+asu/nno/ttom/uus	nto-ton(ttoma)-uus
tuo-	tuo/tta/ma/ttom/uus	tta-ma-ton(ttoma)-uus

Kaikki johtimet eivät ole yhtä produktiivisia. Toiset ovat hyvinkin produktiivisia, mikä tarkoittaa, että ne voidaan liittää melkein mihin tahansa (tiettyä tyyppiä olevaan) kantavartaloon. Tällaisia ovat esim. johtimet -ja ~ -jä, -minen ja -ma/ton ~ -mä/tön, vrt. aja/ja, aja/minen, aja/ma/ton; tuli/ja, tule/minen, tule/ma/ton; meni/jä, mene/minen, mene/mä/tön, jne.

Toiset johtimet esiintyvät etupäässä tai pelkästään tiettyihin kantavartaloihin liittyneinä ja ovat siksi enemmän tai vähemmän epäproduktiivisia.

§93 JOHTAMINEN

§93.1 NOMINIJOHDOKSET

Osassa A käsitellään johtimia, joilla nomineista muodostetaan uusia nomineja. Osassa B käsitellään johtimia, joilla verbeistä johdetaan nomineja.

OSA A: nomineista nomineja

Kanta (nom.)	Johdos
-hko ~ -hkö (muodostaa adjektiivin)	
kylmä	kylmähkö
kova	kovahko
tarkka	+tarka/hko

279

pieni pienehkö (§18.3)
iloinen iloisehko (§21.1)

-inen (adjektiivi)
aika aikainen
hiki hikinen
ilo iloinen
jää jäinen
lika likainen
luu luinen
puu puinen
rasva rasvainen

-isa ~ -isä (adjektiivi)
kala kalaisa
leikki leikkisä
raivo raivoisa

-kko ~ -kkö (kollektiivinen substantiivi)
aalto +aallokko
koivu koivikko
kuusi kuusikko
pensas pensaikko
+porras portaikko

-la ~ -lä (substantiivi, ilmaisee paikkaa)
kahvi kahvila
kylpy kylpylä
neuvo neuvola
pappi pappila
ravinto ravintola
sairas sairaala

-lainen ~ -läinen (substantiivi tai adjektiivi,
ilmaisee henkilöä)
apu apulainen
pako pakolainen
koulu koululainen

kansa	kansalainen
suku	sukulainen
työ	työläinen
kaupunki	kaupunkilainen
Turku	turkulainen
Helsinki	helsinkiläinen
Ruotsi	ruotsalainen
Suomi	suomalainen
Saksa	saksalainen
Japani	japanilainen

-lainen ~ -läinen (adjektiivi)

eri	erilainen
kaikki	+kaikenlainen
tuo	tuollainen
tämä	tällainen
heikko	+heikonlainen
suuri	suurenlainen

-llinen (adjektiivi)

ase	aseellinen
hetki	hetkellinen
yö	yöllinen
onni	onnellinen
perhe	perheellinen
isä	isällinen
kieli	kielellinen
kunta	+kunnallinen
nainen	naisellinen

-mainen ~ -mäinen (adjektiivi)

poika	poikamainen
tyttö	tyttömäinen
raukka	raukkamainen
sika	sikamainen
vaisto	vaistomainen

-nainen ~ -näinen (adjektiivi)

koko	kokonainen
eri	erinäinen
itse	itsenäinen
moni	moninainen

-nen (deminutiivinen substantiivi)

jyvä	jyvänen
kirja	kirjanen
poika	poikanen
lappu	lappunen

-sto ~ -stö (kollektiivinen substantiivi)

lähe-	lähistö
saari	saaristo
ene/mpi	+enemmistö
vähe/mpi	+vähemmistö
elin	elimistö
tieto	+tiedosto
maa	maasto
laiva	laivasto
ohjelma	ohjelmisto
näppä/in	näppäimistö

-tar ~ -tär (substantiivi, viittaa naisiin)

kuningas	kuningatar
Pariisi	pariisitar
laula/ja	laulajatar
näytt/eli/jä	näyttelijätär

-s (järjestyslukusana adjektiivina, §53)

neljä	neljä/s
kuusi	+kuude/s
yhdeksän=toista	yhdeksästoista

-ton ~ -tön (adjektiivi)

koti	+koditon

nimi	nimetön
onni	onneton
työ	työtön
lapsi	lapseton
+tunne	tunteeton
lanka	+langaton

-(u)us ~ -(y)ys (abstrakti substantiivi)

heikko	heikkous
vahva	vahvuus
terve	terveys
suuri	suuruus
korkea	korkeus
kaunis	kauneus
isä	isyys
nuori	nuoruus
ystävä	ystävyys
yksinäinen	yksinäisyys
+syy/tön	syyttömyys
varo/vainen	varovaisuus
liha/va	lihavuus

OSA B: verbeistä nomineja

A-infinitiivi *Johdos*

-e (substantiivi)

loista/a	loiste
katso/a	katse
kasta/a	kaste
puhu/a	puhe
sata/a	+sade
toivo/a	toive

-i (substantiivi)

syö/ttä/ä	syötti
kasva/a	kasvi
paista/a	paisti

kasva/tta/a   kasvatti
muista/a   muisti

-in (substantiivi, ilmaisee välinettä)
avat/a   avain
puh/el/la   puhelin
soitta/a   +soitin
paka/sta/a   pakastin
palvel/la   palvelin
suoritta/a   +suoritin
talle/nta/a   +tallennin
ohjat/a   ohjain

-ja ~ -jä (substantiivi, ilmaisee tekijää)
myy/dä   myyjä
saa/da   saaja
anta/a   antaja
kala/sta/a   kalastaja
laula/a   laulaja
teh/dä   tekijä
ohjelmoi/da   ohjelmoija
ol/la   olija
tunte/a   tuntija
muu/nta/a   muuntaja

-ma ~ -mä (substantiivi, ilmaise tulosta)
elä/ä   elämä
murt/u/a   murtuma
osu/a   osuma

-ma/ton ~ -mä/tön (kielteinen adjektiivinen partisiippi)
kuol/la   kuolematon
ol/la   olematon
asu/a   asumaton
koke/a   kokematon
lyö/dä   lyömätön

näh/dä	näkemätön
+pakat/a	pakkaamaton

-minen (substantiivi, ilmaisee tekemistä)

asu/a	asuminen
globalisoi/tu/a	globalisoituminen
teh/dä	tekeminen

-mus ~ -mys (substantiivi, ilmaisee tulosta)

kerto/a	kertomus
kysy/ä	kysymys
väsy/ä	väsymys

-nta ~ -ntä (substantiivi)

hankki/a	+hankinta
etsi/ä	etsintä
kysy/ä	kysyntä
ampu/a	+ammunta
liittä/ä	+liitäntä

-nti (substantiivi)

saa/da	saanti
tuo/da	tuonti
vie/dä	vienti
myy/dä	myynti
tupak/oi/da	tupakointi

-nto ~ -ntö (substantiivi)

asu/a	asunto
käyttä/ä	+käytäntö
luo/da	luonto

-o ~ -ö (substantiivi)

jaka/a	jako
huuta/a	huuto
lentä/ä	lento
+levät/ä	lepo

lähte/ä	lähtö
teh/dä	teko
+pelät/ä	pelko
tietä/ä	tieto
näh/dä	näkö
kuul/la	kuulo
näy/ttä/ä	näyttö

-os ~ -ös (substantiivi, ilmaisee usein teon tulosta)

kiittä/ä	+kiitos
osta/a	ostos
tul/la	tulos
pettä/ä	+petos
kääntä/ä	+käännös
piirtä/ä	+piirros

-ri (substantiivi, ilmaisee tekijää)

leipo/a	leipuri
+pelät/ä	pelkuri
kulke/a	kulkuri
taiko/a	taikuri
ime/ä	imuri
+mitat/a	mittari

-u ~ -y (substantiivi)

alka/a	alku
iske/ä	isku
itke/ä	itku
kylpe/ä	kylpy
maksa/a	maksu
laula/a	laulu
käske/ä	käsky
sur/ra	suru
teksta/il/la	tekstailu

-us ~ -ys (substantiivi)

avat/a	avaus
hengi/ttä/ä	+hengitys
kulje/tta/a	+kuljetus
metsä/stä/ä	metsästys
kirjo/itta/a	+kirjoitus
kala/sta/a	kalastus
puolusta/a	puolustus
päiv/ittä/ä	+päivitys
sovelta/a	+sovellus
asenta/a	+asennus

-uu (substantiivi)

palat/a	paluu
+taat/a : takaa-	takuu
kerjät/ä	kerjuu
+kaivat/a : kaipaa-	kaipuu
kehrät/ä	kehruu

-vainen ~ -väinen (adjektiivi)

opetta/a	opettavainen
tyyty/ä	tyytyväinen
kuol/la	kuolevainen
säästä/ä	säästäväinen
usko/a	uskovainen

§93.2 VERBIJOHDOKSET

Uusia verbejä voidaan johtaa sekä verbeistä että nomineista. Edelliset, deverbaaliset verbit, ovat paljon tavallisempia kuin denominaaliset verbit. Deverbaalisten verbinjohtimien runsaus on indoeurooppalaisiin kieliin verrattuna yksi suomen kielen erikoispiirteistä. Johdetut verbit esitetään seuraavassa A-infinitiivissä.

§93.2

OSA A: *verbeistä verbejä*

A-infinitiivi   Johdos

-ahta ~ -ähtä (momentaaninen verbi)
haukku/a   +haukahtaa
laula/a   laulahtaa
horju/a   horjahtaa
istu/a   istahtaa

-aise ~ -äise (momentaaninen verbi)
kysy/ä   kysäistä
niel/lä   nielaista
nyki/ä   nykäistä

-ele ~ -ile (frekventatiivinen verbi)
aja/a   ajella
astu/a   astella
kysy/ä   kysellä
katso/a   katsella
kala/sta/a   kalastella
kiistä/ä   kiistellä
tekstat/a   tekstailla

-ksi (frekventatiivinen verbi)
ime/ä   imeksiä
kulke/a   +kuljeksia
tunke/a   +tungeksia

-skele (frekventatiivinen verbi)
etsi/ä   etsiskellä
ime/ä   imeskellä
ol/la   oleskella
oppi/a   +opiskella
kehu/a   kehuskella

-skentele (frekventatiivinen verbi)

myy/dä	myyskennellä
käy/dä	käyskennellä
teh/dä	+teeskennellä

-tta ~ -ttä (kausatiivinen verbi)

teh/dä	+teettää
pes/tä	pesettää
kasva/a	kasvattaa
elä/ä	elättää

-u ~ -y (refleksiivinen verbi)

löytä/ä	löytyä
siirtä/ä	siirtyä
tunte/a	tuntua
vaihta/a	vaihtua
tyhje/ntä/ä	tyhjentyä
rakas/ta/a	rakastua
pelasta/a	pelastua
muu/tta/a	muuttua
verko/tta/a	verkottua

-utta ~ -yttä (kausatiivinen verbi)

+lakat/a	lakkauttaa
odotta/a	+odotuttaa
ulko/il/la	ulkoiluttaa

-utu ~ -yty (refleksiivinen verbi)

kerät/ä	keräytyä
elä/ä	eläytyä
vaivat/a	vaivautua
jättä/ä	jättäytyä
peri/ä	periytyä
tunke/a	tunkeutua
kirjat/a	kirjautua

OSA B: nomineista verbejä

-ile (ilmaisee jatkuvuutta)

aika	aikailla
pyörä	pyöräillä
nyrkki	nyrkkeillä
teltta	telttailla
pallo	palloilla

-ista ~ -istä (kausatiiviverbi)

ruskea	ruskistaa
uusi	+uudistaa
varma	varmistaa

-itta ~ -ittä (kausatiiviverbi)

haava	haavoittaa
lahja	lahjoittaa
raha	rahoittaa

-itu ~ -ity (refleksiiviviverbi)

avio	avioitua
telakka	+telakoitua
vaurio	vaurioitua

-oi ~ -öi (ilmaisee jatkuvuutta)

tupakka	+tupakoida
meteli	metelöidä
ikävä	ikävöidä
esitel/mä	esitelmöidä
isä/ntä	+isännöidä

-sta ~ -sta

arvo	arvostaa
teho	tehostaa
sieni	sienestää

-t : -ne (ilmaisee muutosta)
halpa	+halve/t/a : halpe/ne-
huono	huono/t/a : huono/ne-
lyhyt	lyhe/t/ä : lyhe/ne-
kylmä	kylme/t/ä : kylme/ne-
tumma	tumme/t/a : tumme/ne-

-t : a ~ ä (toimia kantasubstantiivin
merkityksen mukaisesti)
mitta	+mita/t/a : mitta/a-
naula	naula/t/a : naula/a-
lupa	+luva/t/a : lupa/a-
kuva	kuva/t/a : kuva/a-
hauta	+hauda/t/a : hauta/a-

-ta ~ -tä (kausatiiviverbi)
hidas	hidastaa
sävel	säveltää
uusi	+uudistaa

-tta ~ -ttä
koulu	kouluttaa
lippu	+liputtaa
vero	verottaa
puukko	+puukottaa

-u ~ -y (refleksiivinen verbi)
kuiva	kuivua
tippa	tippua
ruoste	ruostua
kostea	kostua

-utta ~ -yttä (kausatiiviverbi)
harha	harhauttaa
nopea	nopeuttaa
vaikea	vaikeuttaa

§94 YHDYSSANOJEN MUODOSTAMINEN

Yhdyssanojen yleisin tyyppi koostuu kahdesta johtamattomasta substantiivista. Seuraavissa esimerkeissä merkki = ilmaisee yhdyssanan sisäisiä sananrajoja. Yhdyssanat kirjoitetaan tyypillisesti ilman sananvälejä.

> kirja=kauppa
> vesi=pullo
> video=peli
> kirje=kuori
> koe=aika
> kivi=kausi

Tällaisen yhdyssanan ensimmäinen osa on usein genetiivissä, esim.:

> meren=ranta
> yliopiston=lehtori
> auton=ikkuna
> avaimen=reikä

Yhdyssanan osat voivat itse olla johdoksia:

> kaiv/in=kone
> lävist/ys=kone
> pes/u=kone
> tiet/o=kone
> matka=puh/el/in
> kone=apu/lainen
> te/o/llis/uus=tuo/ta/nto

Myös useampi- kuin kaksiosaiset yhdyssanat ovat varsin yleisiä:

> puhee/n=johta/ja=kausi
> maa=talo/us=tuo/ta/nto
> el/o=kuva=te/o/llis/uus
> huone=kalu=tehdas
> hammas=lääke=tiede
> kauppa=tase=vaja/us

täyde/nn/ys=koulu/t/us=kys/el/y
el/in=keino=tul/o=vero=laki

Rakenteeltaan mutkikkaita yhdyssanoja syntyy nimenomaan silloin, kun yhdyssanan jokin osa on verbistä johdettu substantiivi ja/tai paikallissijassa taipuva sana:

> työn=saa/nti=mahdollis/uus
> tode/llis/uuden=hahmo/tta/mis=kyky
> oman=voiton=pyy/nti
> jäsen=hanki/nta=kampanja
> nuoteista=laulu=taito
> hallituksessa=ol/o=aika
> pysä/hty/mis=merkin=ant/o=nappi

Tällaiset rakenteet ovat aivan yleisiä ja produktiivisia, erityisesti kirjoitetussa kielessä; vrt. myös:

prahassa=käy/mä/ttöm/yys=kompleksi
'kompleksi siitä, ettei ole käynyt Prahassa'

Usein tällaiset monimutkaiset yhdyssanat vastaavat täysiä lauseita. Myös yhdysadjektiiveja on olemassa runsaasti, erityisesti sellaisia, joiden jälkiosa on johdettu adjektiivi:

> asian=muka/inen
> saman=koko/inen
> ala=ikä/inen
> vapaa=miel/inen
> lyhyt=sana/inen
> moni=mutka/inen
> suomen=kiel/inen
> kansan=taju/inen
> kansain=väli/nen
> pitkä=aika/inen

Joskus kaksiosaisen yhdyssanan ensimmäisen osan muoto saattaa poiketa perusmuodosta. Näin on etenkin **nen**-loppuisissa nomineissa (§21.1), joista yhdyssanoissa käytetään samaa vartaloa kuin yksikön partitiivissa, esimerkiksi:

kokonais=valta/inen	vrt. **kokonainen**
nais=suku=puoli	vrt. **nainen**
yksityis=kohta/inen	vrt. **yksityinen**
yleis=kieli	vrt. **yleinen**
ihmis=kunta	vrt. **ihminen**
hevos=paimen	vrt. **hevonen**

Muita tällaisia erikoistapauksia ovat esimerkiksi:

suur=piirteinen	vrt. **suuri**
kolmi=vuot/ias	vrt. **kolme**
neli=vuot/ias	vrt. **neljä**
puna=viini	vrt. **punainen**
valko=viini	vrt. **valkoinen**
sini=silmäinen	vrt. **sininen**
viher=pippuri	vrt. **vihreä**
kelta=tauti	vrt. **keltainen**

Suomessa ei ole moniakaan yhdysverbejä. Huomaa kuitenkin:

alle=kirjoittaa
kokoon=panna
laimin=lyödä
läpi=käydä
yllä=pitää
jälleen=vakuuttaa
jälleen=rakentaa

22
ARKINEN PUHEKIELI[2]

- *Yleistä*
- *Äänteiden kato ja assimiloituminen*
- *Muotoeroja*

§95 YLEISTÄ

Tähän asti tässä kirjassa on käsitelty enimmäkseen sen suomen kielen muodon kielioppia, jota kutsutaan yleiskieleksi ja joka esiintyy lähinnä kirjoitetussa muodossa. Suomalaiset puhuvat kuitenkin vain harvoin tiukasti edellä kuvattujen normien mukaista kieltä; sitä kuulee lähinnä virallisissa, "juhlallisissa" puhetilanteissa, joihin läheskään kaikki suomalaiset eivät koskaan joudu (kuten puheissa, saarnoissa, radio- ja tv-uutisten luvussa, erilaisissa rituaaleissa kuten valtiopäivien avajaisissa, usein opetuksessa, jne.).

Tällaisen puhutun yleiskielen normit ovat lähellä niitä, jotka pätevät kirjoitetussa kielessä. Usein kuulee väitteen "suomea puhutaan niin kuin sitä kirjoitetaan". Tämä ei kuitenkaan pidä kirjaimellisesti paikkaansa. Väitteellä tarkoitetaan kirjainten ja foneemien (äännetyyppien) vastaavuussääntöä (§5): jokaista kirjainta vastaa järjestelmällisesti yksi ja sama foneemi, jokaista foneemia järjestelmällisesti yksi ja sama kirjain.

Arkisissa puhetilanteissa monikaan suomalainen ei ilmaise itseään samalla tavalla kuin kirjoittaessaan. Arkisen puhekielen kielioppi poikkeaa monin tavoin kirjoitetun kielen ja siihen pohjautuvan puhutun yleiskielen kieliopista, niin äänintämykseltään kuin muoto- ja lauseopiltaan. Se ei ole kuitenkaan millään tavalla "huonoa kieltä", ainoastaan toisenlaisissa tilanteissa käy-

---

[2] Varhaisen 2000-luvun puhutussa suomessa esiintyviä foneettisia, kieliopillisia, leksikaalisia ja pragmaattisia tendenssejä käsitellään Jarvan ja Nurmen (2006) kirjassa *Oikeeta suomee. Suomen puhekielen sanakirja* sekä Kotilaisen ja Vartevan (2006) kirjassa *Mummonsuomi laajakaistalla.*

tettyä kieltä. Vanhastaankin on ollut olemassa paikallismurteita, jotka poikkeavat (kirjoitetusta ja puhutusta) yleiskielestä, esim. lounaismurteet, hämäläismurteet, kaakkoismurteet ja Peräpohjolan murteet.

Viimeisten vuosikymmenien aikana suomalaisten puhekieli on ollut murrosvaiheessa, jonka ovat saaneet aikaan yhteiskunnan nopeat ja rajutkin muutosprosessit. Tärkeimpiä näistä ovat: sotien jälkeinen uudisasuttaminen; elinkeinorakenteen muuttuminen ja sitä seurannut maaltapako ja kaupungistuminen (erityisesti Suur-Helsingin syntyminen); yhteiskunnan tarjoaman yhtenäisen, yhä pitemmän ja perusteellisemman koulutuksen vaikutus, joka tasoittaa paitsi yhteiskunnallisia luokkaeroja myös kielieroja; eetteriviestinten eli kaikkien suomalaisten käyttämän radion ja tv:n valtakunnallinen vaikutus; sekä monien lukeman viihdekirjallisuuden kieltä yhtenäistävä vaikutus.

Suur-Helsingin syntyminen, eetteriviestimet sekä pääkaupungin status ovat käytännössä johtaneet laajalle levinneen vapaan puhesuomen muodon syntymiseen. Silti monet tämän kielimuodon piirteistä ovat vanhaa perua, esim. länsiuusmaalaisista murteista.

Helsinkiläispohjaiselle arkiselle puhekielelle ovat tunnusomaisia eräät äännekadot ja assimilaatiot (mukautumisilmiöt) (§96) sekä tietyt muoto- ja lauseopilliset piirteet (§97), jotka ovat erittäin yleisiä, varsinkin nuorempien sukupolvien puheessa.

§96 ÄÄNTEIDEN KATO JA ASSIMILOITUMINEN

Erityisen yleisiä arkisessa puhekielessä ovat erilaiset äännekadot ja assimilaatiot. Alla olevissa esimerkeissä arkista puhekieltä verrataan tarkan yleiskieliseen ääntämykseen.

(1) Loppuvokaalit **i** sekä **a**, **ä** katoavat (ja mahdollinen pitkä konsonantti lyhenee) eräissä päätteissä, joista tärkeimmät ovat inessiivin -**ssa** ~ -**ssä**, elatiivin -**sta** ~ -**stä**, adessiivin -**lla** ~ -**llä**, ablatiivin -**lta** ~ -**ltä**, translatiivin -**ksi**, yksikön 2. persoonan omistusliite -**si**, konditionaalin -**isi** ja imperfektin -**s/i**. Loppu-**i** voi myös kadota sellaisista nomineista, jotka päättyvät **si**:hin. Eräät yleiset konjunktiot ja adverbit voivat menettää lopputavunsa.

Yleiskielinen ääntämys	*Puhekielinen ääntämys*
talossa	talos
meressä	meres
talosta	talost
merestä	merest
autolla	autol
häneltä	hänelt
vanhaksi	vanhaks
autosi	autos
hän tulisi	hän tulis
Pekka sanoisi	Pekka sano(i)s
pitäisikö minun	pitä(i)skö mun
meillä on	meil on
hyvän makuista	hyväm makust
siinä	siin
siellä	siel
sillä	sil
Tuula heräsi	Tuula heräs
kanssa	kans, kaa
yksi, kaksi, viisi, kuusi	yks, kaks, viis, kuus
uusi, vuosi	uus, vuos
että	et
mutta	mut
vaikka	vaik
kyllä	kyl

(2) **i**-loppuisten diftongien (esim. **ai, oi, ui, äi**) **i** katoaa painottomissa ta-
vuissa. Tämä koskee usein myös imperfektin **-i**:tä ja konditionaalin
-isi-päätteen ensimmäistä vokaalia.

punainen	punane(n)
sellainen	sellane(n)
semmoinen	semmone(n), simmone(n)
tuommoinen	t(u)ommone(n)
viimeinen	viimene(n), viimine(n)
kirjoittaa	kirjottaa

Terhi sanoi   Terhi sano
Armi kantoi   Armi kanto
(minä) kestäisin   mä kestäsin
hän kestäisi   hän kestä(i)s
Elina antaisi   Elina anta(i)s

(3) Kun lyhyt **a** tai **ä** esiintyy vokaalin jäljessä, se assimiloituu usein edellisen vokaalin kaltaiseksi, jolloin syntyy pitkä vokaali (**ea**:sta ja **eä**:stä tulee **ee**, **oa**:sta **oo** jne.). Näin voi tapahtua myös pitkälle **aa**:lle ja **ää**:lle yksikön 3. persoonan indikatiivin preesensissä. Lyhyt **a** tai **ä** voi kadota vokaaliyhtymistä **ea**, **eä**, **oa**, **ua**, **yä** jos konditionaalin -**is**(**i**) seuraa.

kauhea	kauhee
nopean	nopeen
tärkeä	tärkee
kulkea	kulkee
lukea	lukee
en rupea	en rupee
emme haluaisi	emme haluis
en rupeaisi	en rupeis
väkeä	väkee
leveässä	levees(sä)
taloa	taloo
varoa	varoo
laukkua	laukkuu
haluan	haluun
haluatko (sinä)	haluuksä, haluutsä
sallia	sallii
tuntia	tuntii
rupeaa	rupee
kiipeää	kiipee
leviää	levii
katoaa	katoo
haluaa	haluu

(4) Perfektin NUT-partisiipin -**nut** ~ -**nyt** loppu-**t** katoaa tai assimiloituu seuraavan konsonantin kaltaiseksi.

olen sanonut	oon sanonu
olen sanonut sen	oon sanonus sen
Joonas on tullut	Joonas on tullu
Joonas on tullut jo	Joonas on tulluj jo
ei ollutkaan	ei ollukkaa(n)

(5) Loppu-**n** assimiloituu usein seuraavan konsonantin kaltaiseksi (tai katoaa).

Teemun pallo	Teemum pallo
sateen jälkeen	satee(j) jälkeen
jossain vaiheessa	jossai(v) vaihees(sa)
Miia on juossut	Miia oj juossu(t)
autokin	autoki
sekään	sekää
silmään	silmää(n)
ryypättiin	ryypättii
en	e
kun	ku
kuin	ku(i)
niin	ni(i)
silloin	sillo(i)

(6) Joissain sanoissa **d** katoaa tai muuttuu **j**:ksi.

meidän	mei(j)än
teidän	tei(j)än
tehdä	tehä
tehdään	tehään
nähdään	nähään
kahdeksan	kaheksan
yhdeksän	yheksän
kahden	kahen
tahdon	tahon
lähdetään	lähetään
edes	ees

(7) l ja n katoavat toisinaan verbeissä **ole-**, **tule-**, **mene-**, **pane-**; tällöin toinen vokaali assimiloituu ensimmäisen kaltaiseksi (tai katoaa).

olen, olet, olette	oon, oot, ootte
ole hiljaa!	o(h) hiljaa!
olenhan minä	oha(m) mä
en ole	en o(o)
olisi	ois
menen, menet, menette	meen, meet, meette
mene pois!	me(e)p pois
tulet	tuut
tulette	tuutte
tule tänne!	tu(u)ttänne
panen	paan
näen	nään

§97 MUOTOEROJA

Jotkin muotoeroista liittyvät läheisesti edellä mainittuihin äänteiden katoihin ja assimilaatioihin (§96).

(1) Monet tavalliset pronominimuodot ja adverbit lyhenevät tai muuten muuttuvat arkisessa puhekielessä.

Yleiskielinen ääntämys	Puhekielinen ääntämys
minä	mä(ä)
minun, minut	mun, mut
minua	mua
minulla	mul(la)
minulle	mulle
minuun	muhun
sinä	sä(ä)
sinun, sinut	sun, sut
sinua	sua
sinulla	sul(la)
sinuun	suhun
meillä	meil

teillä	teil
tämä	tää
tämän	tän
tuo	toi
tuon	ton
tuolla (pronomini, vrt. sillä)	tol(la) (vrt. sil)
tuolla (proadverbi, vrt. siellä)	tuol(la) (vrt. siel)
tuossa	tos(sa)
nuo	noi
mitä?	tä?
kuinka	kui
sitten	sit

(2) Monet numeraalit lyhenevät huomattavasti.

yksi	yks
kaksi	kaks
viisi	viis
kuusi	kuus
seitsemän	seittemä(n)
kahdeksan	kaheksa(n)
yhdeksän	yheksä(n)
yksitoista	ykstoist
viisitoista	viistoist
kaksikymmentä	kaksky(n)t
kuusikymmentäviisi	kuus(ky(n))tviis
seitsemänkymmentäkahdeksan	seis(ky)tka(h)eksa(n)

(3) 1. ja 2. persoonan omistusliitteet katoavat usein, ja niitä vastaavat pronominit lyhenevät. Omistusliitteen kadotessa ero yksikön ja monikon välillä (sekä yksikön nominatiivin ja genetiivin välillä) tulee näkyviin, vrt. §36.

(minun) kirja/ni	mun kirja(n) ~ kirjat
(sinun) kirja/si	sun kirja(n) ~ kirjat
(meidän) kirja/mme	meijän kirja(n) ~ kirjat
(teidän) kirja/nne	teijän kirja(n) ~ kirjat

(4) Persoonapronominit **hän** ja **he** korvautuvat yleensä pronomineilla **se** ja **ne**. Näiden pronominien yhteydessä ei koskaan käytetä omistusliitteitä.

hänen kirja/nsa   sen kirja(n) ~ kirjat
heidän kirja/nsa   niiden kirja(n) ~ kirjat

(5) Finiittiverbien monikon 3. persoonan päätettä ei käytetä, vaan sen tilalla on yksikön 3. persoonan pääte (§25.1).

Yleiskielinen ääntämys   *Puhekielinen ääntämys*
he tule/vat   **ne tulee**
he anta/vat   **ne antaa**
he mene/vät   **ne menee**

(6) Passiivimuotoja (§69–71) käytetään monikon 1. persoonan **-mme**-päätteen tilalla.

me sano/mme	**me sanotaan**
me sano/i/mme	**me sanottiin**
me sano/isi/mme	**me sanotta(i)s(iin)**
sano/kaa/mme	**sanotaan**
emme sano	**me ei sanota**
emme sano/neet	**me ei sanottu**
emme sano/isi	**me ei sanotta(i)s(i)**
me mene/mme	**me mennään**
me men/i/mme	**me mentiin**
me men/isi/mme	**me mentä(i)s(iin)**
men/kää/mme	**mennään**
emme mene	**me ei mennä**
emme men/neet	**me ei menty**
emme men/isi	**me ei mentä(i)s**
emme ol/isi men/neet	**me ei olta(i)s menty**

(7) Usein esiintyy kaksoispassiivia, eli yhdistettyjä aikamuotoja joissa sekä **ol/la**-verbi että pääverbi on taivutettu passiivissa. Tämä on erityisen yleistä silloin, kun passiivia käytetään ilmaisemaan monikon 1. persoonaa.

on teh/ty	(me) ol/la/an teh/ty
on sano/ttu	(me) ol/la/an sano/ttu
ol/i pääte/tty	(me) ol/tiin pääte/tty
ei ol/lut saa/tu	(me) ei ol/tu saa/tu
ol/isi tarvit/tu	(me) ol/ta/(i)s(i/in) tarvit/tu

(8) Perfektin NUT-partisiippi (§61) taipuu usein yksikössä monikon 2. ja 3. persoonan subjektien yhteydessä.

olette men/neet	ootte men/ny
oletteko (te) syö/neet?	ootteks te syö/ny?
he ovat nukku/neet	ne on nukku/nu
ovatko he käy/neet?	onks ne käy/ny?

(9) Kysymyspartikkeli -ko ~ -kö muuttuu usein muotoon ks (§29.1). Konditionaalissa ja muissakin yhteyksissä se voi yksikön 2. persoonassa kadota.

onko(s) teillä?	onks teil
palaako täällä?	palaaks tääl
vienkö minä?	vienks mä(ä)
oletko sinä?	ook sä(ä) ~ oot sä(ä)
tiedätkö?	tieksä ~ tietsä ~ tieks ~ tiiäks(ä)
olisitko (sinä)?	o(l)isit sä, o(l)isik sä
tuletko (sinä)?	tuut sä, tuuk (sä)
haluatko (sinä)?	haluut sä, haluuk sä

(10) MA-infinitiivin illatiivin pääte -ma ~ -mä (§76.4) katoaa usein. Tällöin sijapääte -Vn assimiloituu vartalon viimeisen vokaalin kaltaiseksi, ja myös loppu-n saattaa kadota, esim. nukku/u(n). Pääte ei kuitenkaan katoa saa/da-verbeistä, poikkeuksina näh/dä ja teh/dä.

mennään nukku/ma/an	mennään nukkuu(n)
lähden tanssi/ma/an	(mä) lähen tanssii(n)
tuletkos kävele/mä/än?	tuuks(ä) ~ tuutsä kävelee(n)?
pystytkö näke/mä/än sitä?	pystyts(ä) näkee(n) sitä?
mennäänkö syö/mä/än?	mennää(n)ks syömää(n)?

(11) Partitiivin monikkomuodot, jotka päättyvät vokaaliin + **ja** ~ **jä**, lyhenevät muotoon vokaali + **i**.

kirjoja	kirjoi
värejä	värei
hulluja	hullui

(12) Sanakohtaisia lyhentymiä ja assimilaatioita.

tarvitsetko (sinä)?	tarviit ~ tarttet sä?
(minä) en tarvitse	(mä) en tarvii ~ tartte
(minä) tarvitsen	(mä) tarviin ~ tartten
näetkö (sinä)?	näät ~ nääk(s) sä?
(minä) näen	mä nään
itse	it(t)e
katso! katsokaa!	kato! kattokaa!
en viitsi tulla	en viittit tulla
mitenkä	mites
kuinka	kui(n)
takaisin	takas

(13) Lukusanoista on useita puhekielisiä ilmaisuja. Urheilussa ja korttipeleissä käytetään usein substantiiveja **ykkönen** (1), **kakkonen** (2), **kolmonen** (3), **nelonen** (4), **vi(i)tonen** (5), **ku(u)tonen** (6), **seiska** (7), **kasi** (8), **ysi** (9), **kymppi** (10). Puhekielinen tapa laskea yhdestä kahdeksaan (erityisesti lasten keskuudessa) on **yy** (1), **kaa** (2), **koo** (3), **nee** (4), **vii** (5), **kuu** (6), **see** (7), **kaa** (8). Kolikoista tai seteleistä käytetään ilmauksia **vi(i)tonen** (5), **kymppi** (10), **kakskymppinen** (20), **viiskymppinen** (50), **satanen** (100), **kakssatanen** (200), **viissatanen** (500) ja **tonni** (1000).

Seuraavat lauseparit havainnollistavat edelleen eroja kirjoitetun kielen ja arkisen puhekielen välillä.

(Minä) en uskaltanut edes soittaa.	Mä en uskaltanu ees soittaa.
Siinä se viimeinenkin usko hävisi.	Siin se viimene(n)ki usko hävis.
Otinko (minä) liikaa?	Oti(n)ks mä liikaa?
Ottavatko he sinut?	Otta(a)ks ne sut?

En (minä) viitsi lähteä.	Em mä viitti lähtee.
Olenko (minä) kertonut sinulle vielä?	O(on)ks mä kertonus sulle viel(ä)?
(Me) olimme siellä kaksi tuntia.	M(e) oltiin siel kaks tuntii.
Oletko todella tulossa vanhaksi?	Ootsä todel tulos vanhaks?
Ne ovat minulla taskussa.	Ne on mul(la) taskus.
Olenhan minä mennyt sinnekin.	O(on)han mä menny sinnek(k)i.
Eikö se ole hirveän iso?	Eik s(e) o(o) hirvee(n) iso?
Siellä olisi kiva olla.	Siel ois kiva olla.
(Minä) lähden lainaamaan kurssikirjoja.	Mä lähen lainaa(n) kurssikirjoi.
Lähdettäisiinkö jo takaisin?	Lähettä(i)skö jo takas?

§98 DISKURSSIPARTIKKELIT

DISKURSSIPARTIKKELIT ovat puhutulle kielelle tyypillisiä taipumattomia sanoja, joilla ei ole omia määritteitä. Niillä on monia, usein epämääräisiä tehtäviä ja merkityksiä: keskustelun jäsentäminen; sen viestittäminen, että puhuja aikoo ottaa puheenvuoron seuraavaksi itselleen; puhujan tunteiden tai yleisen asennoitumisen ilmaiseminen; arvioivien vivahteiden lisääminen sanottuun; keskustelukumppanin puheenvuoron kommentoiminen; sen viestittäminen keskustelukumppanille, että tämän puhetta seurataan; uuden puheenaiheen nostaminen esille jne.

Seuraavassa on joitakin esimerkkejä suomen INTERJEKTIOISTA, jotka voivat esiintyä vastauksena johonkin, mitä puhuja on sanonut, sekä karkea kuvaus niiden ilmaisemasta merkityksestä: **a(a)h** (mielihyvä), **ai(h)** (lievä kipu), **huh(huh)** (väsymys, helpotus), **hui** (pelästys, pelko), **hyi** (inho), **hä(h)** (yllätys, epäusko), **hm** (mietteliäisyys), **mmm** (mielihyvä), **oi** (ilo, yllätys), **pyh** (halvennus, vähättely), **jess** (iloinen yllätys), **kas** (yllätys), **oh(h)o** (hämmästys), **vau(de)** (ihailu), **yäk** (inho), **tä** (kysymys?; yllätys, epäusko).

DIALOGIPARTIKKELEITA käytetään keskustelukumppanin puheenvuoron passiiviseen kommentointiin: **ahaa, jaa, vai niin, joo, juu, niin, kyllä, just, juuri, okei, mm** (niin).

LAUSUMAPARTIKKELIT usein aloittavat lausuman lisäämättä siihen mitään selkeää merkityssisältöä: **ai, vai, ja, joo, et(tä), ni(in), no, mut(ta)**. Partikkeli **no** on erityisen yleinen tässä käyttötarkoituksessa: **No, mitä kuuluu?** Vastaus tähän voisi olla: **No ei mitään erityistä.**

Suunnittelupartikkelit ovat enemmän tai vähemmän sisällöttömiä ilmauksia, joilla puhuja täyttää hiljaisuutta suunnitellessaan, mitä sanoisi seuraavaksi: **eiku(n), ni(i)nku(n), siis, tai, t(u)ota ~ t(u)ota noin ~ jotenkin, silleen, tavallaan.** Näitä voidaan toistaa lähes määrättömästi ennen kuin puhuja pääsee asiaan: **Joo no tota tota tota noin niinku ...**

Fokuspartikkelit ovat adverbeja, joilla korostetaan ja ohjataan huomiota tiettyihin lausuman osiin: **myös, jopa, peräti, vieläpä, ainoastaan, pelkästään, varsinkin, vallankin, juuri, ainakin, hädin tuskin, tarkalleen.**

Modaalisilla adverbeilla (§87), konjunktioilla (§90) ja liitepartikkeleilla (§91) on samantapaisia tehtäviä kuin diskurssipartikkeleilla.

LIITE 1
TAIVUTUSTAULUKOITA

NOMINIT

	Yksikkö	Monikko	Yksikkö	Monikko
Nom.	talo	talot	katu	kadut
Gen.	talon	talojen	kadun	katujen
Part.	taloa	taloja	katua	katuja
Iness.	talossa	taloissa	kadussa	kaduissa
Elat.	talosta	taloista	kadusta	kaduista
Illat.	talon	taloihin	katuun	katuihin
Adess.	talolla	taloilla	kadulla	kaduilla
Ablat.	talolta	taloilta	kadulta	kaduilta
Allat.	talolle	taloille	kadulle	kaduille
Ess.	talona	taloina	katuna	katuina
Transl.	taloksi	taloiksi	kaduksi	kaduiksi

Nom.	tunti (§18.1)	tunnit	kivi (§18.2)	kivet
Gen.	tunnin	tuntien	kiven	kivien
Part.	tuntia	tunteja	kiveä	kiviä
Iness.	tunnissa	tunneissa	kivessä	kivissä
Elat.	tunnista	tunneista	kivestä	kivistä
Illat.	tuntiin	tunteihin	kiveen	kiviin
Adess.	tunnilla	tunneilla	kivellä	kivillä
Ablat.	tunnilta	tunneilta	kiveltä	kiviltä
Allat.	tunnille	tunneille	kivelle	kiville
Ess.	tuntina	tunteina	kivenä	kivinä
Transl.	tunniksi	tunneiksi	kiveksi	kiviksi

Nom.	kieli (§18.3)	kielet	vesi (§18.4)	vedet
Gen.	kielen	kielten	veden	vesien
Part.	kieltä	kieliä	vettä	vesiä
Iness.	kielessä	kielissä	vedessä	vesissä

Elat.	kielestä	kielistä	vedestä	vesistä
Illat.	kieleen	kieliin	veteen	vesiin
Adess.	kielellä	kielillä	vedellä	vesillä
Ablat.	kieleltä	kieliltä	vedeltä	vesiltä
Allat.	kielelle	kielille	vedelle	vesille
Ess.	kielenä	kielinä	vetenä	vesinä
Transl.	kieleksi	kieliksi	vedeksi	vesiksi

Nom.	liike (§19)	liikkeet	kauppa (§20)	kaupat
Gen.	liikkeen	liikkeiden	kaupan	kauppojen
Part.	liikettä	liikkeitä	kauppaa	kauppoja
Iness.	liikkeessä	liikkeissä	kaupassa	kaupoissa
Elat.	liikkeestä	liikkeistä	kaupasta	kaupoista
Illat.	liikkeeseen	liikkeisiin	kauppaan	kauppoihin
Adess.	liikkeellä	liikkeillä	kaupalla	kaupoilla
Ablat.	liikkeeltä	liikkeiltä	kaupalta	kaupoilta
Allat.	liikkeelle	liikkeille	kaupalle	kaupoille
Ess.	liikkeenä	liikkeinä	kauppana	kauppoina
Transl.	liikkeeksi	liikkeiksi	kaupaksi	kaupoiksi

Nom.	härkä (§20)	härät	ihminen (§21.1)	ihmiset
Gen.	härän	härkien	ihmisen	ihmisten
Part.	härkää	härkiä	ihmistä	ihmisiä
Iness.	härässä	härissä	ihmisessä	ihmisissä
Elat.	härästä	häristä	ihmisestä	ihmisistä
Illat.	härkään	härkiin	ihmiseen	ihmisiin
Adess.	härällä	härillä	ihmisellä	ihmisillä
Ablat.	härältä	äriltä	ihmiseltä	ihmisiltä
Allat.	härälle	härille	ihmiselle	ihmisille
Ess.	härkänä	härkinä	ihmisenä	ihmisinä
Transl.	häräksi	häriksi	ihmiseksi	ihmisiksi

Nom.	ajatus (§21.2)	ajatukset	rengas (§21.3)	renkaat
Gen.	ajatuksen	ajatusten	renkaan	renkaiden
Part.	ajatusta	ajatuksia	rengasta	renkaita
Iness.	ajatuksessa	ajatuksissa	renkaassa	renkaissa
Elat.	ajatuksesta	ajatuksista	renkaasta	renkaista

Illat.	ajatukseen	ajatuksiin	renkaaseen	renkaisiin
Adess.	ajatuksella	ajatuksilla	renkaalla	renkailla
Ablat.	ajatukselta	ajatuksilta	renkaalta	renkailta
Allat.	ajatukselle	ajatuksille	renkaalle	renkaille
Ess.	ajatuksena	ajatuksina	renkaana	renkaina
Transl.	ajatukseksi	ajatuksiksi	renkaaksi	renkaiksi

Nom.	hyvyys (§21.4)	hyvyydet	avain (§21.5)	avaimet
Gen.	hyvyyden	hyvyyksien	avaimen	avaimien
Part.	hyvyyttä	hyvyyksiä	avainta	avaimia
Iness.	hyvyydessä	hyvyyksissä	avaimessa	avaimissa
Elat.	hyvyydestä	hyvyyksistä	avaimesta	avaimista
Illat.	hyvyyteen	hyvyyksiin	avaimeen	avaimiin
Adess.	hyvyydellä	hyvyyksillä	avaimella	avaimilla
Ablat.	hyvyydeltä	hyvyyksiltä	avaimelta	avaimilta
Allat.	hyvyydelle	hyvyyksille	avaimelle	avaimille
Ess.	hyvyytenä	hyvyyksinä	avaimena	avaimina
Transl.	hyvyydeksi	hyvyyksiksi	avaimeksi	avaimiksi

Nom.	työtön (§21.6)	työttömät	askel (§21.7)	askelet
Gen.	työttömän	työttömien	askelen	askelien
Part.	työtöntä	työttömiä	askelta	askelia
Iness.	työttömässä	työttömissä	askelessa	askelissa
Elat.	työttömästä	työttömistä	askelesta	askelista
Illat.	työttömään	työttömiin	askeleen	askeliin
Adess.	työttömällä	työttömillä	askelella	askelilla
Ablat.	työttömältä	työttömiltä	askelelta	askelilta
Allat.	työttömälle	työttömille	askelelle	askelille
Ess.	työttömänä	työttöminä	askelena	askelina
Transl.	työttömäksi	työttömiksi	askeleksi	askeliksi

Nom.	lyhyt (§21.8)	lyhyet	kolmas (§53)	kolmannet
Gen.	lyhyen	lyhyiden	kolmannen	kolmansien
Part.	lyhyttä	lyhyitä	kolmatta	kolmansia
Iness.	lyhyessä	lyhyissä	kolmannessa	kolmansissa
Elat.	lyhyestä	lyhyistä	kolmannesta	kolmansista
Illat.	lyhyeen	lyhyisiin	kolmanteen	kolmansiin

Adess.	lyhyellä	lyhyillä	kolmannella	kolmansilla
Ablat.	lyhyeltä	lyhyiltä	kolmannelta	kolmansilta
Allat.	lyhyelle	lyhyille	kolmannelle	kolmansille
Ess.	lyhyenä	lyhyinä	kolmantena	kolmansina
Transl.	lyhyeksi	lyhyiksi	kolmanneksi	kolmansiksi

Nom.	suurempi (§85)	suuremmat	suurin (§86)	suurimmat
Gen.	suuremman	suurempien	suurimman	suurimpien
Part.	suurempaa	suurempia	suurinta	suurimpia
Iness.	suuremmassa	suuremmissa	suurimmassa	suurimmissa
Elat.	suuremmasta	suuremmista	suurimmasta	suurimmista
Illat.	suurempaan	suurempiin	suurimpaan	suurimpiin
Adess.	suuremmalla	suuremmilla	suurimmalla	suurimmilla
Ablat.	suuremmalta	suuremmilta	suurimmalta	suurimmilta
Allat.	suuremmalle	suuremmille	suurimmalle	suurimmille
Ess.	suurempana	suurempina	suurimpana	suurimpina
Transl.	suuremmaksi	suuremmiksi	suurimmaksi	suurimmiksi

VERBIT

ANTA/A-VERBIT (§24.1)

FINIITTIMUODOT

Indikatiivi

Aktiivin preesens

Myönteinen	*Kielteinen*
Yksikkö	
1 sanon	en sano
2 sanot	et sano
3 sanoo	ei sano
Monikko	
1 sanomme	emme sano
2 sanotte	ette sano
3 sanovat	eivät sano

Passiivin preesens

sanotaan ei sanota

Aktiivin imperfekti

Yksikkö
1 sanoin en sanonut
2 sanoit et sanonut
3 sanoi ei sanonut

Monikko
1 sanoimme emme sanoneet
2 sanoitte ette sanoneet
3 sanoivat eivät sanoneet

Passiivin imperfekti

sanottiin ei sanottu

Aktiivin perfekti

Yksikkö
1 olen sanonut en ole sanonut
2 olet sanonut et ole sanonut
3 on sanonut ei ole sanonut

Monikko
1 olemme sanoneet emme ole sanoneet
2 olette sanoneet ette ole sanoneet
3 ovat sanoneet eivät ole sanoneet

Passiivin perfekti

on sanottu ei ole sanottu

Aktiivin pluskvamperfekti

Yksikkö
1 olin sanonut en ollut sanonut
2 olit sanonut et ollut sanonut
3 oli sanonut ei ollut sanonut

Monikko

1	olimme sanoneet	emme olleet sanoneet
2	olitte sanoneet	ette olleet sanoneet
3	olivat sanoneet	eivät olleet sanoneet

Passiivin pluskvamperfekti

oli sanottu	ei ollut sanottu

Konditionaali

Aktiivin preesens

Yksikkö

1	sanoisin	en sanoisi
2	sanoisit	et sanoisi
3	sanoisi	ei sanoisi

Monikko

1	sanoisimme	emme sanoisi
2	sanoisitte	ette sanoisi
3	sanoisivat	eivät sanoisi

Passiivin preesens

sanottaisiin	ei sanottaisi

Aktiivin perfekti

Yksikkö

1	olisin sanonut	en olisi sanonut
2	olisit sanonut	et olisi sanonut
3	olisi sanonut	ei olisi sanonut

Monikko

1	olisimme sanoneet	emme olisi sanoneet
2	olisitte sanoneet	ette olisi sanoneet
3	olisivat sanoneet	eivät olisi sanoneet

Passiivin perfekti

olisi sanottu   ei olisi sanottu

Imperatiivi
Aktiivin preesens

Yksikkö
2	sano	älä sano
3	sanokoon	älköön sanoko

Monikko
1	sanokaamme	älkäämme sanoko
2	sanokaa	älkää sanoko
3	sanokoot	älkööt sanoko

Passiivin preesens

sanottakoon   älköön sanottako

Potentiaali
Aktiivin preesens

Yksikkö
1	sanonen	en sanone
2	sanonet	et sanone
3	sanonee	ei sanone

Monikko
1	sanonemme	emme sanone
2	sanonette	ette sanone
3	sanonevat	eivät sanone

Passiivin preesens

sanottaneen   ei sanottane

Aktiivin perfekti

Yksikkö

1	lienen sanonut	en liene sanonut
2	lienet sanonut	et liene sanonut
3	lienee sanonut	ei liene sanonut

Monikko

1	lienemme sanoneet	emme liene sanoneet
2	lienette sanoneet	ette liene sanoneet
3	lienevät sanoneet	eivät liene sanoneet

Passiivin perfekti

lienee sanottu   ei liene sanottu

EI-FINIITTISET MUODOT

Infinitiivit

A-infinitiivi	sanoa
	sanoakseni
E-infinitiivi	sanoessa
	sanoen
MA-infinitiivi	sanomaan
	sanomassa
	sanomasta
	sanomalla
	sanomatta

Partisiipit

	Preesens
Aktiivi	sanova
Passiivi	sanottava
	Perfekti
Aktiivi	sanonut
Passiivi	sanottu

HUOMAT/A-VERBIT (§24.2)

FINIITTIMUODOT

Indikatiivi
Aktiivin preesens

Myönteinen   **Kielteinen**
Yksikkö

1 hyppään   en hyppää
2 hyppäät   et hyppää
3 hyppää   ei hyppää

Monikko
1 hyppäämme   emme hyppää
2 hyppäätte   ette hyppää
3 hyppäävät   eivät hyppää

Passiivin preesens

hypätään   ei hypätä

Aktiivin imperfekti

Yksikkö
1 hyppäsin   en hypännyt
2 hyppäsit   et hypännyt
3 hyppäsi   ei hypännyt

Monikko
1 hyppäsimme   emme hypänneet
2 hyppäsitte   ette hypänneet
3 hyppäsivät   eivät hypänneet

Passiivin imperfekti

hypättiin   ei hypätty

315

Aktiivin perfekti

Yksikkö

1	olen hypännyt	en ole hypännyt
2	olet hypännyt	et ole hypännyt
3	on hypännyt	ei ole hypännyt

Monikko

1	olemme hypänneet	emme ole hypänneet
2	olette hypänneet	ette ole hypänneet
3	ovat hypänneet	eivät ole hypänneet

Passiivin perfekti

on hypätty   ei ole hypätty

Aktiivin pluskvamperfekti

Yksikkö

1	olin hypännyt	en ollut hypännyt
2	olit hypännyt	et ollut hypännyt
3	oli hypännyt	ei ollut hypännyt

Monikko

1	olimme hypänneet	emme olleet hypänneet
2	olitte hypänneet	ette olleet hypänneet
3	olivat hypänneet	eivät olleet hypänneet

Passiivin pluskvamperfekti

oli hypätty   ei ollut hypätty

Konditionaali

Aktiivin preesens

Yksikkö

1	hyppäisin	en hyppäisi
2	hyppäisit	et hyppäisi
3	hyppäisi	ei hyppäisi

Monikko

1	hyppäisimme	emme hyppäisi
2	hyppäisitte	ette hyppäisi
3	hyppäisivät	eivät hyppäisi

Passiivin preesens

hypättäisiin   ei hypättäisi

Aktiivin perfekti

Yksikkö

1	olisin hypännyt	en olisi hypännyt
2	olisit hypännyt	et olisi hypännyt
3	olisi hypännyt	ei olisi hypännyt

Monikko

1	olisimme hypänneet	emme olisi hypänneet
2	olisitte hypänneet	ette olisi hypänneet
3	olisivat hypänneet	eivät olisi hypänneet

Passiivin perfekti

olisi hypätty   ei olisi hypätty

Imperatiivi

Aktiivin preesens

Yksikkö

| 2 | hyppää | älä hyppää |
| 3 | hypätköön | älköön hypätkö |

Monikko

1	hypätkäämme	älkäämme hypätkö
2	hypätkää	älkää hypätkö
3	hypätkööt	älkööt hypätkö

Passiivin preesens

hypättäköön   älköön hypättäkö

Potentiaali

Aktiivin preesens

Yksikkö

1	hypännen	en hypänne
2	hypännet	et hypänne
3	hypännee	ei hypänne

Monikko

1	hypännemme	emme hypänne
2	hypännette	ette hypänne
3	hypännevät	eivät hypänne

Passiivin preesens

hypättäneen   ei hypättäne

Aktiivin perfekti

Yksikkö

1	lienen hypännyt	en liene hypännyt
2	lienet hypännyt	et liene hypännyt
3	lienee hypännyt	ei liene hypännyt

Monikko

1	lienemme hypänneet	emme liene hypänneet
2	lienette hypänneet	ette liene hypänneet
3	lienevät hypänneet	eivät liene hypänneet

Passiivin perfekti

lienee hypätty   ei liene hypätty

EI-FINIITTISET MUODOT

Infinitiivit

A-infinitiivi	hypätä
	hypätäkseni
E-infinitiivi	hypätessä
	hypäten
MA-infinitiivi	hyppäämään
	hyppäämässä
	hyppäämästä
	hyppäämällä
	hyppäämättä

Partisiipit

	Preesens
Aktiivi	hyppäävä
Passiivi	hypättävä
	Perfekti
Aktiivi	hypännyt
Passiivi	hypätty

SAA/DA-VERBIT (§24.3)

FINIITTIMUODOT

Indikatiivi

Aktiivin preesens

Myönteinen	Kielteinen
Yksikkö	
1 saan	en saa
2 saat	et saa
3 saa	ei saa

Monikko	
1 saamme	emme saa
2 saatte	ette saa
3 saavat	eivät saa

Passiivin preesens

saadaan	ei saada

Aktiivin imperfekti

Yksikkö	
1 sain	en saanut
2 sait	et saanut
3 sai	ei saanut

Monikko	
1 saimme	emme saaneet
2 saitte	ette saaneet
3 saivat	eivät saaneet

Passiivin imperfekti

saatiin	ei saatu

Aktiivin perfekti

Yksikkö

1	olen saanut	en ole saanut
2	olet saanut	et ole saanut
3	on saanut	ei ole saanut

Monikko

1	olemme saaneet	emme ole saaneet
2	olette saaneet	ette ole saaneet
3	ovat saaneet	eivät ole saaneet

Passiivin perfekti

on saatu   ei ole saatu

Aktiivin pluskvamperfekti

Yksikkö

1	olin saanut	en ollut saanut
2	olit saanut	et ollut saanut
3	oli saanut	ei ollut saanut

Monikko

1	olimme saaneet	emme olleet saaneet
2	olitte saaneet	ette olleet saaneet
3	olivat saaneet	eivät olleet saaneet

Passiivin pluskvamperfekti

oli saatu   ei ollut saatu

Konditionaali

Aktiivin preesens

Yksikkö

1	saisin	en saisi
2	saisit	et saisi
3	saisi	ei saisi

Monikko

1	saisimme	emme saisi
2	saisitte	ette saisi
3	saisivat	eivät saisi

Passiivin preesens

saataisiin   ei saataisi

Aktiivin perfekti

Yksikkö

1	olisin saanut	en olisi saanut
2	olisit saanut	et olisi saanut
3	olisi saanut	ei olisi saanut

Monikko

1	olisimme saaneet	emme olisi saaneet
2	olisitte saaneet	ette olisi saaneet
3	olisivat saaneet	eivät olisi saaneet

Passiivin perfekti

olisi saatu   ei olisi saatu

Imperatiivi

Aktiivin preesens

Yksikkö

2	saa	älä saa
3	saakoon	älköön saako

Monikko

1	saakaamme	älkäämme saako
2	saakaa	älkää saako
3	saakoot	älkööt saako

Passiivin preesens

saatakoon	älköön saatako

Potentiaali

Aktiivin preesens

Yksikkö

1	saanen	en saane
2	saanet	et saane
3	saanee	ei saane

Monikko

1	saanemme	emme saane
2	saanette	ette saane
3	saanevat	eivät saane

Passiivin preesens

saataneen	ei saatane

Aktiivin perfekti

Yksikkö

1	lienen saanut	en liene saanut
2	lienet saanut	et liene saanut
3	lienee saanut	ei liene saanut

Monikko

1	lienemme saaneet	emme liene saaneet
2	lienette saaneet	ette liene saaneet
3	lienevät saaneet	eivät liene saaneet

Passiivin perfekti

lienee saatu ei liene saatu

EI-FINIITTISET MUODOT

Infinitiivit

A-infinitiivi	saada
	saadakseni
E-infinitiivi	saadessa
	saaden
MA-infinitiivi	saamaan
	saamassa
	saamasta
	saamalla
	saamatta

Partisiipit

	Preesens
Aktiivi	saava
Passiivi	saatava
	Perfekti
Aktiivi	saanut
Passiivi	saatu

TUL/LA- JA NOUS/TA-VERBIT (§24.4)

FINIITTIMUODOT

Indikatiivi

Aktiivin preesens

Myönteinen	Kielteinen
Yksikkö	
1 nousen	en nouse
2 nouset	et nouse
3 nousee	ei nouse

Monikko	
1 nousemme	emme nouse
2 nousette	ette nouse
3 nousevat	eivät nouse

Passiivin preesens

noustaan	ei nousta

Aktiivin imperfekti

Yksikkö	
1 nousin	en noussut
2 nousit	et noussut
3 nousi	ei noussut

Monikko	
1 nousimme	emme nousseet
2 nousitte	ette nousseet
3 nousivat	eivät nousseet

Passiivin imperfekti

noustiin	ei noustu

Aktiivin perfekti

Yksikkö

1	olen noussut	en ole noussut
2	olet noussut	et ole noussut
3	on noussut	ei ole noussut

Monikko

1	olemme nousseet	emme ole nousseet
2	olette nousseet	ette ole nousseet
3	ovat nousseet	eivät ole nousseet

Passiivin perfekti

on noustu   ei ole noustu

Aktiivin pluskvamperfekti

Yksikkö

1	olin noussut	en ollut noussut
2	olit noussut	et ollut noussut
3	oli noussut	ei ollut noussut

Monikko

1	olimme nousseet	emme olleet nousseet
2	olitte nousseet	ette olleet nousseet
3	olivat nousseet	eivät olleet nousseet

Passiivin pluskvamperfekti

oli noustu   ei ollut noustu

Konditionaali

Aktiivin preesens

Yksikkö

1	nousisin	en nousisi
2	nousisit	et nousisi
3	nousisi	ei nousisi

Monikko

1	nousisimme	emme nousisi
2	nousisitte	ette nousisi
3	nousisivat	eivät nousisi

Passiivin preesens

noustaisiin   ei noustaisi

Aktiivin perfekti

Yksikkö

1	olisin noussut	en olisi noussut
2	olisit noussut	et olisi noussut
3	olisi noussut	ei olisi noussut

Monikko

1	olisimme nousseet	emme olisi nousseet
2	olisitte nousseet	ette olisi nousseet
3	olisivat nousseet	eivät olisi nousseet

Passiivin perfekti

olisi noustu   ei olisi noustu

Imperatiivi

Aktiivin preesens

Yksikkö

2	nouse	älä nouse
3	nouskoon	älköön nousko

Monikko

1	nouskaamme	älkäämme nousko
2	nouskaa	älkää nousko
3	nouskoot	älkööt nousko

Passiivin preesens

noustakoon	älköön noustako

Potentiaali

Aktiivin preesens

Yksikkö

1	noussen	en nousse
2	nousset	et nousse
3	noussee	ei nousse

Monikko

1	noussemme	emme nousse
2	noussette	ette nousse
3	noussevat	eivät nousse

Passiivin preesens

noustaneen	ei noustane

Aktiivin perfekti

Yksikkö

1	lienen noussut	en liene noussut
2	lienet noussut	et liene noussut
3	lienee noussut	ei liene noussut

Monikko

1	lienemme nousseet	emme liene nousseet
2	lienette nousseet	ette liene nousseet
3	lienevät nousseet	eivät liene nousseet

Passiivin perfekti

lienee noustu   ei liene noustu

EI-FINIITTISET MUODOT

Infinitiivit

A-infinitiivi	nousta
	noustakseni
E-infinitiivi	noustessa
	nousten
MA-infinitiivi	nousemaan
	nousemassa
	nousemasta
	nousemalla
	nousematta

Partisiipit

	Preesens
Aktiivi	nouseva
Passiivi	noustava
	Perfekti
Aktiivi	noussut
Passiivi	noustu

TARVIT/A-VERBIT (§24.5)

FINIITTIMUODOT

Indikatiivi

Aktiivin preesens

Myönteinen	*Kielteinen*
Yksikkö	
1 tarvitsen	en tarvitse
2 tarvitset	et tarvitse
3 tarvitsee	ei tarvitse

Monikko	
1 tarvitsemme	emme tarvitse
2 tarvitsette	ette tarvitse
3 tarvitsevat	eivät tarvitse

Passiivin preesens

tarvitaan	ei tarvita

Aktiivin imperfekti

Yksikkö	
1 tarvitsin	en tarvinnut
2 tarvitsit	et tarvinnut
3 tarvitsi	ei tarvinnut

Monikko	
1 tarvitsimme	emme tarvinneet
2 tarvitsitte	ette tarvinneet
3 tarvitsivat	eivät tarvinneet

Passiivin imperfekti

tarvittiin	ei tarvittu

Aktiivin perfekti

Yksikkö

1	olen tarvinnut	en ole tarvinnut
2	olet tarvinnut	et ole tarvinnut
3	on tarvinnut	ei ole tarvinnut

Monikko

1	olemme tarvinneet	emme ole tarvinneet
2	olette tarvinneet	ette ole tarvinneet
3	ovat tarvinneet	eivät ole tarvinneet

Passiivin perfekti

on tarvittu   ei ole tarvittu

Aktiivin pluskvamperfekti

Yksikkö

1	olin tarvinnut	en ollut tarvinnut
2	olit tarvinnut	et ollut tarvinnut
3	oli tarvinnut	ei ollut tarvinnut

Monikko

1	olimme tarvinneet	emme olleet tarvinneet
2	olitte tarvinneet	ette olleet tarvinneet
3	olivat tarvinneet	eivät olleet tarvinneet

Passiivin pluskvamperfekti

oli tarvittu   ei ollut tarvittu

Konditionaali

Aktiivin preesens

Yksikkö

1	tarvitsisin	en tarvitsisi
2	tarvitsisit	et tarvitsisi
3	tarvitsisi	ei tarvitsisi

Monikko

1	tarvitsisimme	emme tarvitsisi
2	tarvitsisitte	ette tarvitsisi
3	tarvitsisivat	eivät tarvitsisi

Passiivin preesens

tarvittaisiin   ei tarvittaisi

Aktiivin perfekti

Yksikkö

1	olisin tarvinnut	en olisi tarvinnut
2	olisit tarvinnut	et olisi tarvinnut
3	olisi tarvinnut	ei olisi tarvinnut

Monikko

1	olisimme tarvinneet	emme olisi tarvinneet
2	olisitte tarvinneet	ette olisi tarvinneet
3	olisivat tarvinneet	eivät olisi tarvinneet

Passiivin perfekti

olisi tarvittu   ei olisi tarvittu

Imperatiivi
Aktiivin preesens

Yksikkö
| 2 | tarvitse | älä tarvitse |
| 3 | tarvitkoon | älköön tarvitko |

Monikko
1	tarvitkaamme	älkäämme tarvitko
2	tarvitkaa	älkää tarvitko
3	tarvitkoot	älkööt tarvitko

Passiivin preesens

tarvittakoon   älköön tarvittako

Potentiaali
Aktiivin preesens

Yksikkö
1	tarvinnen	en tarvinne
2	tarvinnet	et tarvinne
3	tarvinnee	ei tarvinne

Monikko
1	tarvinnemme	emme tarvinne
2	tarvinnette	ette tarvinne
3	tarvinnevat	eivät tarvinne

Passiivin preesens

tarvittaneen   ei tarvittane

Aktiivin perfekti

Yksikkö

1	lienen tarvinnut	en liene tarvinnut
2	lienet tarvinnut	et liene tarvinnut
3	lienee tarvinnut	ei liene tarvinnut

Monikko

1	lienemme tarvinneet	emme liene tarvinneet
2	lienette tarvinneet	ette liene tarvinneet
3	lienevät tarvinneet	eivät liene tarvinneet

Passiivin perfekti

lienee tarvittu   ei liene tarvittu

EI-FINIITTISET MUODOT

Infinitiivit

A-infinitiivi	tarvita
	tarvitakseni
E-infinitiivi	tarvitessa
	tarviten
MA-infinitiivi	tarvitsemaan
	tarvitsemassa
	tarvitsemasta
	tarvitsemalla
	tarvitsematta

Partisiipit

	Preesens
Aktiivi	tarvitseva
Passiivi	tarvittava
	Perfekti
Aktiivi	tarvinnut
Passiivi	tarvittu

LÄMMET/Ä-VERBIT (§24.6)

FINIITTIMUODOT

Indikatiivi

Aktiivin preesens

Myönteinen	Kielteinen
Yksikkö	
1 lämpenen	en lämpene
2 lämpenet	et lämpene
3 lämpenee	ei lämpene

Monikko	
1 lämpenemme	emme lämpene
2 lämpenette	ette lämpene
3 lämpenevät	eivät lämpene

Passiivin preesens

lämmetään	ei lämmetä

Aktiivin imperfekti

Yksikkö	
1 lämpenin	en lämmennyt
2 lämpenit	et lämmennyt
3 lämpeni	ei lämmennyt

Monikko	
1 lämpenimme	emme lämmenneet
2 lämpenitte	ette lämmenneet
3 lämpenivät	eivät lämmenneet

Passiivin imperfekti

lämmettiin	ei lämmetty

Aktiivin perfekti

Yksikkö

1	olen lämmennyt	en ole lämmennyt
2	olet lämmennyt	et ole lämmennyt
3	on lämmennyt	ei ole lämmennyt

Monikko

1	olemme lämmenneet	emme ole lämmenneet
2	olette lämmenneet	ette ole lämmenneet
3	ovat lämmenneet	eivät ole lämmenneet

Passiivin perfekti

on lämmetty   ei ole lämmetty

Aktiivin pluskvamperfekti

Yksikkö

1	olin lämmennyt	en ollut lämmennyt
2	olit lämmennyt	et ollut lämmennyt
3	oli lämmennyt	ei ollut lämmennyt

Monikko

1	olimme lämmenneet	emme olleet lämmenneet
2	olitte lämmenneet	ette olleet lämmenneet
3	olivat lämmenneet	eivät olleet lämmenneet

Passiivin pluskvamperfekti

oli lämmetty   ei ollut lämmetty

Konditionaali

Aktiivin preesens

Yksikkö

1	lämpenisin	en lämpenisi
2	lämpenisit	et lämpenisi
3	lämpenisi	ei lämpenisi

Monikko

1	lämpenisimme	emme lämpenisi
2	lämpenisitte	ette lämpenisi
3	lämpenisivät	eivät lämpenisi

Passiivin preesens

lämmettäisiin   ei lämmettäisi

Aktiivin perfekti

Yksikkö

1	olisin lämmennyt	en olisi lämmennyt
2	olisit lämmennyt	et olisi lämmennyt
3	olisi lämmennyt	ei olisi lämmennyt

Monikko

1	olisimme lämmenneet	emme olisi lämmenneet
2	olisitte lämmenneet	ette olisi lämmenneet
3	olisivat lämmenneet	eivät olisi lämmenneet

Passiivin perfekti

olisi lämmetty   ei olisi lämmetty

Imperatiivi

    Aktiivin preesens

Yksikkö

2	lämpene	älä lämpene
3	lämmetköön	älköön lämmetkö

Monikko

1	lämmetkäämme	älkäämme lämmetkö
2	lämmetkää	älkää lämmetkö
3	lämmetkööt	älkööt lämmetkö

    Passiivin preesens

    lämmettäköön   älköön lämmettäkö

Potentiaali

    Aktiivin preesens

Yksikkö

1	lämmennen	en lämmenne
2	lämmennet	et lämmenne
3	lämmennee	ei lämmenne

Monikko

1	lämmennemme	emme lämmenne
2	lämmennette	ette lämmenne
3	lämmennevät	eivät lämmenne

    Passiivin preesens

    lämmettäneen   ei lämmettäne

Aktiivin perfekti

Yksikkö

1	lienen lämmennyt	en liene lämmennyt
2	lienet lämmennyt	et liene lämmennyt
3	lienee lämmennyt	ei liene lämmennyt

Monikko

1	lienemme lämmenneet	emme liene lämmenneet
2	lienette lämmenneet	ette liene lämmenneet
3	lienevät lämmenneet	eivät liene lämmenneet

Passiivin perfekti

lienee lämmetty   ei liene lämmetty

EI-FINIITTISET MUODOT

Infinitiivit

A-infinitiivi	lämmetä
	lämmetäkseni
E-infinitiivi	lämmetessä
	lämmeten
MA-infinitiivi	lämpenemään
	lämpenemässä
	lämpenemästä
	lämpenemällä
	lämpenemättä

Partisiipit

	Preesens
Aktiivi	lämpenevä
Passiivi	lämmettävä
	Perfekti
Aktiivi	lämmennyt
Passiivi	lämmetty

LIITE 2: RELEVANTTEJA INTERNET-OSOITTEITA

http://www.ling.helsinki.fi/~fkarlsso/finlinks.htm
Suomeen ja suomen kieleen liittyviä linkkejä.

http://www2.lingsoft.fi/cgi-bin/fintwol
Lingsoftin morfologinen analysaattori FINTWOL antaa minkä tahansa
taivutetun sanan perusmuodon ja kieliopilliset kategoriat.

http://www.verbix.com/languages/finnish.shtml
Verbix taivuttaa minkä tahansa suomen verbin (antaa kaikki keskeiset
taivutusmuodot).

http://www.connexor.com/nlplib/?demo/syntax
Connexorin jäsennin tuottaa morfologisen ja syntaktisen analyysin syötetyistä
lauseista.

http://www2.lingsoft.fi/cgi-bin/finspell
Lingsoftin oikolukuohjelma korjaa väärin kirjoitetut sanat.

http://kaino.kotus.fi/cgi-bin/julk1/termit.cgi
Selitykset (suomeksi) kaikille kieliopillisille termeille, joita on käytetty *Isossa suomen kieliopissa*, 2004.

http://www.ling.helsinki.fi/~fkarlsso/genkau2.html
Suomen kielen substantiivin **kauppa** kaikki 2253 muotoa.

HAKEMISTO